古遠清臺灣文學新五書

臺灣百年文學紛爭史

上冊

古遠清　著

目次

上冊

第五章　七十年代的文學紛爭（一）

下冊

緒論　臺灣文學紛爭的緣由及其表現形態

臺灣文學百年紛爭的風雨歷程，開始轉型升級——從文學觀轉向國族認同，憑著論戰的學術型、政治型品類豐富的作品，泛娛樂——像張大春〈如果我罵蔣為文〉那樣的論爭娛樂化和「高行健的臺灣之旅」那樣的跨國、跨島、跨界的強勁影響力，已成為臺灣文學最受關注的文學新貌。

研究臺灣文學紛爭史，必須先明確什麼是臺灣文學？這本是一個容易引起紛爭的話題。不管人們如何解說，它都是一種客觀存在，用齊邦媛的話來說：「凡是在臺灣寫的，寫臺灣人和事的文學作品，甚至敘述臺灣的神話和傳說，都是臺灣文學。世代居住臺灣之作家寫的當然是臺灣文學；中國歷史大斷裂時，漂流來臺灣的遺民和移民，思歸鄉愁之作也是臺灣文學。」（註一）

大陸學者研究華文文學，有一個常用詞是「臺港澳文學」。其實，這三地的文學有很大的差異。以文學紛爭為例，島內外作家合作「演出」的臺灣有「大戰」，「南來作家」與本土作家攜手的香港有「巷戰」，可澳門既沒有「大戰」，也沒有「巷戰」。楊照說過：「臺灣文學和香港文學的距離一直很遠，彼此陌生，彼此瞧不起」（註二），此話也適用於澳門文學。

臺灣文壇的紛爭之所以能釀成「大戰」，或「中戰」「小戰」不斷，以致一部臺灣新文學史，竟不幸成了臺灣文學紛爭史。這是臺灣文學不同於香港文學，更不同於大陸文學一個重要特徵。這一特徵的形成原因如下：

一是立場不同。作家不一定為政治服務，但不可能超越政治；作家可以不加入政黨，但不等於沒有自己的立場。如有鮮明反蔣傾向的李敖，寫過《審判國民黨》，而自稱未加入國民黨的余光中卻擁蔣，尤其對「小蔣」推崇備致。李敖曾直斥余光中「拉朋黨、媚權貴」。關於「媚權貴」方面，李敖舉例說：蔣經國死了，余光中爲他寫了〈送別〉：

悲哀的半旗，壯烈的半旗，爲你而降，
悲哀的黑紗，沉重的黑紗，爲你而戴，
悲哀的菊花，純潔的菊花，爲你而開，
悲哀的靈堂，肅靜的靈堂，爲你而拜，
悲哀的行列，依依的行列，爲你而排，
悲哀的淚水，感激的淚水，爲你而流，
悲哀的背影，勞累的背影，不再回頭，
悲哀的柩車，告別的柩車，慢慢地走，
親愛的朋友，辛苦的領袖，慢慢地走。……（註二）

十分刻薄的李敖，給余光中這首詩做了如下「補充」：

悲哀的馬屁，臭臭的馬屁，爲你而拍，
悲哀的新詩，無恥的新詩，爲你而寫，

親愛的朋友，辛苦的領袖，慢慢地走，
快了我跟不上，因爲我是你的狗。（註四）

蔣經國執政時期正逢臺灣經濟快速發展、專業人士不受掣肘，最後他放手臺灣民主化、開放大陸探親，特別是他的親民風格，使他獲得人民很高的認同。對這位臺灣人民懷念的總統加以歌頌，何罪之有？可李敖認爲有「罪」。面對這種大糞澆頭式的「臭臭的馬屁，爲你而拍」的辱罵，余光中不氣急敗壞，他只淡然地說：「我不回答，表示我的人生可以沒有他；他不停止，表示他的人生不能沒有我。」

二是信仰不同。如陳映眞嚮往社會主義，信仰「中國意識」，葉石濤卻崇拜「臺灣意識」。這些本土派尤其是極端本土派，都希望臺灣能脫離中國，因而有「獨立的臺灣文學論」，還有「臺灣民族文學論」。持有「二論」的作家，不像朱西寧那樣認同中華民國，也不像陳映眞那樣認同對岸的新中國，而是認同尚未存在的「臺灣共和國」。彭瑞金們提倡寫有「國籍」的文學，是指「臺灣共和國」國籍的文學。可這種主張太過超前，且不符合實際，因而附和者不多。

三是文學觀不同。這不同主要表現在「是爲人生而藝術，還是爲藝術而藝術」。後者主張作家應像僧人一樣在肅穆的佛龕前，手捻佛珠，不食人間煙火。這未免過於理想化。一九三一～一九三七年，左翼文人便對右翼文人和藝術派進行意識形態的鬥爭。他們說的「爲人生」，包含有爲社會、爲國家的意思在內。如一九三二年分別創辦的《南音》和《臺灣新民報》，風格不是陽剛而是陰柔，引發左翼文人的不滿與批判。

在當今政黨惡鬥、族群撕裂的新世紀，想讓清脆的木魚穿越裊裊青煙，融入世相的深處，同樣是不現實的。選戰的鞭炮聲和喇叭聲，使作家靜不下心來。如《推理》本是一本娛樂性的文學雜誌，可該刊在給讀者提供娛樂的同時，有林佛兒每期執筆的〈編者的話〉，此「話」總是離開文學抨擊時政：不是罵國民黨政權，就是發洩他對大陸的不滿，引發許多政治主張跟他不一樣的讀者的反感，訂戶由此直線下降。千禧之年，海外訂戶有兩百多位，到了二〇〇八年停刊前只有十來戶。據李若鶯的回憶，有一次林佛兒接到一位美國讀者打來的越洋電話，抗議《推理》放棄文學只談政治，以致對著他的話筒將雜誌撕毀。（註五）鍾肇政也不主張「政治的歸政治，藝術的歸藝術」。無論是在客家還我族群運動和外省人臺獨組織的場合，甚至政治選舉的野臺，會議廳或街頭運動，總可看到號稱「臺獨三巨頭」（註六）鍾肇政的身影。至於楊青矗的七十萬字《美麗島進行曲》，涉及了選舉運動、勞工運動、政治運動、逮捕刑求、審判辯論、林家血案、國際人權救援等眾多面向，何來「爲藝術而藝術」的影子？

文學觀除有統獨之分外，還有守舊與革新之分。蘇雪林攻擊象徵派詩和攻訐《心鎖》，所代表的是文壇保守勢力，而《心鎖》作者郭良蕙代表的是革新派。她寫性心理，對改造當時的反共八股，有一定的溶化作用。

四是語言觀不同。早期有發生用白話文創作還是用文言文創作的紛爭，當下則有用華語寫作還是臺語創作的爭辯。一些過激本土派主張唾棄中文用臺灣話文創作，這恐怕行不通。像成功大學的蔣爲文罵黃春明「臺灣作家不用臺灣話寫作，可恥！」可他舉的大字報就是用中文寫的，而且還有兩個簡化字呢。

五是文學社團路線不同。臺灣出版自由，創作自由，組社自由，因而有形形色色主張各異的團體。以詩社而論，「創世紀」詩社倡導超現實主義，「笠」詩社主張鄉土、寫實，「秋水」詩社走唯美路線。這路線不同，便容易引發紛爭。如「創世紀」編輯年度詩選，排斥「笠」和「秋水」，還有主張「明朗、健康、中國」的葡萄園詩社，亦被放逐在外。詩壇上發生的爭霸戰，多與文學路線不同有關。這創作路線不同，有時還引發政治上的紛爭。如「創世紀」某些人說「笠」詩社是「日本詩壇的殖民地」（註七）。一九七一年十二月出版的《笠》，由白萩代表該社發表〈嚴正聲明〉，要求對方道歉，在瘂弦等人奔走下才告平息。

六是文人相輕。這裏有文學觀的不同，也有文人相輕的成分。如余光中重評朱自清、戴望舒等人的作品，認爲他們夠不上大師的稱號，這對改寫新文學史有一定的學術價值。但其動機也包含有我的詩作比戴望舒高明、我的散文不比朱自清差的成分在內。余光中寫的〈狼來了〉，把鄉土文學和《詩潮》視爲異類，暗指它們是「工農兵文學」，引發《詩潮》雜誌主辦者高準的嚴重不滿，以致他給古遠清的信中，將膾炙人口的〈鄉愁〉說成是「兒歌」一類的低級粗俗之作，「至於全面寫中國之美的，又有哪一首能和我的〈中國萬歲交響曲〉比？」（註八）這便是情緒化的文人相輕的評論。

臺灣文壇的紛爭，其表現形態主要有三點：

一是跨國型。如一九三六年三月至一九三七年間，臺灣文壇發生「殖民地文學」紛爭。楊逵主編的《臺灣新文學》創刊號廣泛邀約日本、朝鮮還有臺灣本地作家一起討論臺灣新文學發展的方向。表達意見的作家除新垣宏一外，其餘均或明或暗表示支持「殖民地文學」。經過《臺灣新文學》這次書面座談，「殖民地文學」的說法終於在臺灣站穩腳跟。但對「殖民地文學」的內涵和外延，卻有不同的解釋。「糞寫實主義」論戰，也是由日本作家西川滿發難，臺灣作家世外民、楊逵紛紛參戰反彈西川滿。再如一九八二年，紐約聖約翰大學召開的中國現代文學研討會上，正當一位大陸作家談文壇近況時，突然衝進一位從中國來的「流亡作家」梁恆，「他直朝大陸作家衝去，大聲喊叫：『你怎麼好意思代表那個暴政到此講話？』接著占據了講臺，嘶吼喊叫控訴文革的殘酷。主辦的師生好不容易把他拉到門外，他在門外還罵了一陣才被勸走」。（註九）這種跨國型的紛爭，當然離不開政治。這位《革命之子》的作者罵大陸政權是「暴政」，是臺灣反共文人重複過多次的濫調。他太年輕，欠缺歷史常識，他罵出席這位會議的大陸作家王蒙和樂黛雲等人沒有資格代表中國，可這兩位作家均是當年大名鼎鼎的右派，在文革和反右運動中所受的雙重傷害，絕不比這位「革命之子」輕。

二是跨島型。如在新世紀，余光中要不要懺悔，要不要向歷史「自首」，就由北京學者趙稀方發動，眾多大陸學者和部分香港學者、臺灣作家均捲入其中。陳映眞主持的《人間思想與創作叢刊》，還專門製作了「余光中風波在大陸」專輯。又如尹雪曼主編的《中華民國文藝史》在臺灣出版後，引發香港司馬長風、劉以鬯的批評。

三是跨界型。像〈龍的傳人〉作者侯德健「潛伏」大陸一事，引發「臺灣意識」與「中國意識」的激烈碰撞。參加紛爭的有藝術界、文學界及其他社會人士。其論爭的戰場也不只是文學刊物，還有政論刊物、文化雜誌。

當然，上述分類並不是絕對的，而是時有交叉。像香港《盤古》一九七五年八月所組織的〈余光中是愛國詩人嗎〉的討論，作者有美國的谷若虛、臺灣的程石泉、香港的羅孚，既跨島又跨國。立場與信仰密不可分，文學觀分歧則包含有是否尊重對方人格在內。洛夫評〈天狼星〉，就傷害了余光中的自尊。至於社團路線之爭有時也會有政治陰影籠罩，如《陽光小集》在終刊號上就有〈《陽光小集》被收買了嗎？〉。這「收買」自然與該刊倡導的「政治詩」有關。

作家不靠「鞏固國防」進入文學史，更不靠混戰一舉成名。作家的文學史地位，最終決定於他的作品和文學上的成就。但想與世無爭，也不容易做到。有時作家想扮作布履的僧人，在青燈黃卷的深山古寺中靜心寫作，可論爭會自己找上門來。如並非臺灣詩壇霸主、而是民間小網站的「臺灣現代詩網路聯盟」二〇〇五年因典藏卞之琳、何其芳這些所謂中國詩人的作品，便由具有岩漿之熱情和暴發力的張德本挑起臺灣、中國的議題，還有什麼「砍余光中背上再補上一刀」的說法，這哪裏有什麼詩美，而是帶有血腥味。可見，作家不能自視清高，認爲「沒有人値得跟我爭吵」。臺灣文壇上的胡秋原與李敖、李敖與余光中、余光中與陳映眞、陳映眞與陳芳明、陳芳明與宋澤萊、宋澤萊與葉石濤、葉石濤與陳映眞、陳映眞與陳昭瑛、陳昭瑛與陳芳明，龔鵬程與鍾肇政、鍾肇政與馬森、馬森與隱地，以及馬森與彭瑞金、彭瑞金與楊青矗，還有早先的蘇雪林與覃子豪、覃子豪與紀弦、紀弦與劉心皇（註一〇）、劉心皇與蘇雪林、蘇雪林與郭良蕙、郭良蕙與謝冰瑩……這種連環戰爭，烽煙四起。以致蔚爲臺灣文學史上的一大奇觀。

「臺灣文學」這一詞語有著自己的滄桑歷史。從「外地文學」、「三民主義文學」、「中華民國文學」、「中華民國臺灣省文學」到「鄉土文學」、「邊疆文學」、「本土文學」，其內涵歷經挫折、潛隱、復甦乃至豐盈，豐盈中包含今後仍會發生規模不同的紛爭，尤其是涉及「愛臺灣」還是「愛中國」這類國族認同問題。

在臺灣，「愛臺灣」早已喊得震天價響，以致成了思想檢查的重要標準。有人討厭這種做法，於是有「語言製造機使用手冊」的奇文出現：

愛爸爸愛媽媽愛老師愛狗狗愛自然愛地球愛眞理愛自由愛愛情愛自己愛民主愛科學愛大腿愛咪咪愛花錢愛朋友愛鄰人愛成功愛守法愛乾淨愛眞愛善愛美可不可以不要再愛臺灣了？（註一一）

這就是說生活中有那麼多愛的內容，爲什麼只准有「愛臺灣」這一選項？反對者罵作者爲「高級外省人」，並高呼「陳克華，臺灣不需要你的愛！」可作者堅定地認爲「臺灣沒有臺灣人，只有中國人」，於是對手與對頭侵門踏戶，決一雌雄，只不過其影響力遠不及以前的「雙陳大戰」罷了。

自李敖、陳映眞、余光中、洛夫這些論戰高手去了天國後，臺灣文壇會表現得相對平靜，但平靜不等於沒有因政治歷史現實所形成的族群對立、國家認同及文學上「天南地北」現象所造成的矛盾和衝突，如二〇二一年發生的本土派鄭邦鎭與《文訊》總編輯的「暗戰」，就是一例。其他防止臺灣文學被日本文學、中國文學「拆食入腹」（註一二）的「戰案」，本書亦有詳細的敘述，這些敘述有的已在拙著《臺灣新世紀文學史》、《戰後臺灣文學理論史》、《臺灣文學焦點話題》論述過，讀者可一起參照。

國民黨政權被本土政權擊敗後，按理客委會、原委會、臺灣文學館的預算應增加，可事實上這些象徵本土文化的機構，一直遭到「預算」的掣肘（註一三），致使臺灣文學研究得不到鼓勵和扶助。本土文學者是如此，「外來的和尙」即大陸學者研究臺灣文學，更是如此。他們不但很難得到鼓勵，反而被認爲是「統戰」，如支持他們的研究便會被視爲「助敵攻臺」（註一四）。

筆者八十歲時，在臺灣連續出版了《臺灣百年文學制度史》、《臺灣百年文學期刊史》、《臺灣百年文學出版史》。這次出版的《臺灣百年文學紛爭史》，正値兩岸關係高度緊張之時。此書不是用「臺北觀點」而是用「北京觀點」書寫，由此有可能引發新一輪的紛爭，但願這是幻覺。

注釋

一　齊邦媛：〈臺灣、文學、我們〉，《INK印刻文學生活誌》（二〇〇九年七月），頁一〇七。

二　楊　照：《文學的原像》（臺北市：聯合文學出版社，二〇〇〇年），頁二十六。

三　余光中：〈送別〉，《中國時報》，一九八八年一月二十四日。

四　李　敖：〈馬屁詩人馬屁詩〉，載《李敖有話說》，香港：鳳凰衛視節目，第一一二集。

五　李若鶯：〈孤星般的燈火，在彼岸亮起〉，臺北市：《文訊》（二〇一七年五月），頁七十四。

六　鍾肇政：《戰後臺灣文學發展史十二講》（臺北市：唐山出版社，二〇〇八年），頁三一三。

七　見夏萬洲在《水星》一九七一年總第六期發表的有關文章。

八　質　貞編：《古遠清文學世界》（香港：文學報社出版公司，二〇一一年），頁三八三。

九　齊邦媛：〈臺灣、文學、我們〉，《INK印刻文學生活誌》（二〇〇九年七月），頁一〇七。

一〇　劉心皇在一九七〇年出版的《抗戰時期淪陷區文學史》中，把紀弦列爲落水文人。紀弦在晚年寫的回憶錄中，大罵這個比他先去世的劉心皇爲「死鬼」。

一一　陳克華：〈慢慢讀愛臺灣〉，《聯合報》，二〇一〇年九月二十六日。

一二　彭瑞金：〈文學救臺灣〉，高雄市：《文學臺灣》總第七十期（二〇〇九年四月），頁三三六。

一三　彭瑞金：〈臺灣文學的惡夜還很長〉，高雄市：《文學臺灣》（二〇〇四年一月），頁三四四。

一四 彭瑞金：〈臺灣文學的惡夜還很長〉，高雄市：《文學臺灣》，二〇〇四年一月，頁三四五。

第一章　日據時期的文學紛爭

第一節　要白話文，還是文言文

一九二〇年代快到落下帷幕之際，臺灣總督府加強輿論管制，不許當地人從事各種社會活動。在此前後參加「新民會」、「臺灣文化協會」還有「農民組合」的醫生、律師、知識青年均奮力抵抗，抵抗無效後感到從事政治不可能且有危險，這些有良知的知識分子便改變戰略，從政治轉入文化，從文化轉入文學，發起了一場文學革新運動。

這場運動的焦點是：臺灣文學要改革，必須先從語言著手，必須拋棄舊的語言，用新的語言寫作。什麼是舊的語言？是指「有濃麗之外觀，而無靈魂腦筋」的僵死語言，新語言則是指白話文。

臺灣新文化運動擔負著文化啓蒙的重任，其內容不僅是指文學制度的創新，還兼具文化改革、社會改造和喚起民族自覺的功能，這就是爲什麼臺灣新文化運動與臺灣白話文運動密切相關的原因。

新文學制度的終極目標，在於作品內容全新，形式也與以往不同。新思想和新生活的表現，自然離不開新技巧、新語言的加入，而新內容、新形式與新語言更是密不可分。不解決語言問題，就無法讓新文學所倡導的新思想輸入人民大眾的心中，新文學運動就無法得到老百姓的認可和支持，更不可能使新文學運動走出象牙塔回歸大眾，從而完成民主自由的重大使命。

新文學的初創，離不開語言運用。還在一九二〇年的臺灣文藝界，就開始探討這個問題。在如何解決寫作語言問題上，《臺灣青年》雜誌的發行人蔡培火提出普及羅馬字，以廈門話作爲標準用語，以羅馬字標注發音，而其他人則主張推廣和普及白話文。黃朝琴的〈漢文改革論〉（註一），主張漢文改革必須從自我做起，以便爲普及白話文盡自己的一份力量。他提出下面幾種普及白話文的方法：

一、對同胞不寫日文信；

二、以後寫信全部用白話文；

三、用白話文發表議論；

四、自願擔任白話文講習的教師等。

這些建議一點都不蹈空，均切實可行。有人懷疑白話文不如文言文精煉，其實有時白話文的精煉程度並不亞於文言文。

《臺灣民報》在《臺灣》雜誌時期，即一九二三年元月發表了從大陸旅遊返回臺灣的黃呈聰的〈論普及白話文的新使命〉（註二），文中指出：

臺灣文化之所以不進步的原因，就是因爲沒有一種普及的文體，可以使民眾容易看書、看報、寫信、寫書，民眾不曉得世界的事情、社會的黑暗面，民眾變成愚昧，社會就不會進步。因此，普及白話文是很要緊的工作，是一個新的使命。

接著作者詳細論述「白話文之歷史考察」、「白話文和古文研究的難易」、「文化普及與白話文的新使命」。作者的結論爲：新文學制度中的白話文是文化普及運動的急先鋒，今後我們要用最快的速度來普及文化，使我們的同胞明白自己的地位和應當做的事情，這樣便可促進社會的進步。黃呈聰認爲大陸與臺灣的關係不能割斷，應主動接受大陸進步文化的薰陶，以便推廣和運用白話文，這就難怪文中洋溢著一股膨湃的愛國熱情：

中國就是我們的祖國，我們未歸日本以前是構成中國的一部分，和中國的交通很密接，不論中國有發生什麼事情很容易傳到臺灣。若就文化而論，中國是母我們是子，母子生活的關係情濃不待我多說，大家的心理上已經明白了。……現在風行全國做文化普及的一種媒介的國文，不論新譯外國各種的書，或是新著的書，每日發刊的報紙和每月的雜誌，沒有不用這種白話文的，大多數的人不論男女老幼都喜歡讀這個容易懂的文，所以現時中國文化的進行有一日千里之勢……

黃呈聰又指出：

我們臺灣不是一個獨立的國家，背後沒有一個大勢力的文字來幫助保存我們的文字，不久便就受他方面有實力的文字來打消我們的文字了，如像我們的社會文化不高，少數人的社會更容易受多數人的社會推倒了。所以不如再加多少的工夫，研究中國的白話文，漸漸接近他，將來就會變作一樣，那就不但我們的範圍擴大到中國的地方，就是有心到中國不論做什麼事也是很方便。大家若是這樣想，就算我們的臺灣雖是孤島，也有了大陸的氣概了！

作者的拳拳愛國之情，眞令人動容。

如果說黃呈聰的觀點與張我軍有什麼不同的話，那就是他主張提倡白話文，引入「五．四」運動的文化精神時，新的文學制度不能忽視臺灣的環境及其地方特色：

我們臺灣是有固有的文化，更將外來的文化擇其善的來調和，造成臺灣特種的文化。這特種的文化是適合臺灣自然的環境，如地勢、氣候、風土、人口、產業、社會制度、風俗、習慣等——不是盲目的模仿高等的文化，能創造建設特種的文化始能發揮臺灣的特性，促進社會文化向上。（註三）

這裏提出「臺灣特種的文化」，說明黃呈聰比張我軍更強調地域性，更實事求是地將外來文化融會貫通。黃氏文字儘管今天看來還不夠流暢，但其文和陳瑞明的文章一樣，不愧爲臺灣文學革命的先聲。

臺灣文壇探討新文學制度中的寫作語言問題，係由日本占據臺灣以後的情勢所引發。作家使用何種語言，不僅關係到作者和讀者的溝通問題，關係到報刊雜誌能否有自己較爲固定的受眾，還關聯到臺灣印刷出版業的生存和發展，何況這裏還有民族認同這類大是大非問題。基於這種原因，語言的應用，自然成爲日據後臺灣作家急待解決的頭等大事。

一九二三年四月在《臺灣》雜誌基礎上創刊的《臺灣民報》，一直在鼓吹臺灣白話文運動，這個運動面臨著用什麼語言書寫，尤其是白話文適不適合臺灣作家書寫問題。早在一九二二年元月出版的《臺灣青年》，陳瑞明就在該刊發表了〈日用文鼓吹論〉（註四），抨擊文言文的各種局限和弊端。他認爲，文言文難於充分表達現代人的思想，學起來很困難，而且不容易普及，是形成文化阻滯的重要因素；墨守成規的古文極容易阻礙革新進取精神，是造成國民大眾元氣沮喪的源頭，因而「改革文學，以除此弊，俾可啓民智。」這篇鼓吹白話文的文章用文言文寫成，這說明白話文在當時還未成爲主流。

在當時，文言文已無法適應新的社會需求，白話文寫作又還未普及到普羅大眾，書寫方言更是困難重重，因爲它面臨著有音無字必須邊寫邊用代字或造字的困境，再加上不容小覷的被日語同化的危機情形，這使臺灣文壇陷入尷尬的境地，清醒人士無不對此深深憂慮。他們無不認爲，臺灣人受殖民者皇民思想的影響，特別是日本軍國主義者還在不斷打壓臺灣文化，這便造成臺灣文化人要想推行白話文的改革，難上加難。

臺灣白話文運動雖然不像新舊文學論爭那樣形成大規模的論戰，但不等於說這場運動風平浪靜。因爲提倡白話文，就會使寫文言文的守舊派感到不快，改造臺灣語文就必然會損害他們的既得利益。稍後發生的「臺灣話文論爭」，就說明了這一點。

這裏還不應遺忘與賴和、張我軍新文學開創時並稱「三傑」的楊雲萍。雖然他不像張我軍那樣激烈發表抨擊舊文學制度的戰鬥檄文，然而他的白話文小說〈月下〉、〈光臨〉、〈到異鄉〉、〈弟兄〉、〈咖哩飯〉等，是藝術上較爲成熟、影響大的作品。

臺灣白話文運動，最大的收穫不僅在於完成了文學語言的變革，而且還在於這場運動讓臺灣新文學制度納入了中國新文學的格局中：

不僅是解決了臺灣新文學的表達工具，而且加濃了臺灣文學的民族色彩，抗拒了入侵者的異化和誘惑；不僅在於文學自身的發展意義，而且在於爲臺灣的整個抗日民族運動鍛鍊了一支新文化的生力軍和一批無畏的勇士。（註五）

第二節　新舊文學的對峙

新文學制度的建立，是一個破立過程。爲「破」，臺灣新舊文學發生與「破」有關的論戰共有兩次：第一次是一九二四～一九二六年間。一九五四年八月，廖漢臣發表的〈新舊文學之爭——臺灣文壇一筆流水帳〉（註六），認爲發軔於二十世紀二十年代的臺灣新文學運動，其源頭是中國大陸新文學運動，這已獲得公認，然而兩者仍有差別，如後者一經提倡，即風靡全國，而臺灣新文學運動開始後的二十年間，新文學自始至終不能打垮舊文學。廖氏將二十至四十年代連綿不絕的「新舊文學之爭」，分爲三期：

第一期爲一九二四年十一月起，以張我軍爲代表的新文學作家對舊文學陣營發起衝擊，催生了臺灣新文學運動；

第二期包括一九二五年至一九四〇年間發生的「一連串的小官司」；

第三期則爲一九四一年爆發於《風月報》上的「臺灣詩人七大毛病的論爭」，乃「最後而最激烈的一次論爭」。

其實，在廖漢臣說的「第一期」之前即一九二四年九月，張梗在《臺灣民報》連載〈討論舊小說的改革問題〉時，就開始探討了新小說創作理論的發展。隨後，不少有識之士大力推行臺灣的新文學運動，極力主張推翻只適用於怡情養性的舊文學，呼籲臺灣作家以白話文創作寫實文學和社會文學，這引起臺灣文學評論界的激烈反彈。這場論爭並沒有持續下去，主要原因是此時期很多思想進步的知識分子因積極參加社會政治運動，對抗日本殖民政府的統治，受到總督府的打壓，而代表進步思想的雜誌也紛紛被迫停刊，導致新文學論爭失去了平臺。

無論是張梗還是張我軍所說的舊文學，均是指以儒家思想爲精神支柱，只是追附古人無病呻吟之腐朽文學，其文學觀爲「文以載道」，這是一種爲歷代統治者服務的封建文學。新文學創作者號召大家起來澈底清除這種用「濃情」與「豔意」做成的貴族文學，而另創用「血」與「淚」寫成的平民文學。

中國大陸「五·四」新文化運動發生過新舊文學的論戰，受此影響的臺灣新文化制度的建立，也有是用「濃情」與「豔意」，還是用「血」與「淚」書寫的新舊文學觀的交鋒。一九二三～一九二四年間的臺灣文壇，小說創作不景氣，而舊體詩人蜂擁而上。這些詩人無不以《臺灣日日新報》、《臺灣新聞》以及《臺南新報》的「漢文欄」爲發表平臺。這些報紙副刊雖說是三天與讀者見面一次，但只要逢上「漢文欄」，應酬詩和「擊鉢吟」的作者便群起占據篇幅。有識之士認識到，要建設臺灣的新文學，非打倒這些無病呻吟的文字和吟風弄月的無聊作品。

爲了新文學制度的建立，在北京求學的張我軍首先向舊文學發起進攻。他於一九二四年四月六日寫了〈致臺灣青年的一封信〉（註七），其中云：

> 諸君怎的不讀些有用的書來實際運用於社會，而每日只知道做些似是而非的詩，來做詩韻合解的奴隸，或講什麼八股文章替先人保存臭味（臺灣的詩文等，從未見過眞正有文學價値的，且又不思改革，只在糞堆裏滾來滾去，滾到百年千年，也只是滾得一身臭糞），想出出風頭，竟然自稱詩翁、詩伯，鬧個不休。

鄭坤五對張我軍不尊重長輩、言辭過於激烈表示不以爲然。他認爲用中國大陸的白話文作爲革新臺灣文學的參照系是應該的，但不應該無視長期積累下來的臺灣文化的獨特價値。引進中國新文學能量他並不反對，但應結合臺灣現實，因時制宜和因地制宜進行改革，如「何必拘泥官音，強易『我等』爲『我們』、『最好』爲『很好』，是多費一番周折捨近圖遠，直畫蛇添足耳，其益安在？」（註八）他認爲大陸的白話文應該落地生根，入鄉隨俗，這個意見應該肯定。可張我軍認爲當前不是咬文嚼字的時候，改革應該馬上行動說明不是北京話才叫國語，白話文也並非只能以北京話來寫；若能自創新名詞、新字眼且能通行，也可使用（註九）。張我軍的意見也有一定道理，但他說得過於粗淺，對如何自創、怎樣通行並沒有作深入探討。

爲了臺灣新文學制度能勝利建立，爲掃清障礙，張我軍在同年十一月又在《臺灣民報》發表〈糟糕的臺灣文學界〉（註一〇），這無異爲當時守舊的臺灣文壇，投下了一顆重型炸彈。他說：

這幾年來臺灣的文學界，要算是熱鬧極了！差不多是有史以來的盛況。試看各地詩會之多，詩翁、詩伯也到處皆是，一般人對於文學也興致勃勃，這實在是可羨可喜的現象。那末我們也應能從此看出許多的好作品，而且乘此時機，弄出幾個天才來爲我們的文學界爭光……然而創詩會的儘管創，做詩的儘管做，一般人之於文學儘管有興味，而不但沒有產生差強人意的作品，甚至造出一種臭不可聞的惡空氣出來，把一班文士的臉丟盡無遺，甚至埋沒了許多有爲的天才，陷害了不少活潑潑的青年，我們於是禁不住要出來叫嚷一聲了。

接著張我軍把筆鋒轉向世界文學的演變，日本文壇及中國文壇所出現的除舊布新的運動，最後又回到臺灣文學界：

在打鼾酣睡的臺灣文學，卻要永遠被棄於世界文壇之外了。臺灣的文士一般都戀著壟中的骷髏，情願做守墓之犬，在那裏守著幾百年前的古典主義之墓。

概括說來，張我軍最看不慣舊文學制度中詩人的三種缺陷，一是不知道什麼是詩，把文學當兒戲；二是把詩視作沽名釣譽的工具；三是荼毒青年，使他們養成好名之惡習。張我軍在這篇文章中毫不吝惜他的批判鋒芒，這引來舊詩人的反彈。連雅堂在他主編的《臺灣詩薈》上說：

今之學子，口未讀六藝之書，目未接百家之論，耳未聆離騷樂府之音，而囂囂然曰，漢文可廢，

漢文可廢，甚至提倡新文學，鼓吹新體詩，秕糠故籍，自命時髦，吾不知其所謂新者何在？其所謂新者，持西人小說戲劇之餘，丐其一滴沾沾自喜，誠坎阱之蛙，不足以語汪洋之海也噫。

連雅堂雖然沒有指名道姓回應張我軍，但明眼人都能得出他的矛頭所向。張我軍看了後以第一速度在《臺灣民報》發表〈為臺灣的文學界一哭〉（註一一），其中云：

請問我們這位大詩人，不知道是根據什麼來斷定提倡新文學，鼓吹新體詩的人，便都說漢文可廢，便都沒有讀過六藝之書和百家之論、離騷樂府之音。而你反對新文學的人，都讀得滿腹文章嗎？

張我軍認為連雅堂對新文學制度完全不理解，是地道的門外漢。他感嘆說：

我想不到博學如此公，還會說出這樣沒道理，沒常識的話，真是叫我欲替他辯解也無可辯解了。我能不為我們的文學界一哭嗎？

如果說急著應戰的張我軍，還來不及論及新舊文學制度本質的話，那麼他過了不久發表的〈請合力拆下這座敗草叢中的破舊殿堂〉（註一二），就涉及到新舊文學的本質問題。該文引進胡適的新小說創作的「八不主義」和陳獨秀的「三大主義」，作為「拆下這座敗草叢中的破舊殿堂」的利器。結論是：

臺灣的文學乃中國文學的一支流。本流發生了什麼影響、變遷，則支流也自然而然的隨之而影響、變遷，這是必然的道理。然而臺灣自「歸併日本」以來，因中國書籍的流通不便，遂隔成兩個天地，而且日深其鴻溝。回顧十年前，中國文學界起了一番大革命。新舊的論戰雖激烈一時，然而垂死的舊文學，到底是「只有招架之功，沒有還手之力。」不，連招架之功也沒有了……可是我們最以為遺憾的是，這陣暴風雨卻打不到海外孤懸的小島。於是中國舊文學的孽種，暗暗於敗草叢中留下一座小小的殿堂——破舊的——以苟延其殘喘，這就是臺灣的舊文學。我們回顧這座敗草叢中的破舊殿堂，禁不住手癢了。我們因為痛感這座破舊的殿堂已不合現代的臺灣人住了。倘我親愛的兄弟姐妹還不知醒過來，還要在那裏貪夢，就有被其所壓的危險了！我不忍望視他們的災難，所以不自顧力微學淺，欲率先叫醒其那裏頭的人們，並請他們和我合力拆下這所破舊的殿堂。

接著，張我軍再接再勵發表〈絕無僅有的擊鉢吟的意義〉（註一三），除說明文學的本質外，並重炮猛轟舊詩人所犯的錯誤。張我軍的文章火藥味很濃，舊詩人不甘心束手就擒，有一位署名「悶葫蘆生」的人發表〈新文學的商榷〉，張我軍立刻寫了連題目都有很大刺激性的〈揭破悶葫蘆〉（註一四），和舊式文人展開激戰。

這時期，在舊文學制度保護下的文人代表有：鄭軍我、蕉麓、赤崁王生、黃衫客、一吟友。讚成新文學制度的代表人物主要有：張我軍、蔡孝乾、前非、懶雲等。其中最值得重視的是蔡孝乾，他除了發表〈為臺灣文學界續哭〉（註一五）聲援張我軍外，還發表了長篇論文〈中國新文學概觀〉（註一六），潑墨如雲向臺灣文壇介紹新文學運動後大陸文學發展概況，在兩岸文學交流中發揮了重要作用。

值得重視的是，桃源生用日語寫成、於一九二八年三月在《臺灣民報》發表的〈駁林芙美子的《臺灣風景》〉。該評論主要批評日本女作家林芙美子發表於一九二八年三月日本文學刊物《改造》上的遊記，一針見血地指出作者是「一隻眼睛看臺灣」，只看到大稻埕的陰暗面，全篇遊記只會令內地（指日本本土）人「提起臺灣就聯想起散發著韭菜臭味的、肥胖的本島人」，這便加深了「內地人」對臺灣的偏見，所謂的「內臺融合」、「民族和合」，只不過是一紙空文。此外，桃源生的深刻之處還在於他指出遊記作者「用盡所有醜惡的詞語形容（臺灣）」，卻沒有「進一步分析為什麼會這麼醜陋」，並指出「（作者）如果揭露臺灣的殖民政策，或許可以寫出和小林多喜二不相上下的很棒的無產階級文學。」桃源生的這篇評論旗幟鮮明地指出舊文學的弊端不在於形式而在於內容，這陳舊內容是日本殖民統治造成的。他不但指出臺灣落後的根源來自於日本的殖民政策，而且披露了遊記作者所代表的殖民地宗主國的價值觀。親歷日本對臺灣殖民統治的桃源生，能不受時局制約而敏銳地抓住社會主要矛盾進而鼓吹「無產階級文學」，顯得十分可貴。

這次論戰的一個重要收穫是創辦了兩份新期刊，即由楊雲萍等人主辦的《人人》，和張紹賢創辦的《七音聯彈》。這兩份雜誌都以提倡建立新的文學制度、反對舊文學制度為使命。

第二次論戰發生在一九四一～一九四二年間。傳統文人鄭坤五、黃石輝希望維持原有的社會秩序，不能背離「文以載道」的傳統，新派文人林荊南、林克夫努力用新文學的形式注入時代的新風，將文藝從少數人手中普及到大眾。

無論是第一次還是第二次論爭，也無論是傳統漢文、中國大陸白話文、臺灣地區話文或教會羅馬字，都無法成爲主流，最終難逃日本對殖民地作家設置的文學制度中的「日文國語」，成爲臺灣地區文學最重要載體的命運。

第三節　「臺灣話文」的是非

從臺灣文學誕生以來，作家們一直在探索使用何種語言寫作，才能達到最好的效果，能爲廣大讀者所接受。早期的新舊文學論爭涉及到這個議題，他們通過言文一致的探索，爲建立臺灣新文學的知識系統作準備。他們不主張爲藝術而藝術，而認爲採用新的語言有利於社會的改造，因爲文學無法也不能脫離政治。一九三〇年代開展的臺灣話文論爭，承襲了這一傳統，所不同的是更加強調臺灣的特殊性。

値得大書特書的是一九二一年成立的臺灣文化協會，從文化革新著手進而觸及到社會改革層面，在這方面做出了突出的成績。運動越深入，各種觀點便紛紛出現，以致引發「文協」的四分五裂，除出現臺灣民眾黨及其相似的共產黨外，還出現了臺灣地方自治聯盟、臺灣農民組合。儘管名稱不同，但在反侵略、反殖民的大方向上是一致的。可在日本侵略者高壓下，一九三一年九一八事變發生後，這些左翼組織不是遭取締，就是自行解散。這些「異議分子」從事政治運動有極大的阻力，便轉向文化建設，諸如辦雜誌、發表創作，這有力地促進了日據時期臺灣文學的發展和繁榮。

這些左翼知識分子在從事文化運動的同時，異常關心下層人民的生活和處境，對殖民體制也進行過抨擊。在這種背景下，出現了不少左翼雜誌，如《伍人報》、《洪水報》、《現代生活》、《明日報》

等。這些報刊，均爲臺灣話文論戰提供了平臺。

論戰的焦點是：用白話文取代文言文後，臺灣文學的語言應朝「官話」方向，還是朝鄉土化方向建立？對此，馬克思主義信徒黃石輝在一九三〇年八月出版的《伍人報》，發表〈怎樣不提倡鄉土文學〉，這裏說的「鄉土文學」，是指擁抱臺灣本土，充滿生活氣息的大眾化文學：

你是臺灣人，你頭戴臺灣天，腳踏臺灣地，眼睛所看到的是臺灣的狀況，耳孔所聽見的是臺灣的信息，時間所歷的亦是臺灣的經驗，嘴裏所說的亦是臺灣的語言，所以你的那支如椽的健筆，生花的彩筆，亦應該去寫臺灣的文學了。

臺灣的文學怎樣寫呢？便是用臺灣話做文，用臺灣話做詩，用臺灣話做小說，用臺灣話做歌曲，描寫臺灣的事物。

這裏連用了十四個「臺灣」，不應爲此以古證今，說他早就具備了「臺灣意識」，這只能說明他有濃郁的鄉土情懷。他主張的鄉土文學，有別於西化的文學，也有別於都市文學。

黃石輝主張的臺灣鄉土文學，不似新舊文學論戰時要求臺灣的政治與文化朝國際化方向發展，而是腳踏實地尋求本土的書寫素材與語言，以和現實接地氣。爲達到這個目的，黃石輝要求作家必須使用鄉土語言，這種文學「以勞苦大眾爲對象」：

你是要寫會感動激發廣大群眾的文藝嗎？你是要廣大群眾的心裏發生和你同樣的感覺嗎？……不

管你是支配階級的代辯者，還是勞苦群眾的領導者，你總須以勞苦的廣大群眾爲對象去做文藝。

黃石輝的論述，受了無產階級意識的影響。他強調的臺灣文學，必須是「民族的」，同時又是「階級的」。他這種觀點，受到另一左翼作家賴明弘的質疑，認爲黃氏的觀點違背了無產階級無國界的論述。其實，愈是民族的，才能愈是國際的，也就是說「無國界」必須建立在民族性的基礎上，否則國際性就會落空。

要建設具有鄉土特色的臺灣話文文學，還必須優先解決語言如何轉化爲文字問題。這是一個難題。爲此，黃石輝具體提出建設鄉土文學制度的三個要點：

一、用臺灣話寫成各種文藝。

（一）要排除用臺灣話說不來的或臺灣用不著的語言，如「打馬屁」要改用「扶生泡」；

（二）要增加臺灣特有的土語，如「我們」，臺灣有時用「咱」、有時用「阮」，要分別清楚。

二、增讀臺灣音。無論什麼字，有必要時便讀土音。

三、描寫臺灣的事物，使文學家們趨向於寫實的路上跑。（註一七）

其後黃石輝又在《臺灣新聞》發表〈再談鄉土文學〉，一共七節：一、鄉土文學的功用，二、描寫問題，三、文字的問題，四、言語的整理，五、讀音問題，六、基礎問題，七、結論。不管是哪一節，黃石輝均一再重申他提倡「鄉土文學」的用意。在結論部分，黃石輝進而主張結合志同道合的文友，組織鄉土文學研究會，並描畫出臺灣話文的語文規則的輪廓。

同爲提倡臺灣話文的郭秋生，其文章的理論色彩強，這表現在他發展了黃石輝的論述。在長達兩萬多字的〈建設「臺灣話文」一提案〉中（註一八），郭秋生一再肯定黃石輝組織研究會、編讀本和辭典的提議，但他認爲基礎的打建離不開文盲層的支持。爲此，不妨從整理歌謠與民歌做起。郭秋生更值得注意的論述還有關於「本格的建設」的觀點。他針對當時反對臺灣話文的「文學青年」質疑「臺灣話幼稚，不堪做文寫詩」、「臺灣話缺少圓滑，粗糙得很，而且太不雅」的論點提出反彈，強調「吾輩的提案新字，不是觀瀾失海的，反而是認明海，更站定岸，所以始終立在臺灣人的地位」；他呼籲那些瞧不起臺灣話的文學青年，「創造啦！創造較優秀的臺灣話啦！創造會做文學利器的臺灣話啦」：

> 是文言也好、白話也好、日本話也好、國際話也好，苟能有用於臺灣，能提高臺灣話的、一切攝入臺灣人的肚腸裏消化做優雅的臺灣話啦，就是現在的臺灣話，也隨處可發現攝取的成分。（註一九）

正如向陽所說：「始終立在臺灣人的地位」的郭秋生，他的臺灣話文建設論觸及的乃是日據時期以來臺語文學書寫的核心議題，這是臺灣話文論爭中尤爲可貴的見解，也就是以「現在的臺灣話」不排斥所有在這塊土地上被臺灣人使用的各種語書，「一切攝入臺灣人的肚腸裏消化做優雅的臺灣話」，來形成具有主體性的臺灣文學。（註二〇）

臺灣話文的支持者包括黃石輝、賴和、莊遂性、郭秋生、鄭坤五、周定山、黃純青、黃得時、黃春成、何春喜、李獻璋等人。中國白話文支持者則有廖毓文、吳逸生、林克夫、陳臥薪、朱點人、賴明弘、林越峰、趙櫪馬、邱春榮等人。另外也有態度中立的張深切和主張用日文建設臺灣文學的吳坤煌、劉捷，在臺日人小野西洲也加入論戰。（註二一）

這場紛爭的最大意義是爲臺灣文學的建設注入「鄉土」的鮮活力量，爲大眾化文藝的發展鳴鑼開道，並促進了一九三三年臺灣文藝協會以及一九三四年臺灣文藝聯盟的成立。而一九三六年李獻璋編輯的《臺灣民間文學集》，按照陳淑容的說法，「更進一步匯流了論戰中不同立場論者的作品，在臺灣文學史上深具意義。」（註二二）

第四節　清除詩人的七大毛病

臺灣新文學制度的建立，除了來自外部的影響和內部的政治需求外，還有一個形成阻力的內部原因，那就是趨炎附勢、歌功頌德舊文學制度的僵化和腐敗。這種文學制度，不論當時還是以前，正如張我軍所說：「除詩之外，似乎再沒有別種的文學了。如小說、戲曲等不曾看見，所以現在差不多詩就是文學，文學就是詩了。」

一九三二年一月，提倡新文學制度建立的發表園地在不斷增加，其中新創辦的《南音》半月刊第二、三期，發表了陳逢源的〈對於臺灣舊詩壇投下一巨大的炸彈〉，對保守的舊詩人予猛烈的攻擊。該文在檢討詩社林立的社會原因時，批評詩社已經墮落爲知識分子的「鴉片窟」。他指出：知識分子在中國歷史上往往是社會改革的急先鋒，在臺灣那些吟風弄月的舊文人，不但失去遺民的風骨，而且還阻擋著青年一代革新的努力。這篇文章給舊體詩人猛擊一掌，使他們收斂起不斷膨脹的氣焰。

這「不斷膨脹」與日據時期臺灣詩社再次興起有關。除有識之士發起的「漢學維護運動」起作用外，還有總督府的籠絡政策在發酵。在「籠絡政策」下的舊文學，只能在表面上保存中國傳統文化的形骸，而把最重要的傳統精神甩掉了，出現了許多向日本軍國主義獻媚的作品。

陳逢源的「炸彈」文章發表後的十年間，詩壇並沒有「炸裂」，相對來說顯得平靜。一九四一年七月出至第一三三期後的《風月報》改稱爲《南方》的半月刊，本是舊派文人占有相當勢力、以發表距現實生活較遠的舊體詩爲主的中文刊物。新舊兩派詩人在這一刊物上重發紛爭，再一次掀起新舊文學論戰的高潮。這是短兵相接的交鋒，也是最後的較量。雙方都動員了群眾，措辭也比以前更爲激烈，有人甚至破口大罵對方。

事情係由元園客發表在一九四一年六月號《風月報》上的〈臺灣詩人的毛病〉所引發。這個元園客，也就是新舊文學論戰初期舊派文學制度代表人物黃衫客。他本名黃晁傳，爲著名「謎學專家」。十多年前曾以「黃衫客」筆名，加入舊文人與倡導新文學制度的張我軍的論戰。現在他覺今是而昨非反戈一擊，如數家珍批評當時的詩歌制度存在下面七種毛病：

一、作者多於讀者，根底薄弱。
二、模仿古人，失卻天眞爛漫的性靈。
三、借用成句，不重創作。

四、僞托他人之作，以造成兒女、門徒、情侶之名氣。
五、僅仰詞宗鼻息，以邀膺選。
六、無中生有，描寫景物，多出虛構。
七、如同商人廣告，一詩連投數處。

作者稱這「七大毛病」，臺灣詩人「遍染是病」者占了一大半，包括自己過去亦是如此。此文不妨視爲他從舊文學制度轉化爲新文學制度的「懺悔錄」，這種反省畢竟是一種進步。但他那些生活在舊文學制度下的朋友，卻認爲黃衫客是在侮辱斯文，被新文學「招安」了，遂群起而攻之，對黃文加以辯駁。其中最有代表性的是曾以「鄭軍我」爲筆名，與張我軍展開對攻的舊文學營壘中的資深詩人鄭坤五。他在〈臺灣詩人七大毛病再診〉中，指責元園客「似有三分病，謗七分死之嫌」，並逐條對「七大毛病」加以批評。有關「作者多，讀者少」第一症，鄭坤五申辯說，這是古今中外的普遍現象，眾人寫詩不失爲一種「高尚消閑法」，因此「不但非病，而且有益」。對於摹仿古人之第二症，鄭坤五認爲取法、摹仿他人是學詩者的必經之道，不可斥之爲「病」。對於第三症「借用成句」、「不重創作」，鄭坤五說明「竊用前人句意」，雖名家亦難免。對於第六症「無中生有」，鄭坤五稱「眞正詩人，胸次包羅萬象，雖不閱歷實境何害？」

《風月報》第一三二期刊出小鏡雲的〈答萬華元園客君〉，抨擊元園客「欲恐嚇斯文退步」，「可惡太甚」。元園客〈答臺灣詩人的毛病反響〉除反駁小鏡雲外，並檢舉舊詩人黃景南寫信謾罵、侮辱作者之事。第一三四期則有自署「高適後人」的〈與元園客〉，稱元園客「不察事實」。元園客〈答高適後人〉，重申自己指摘詩人的毛病，「多半係過去之懺悔，並欲質於世之同吾病者，改弦更張而已也。」署名旁觀生的〈讀臺灣詩人的毛病有感〉，除借進化論勸說詩人們「速求此新時代的知識」外，並指出舊詩之「最致命」處，在於「言之無物」及「無病呻吟」。

另一作者嵐映表面上給雙方各打五十大板，其實對鄭坤五仍有實質性的批評。醫卒（吳松谷）的〈三診臺灣詩人七大毛病〉、「第二旁觀生」的〈讀《臺灣詩人七大毛病再診》感言〉，當代學者朱雙一對此兩篇文章評價甚高，認爲「堪稱新文學陣營的極有分量的論辯文章。」（註二三）「醫卒」用「詩言志」的定義指出：固然不能指責初學者無獨創性，但如果大詩翁們還是依然故我，抄襲前人的陳套，這又要怎麼說呢？此外還宣稱：「詩貴在寫實」，越具體的描寫越是好詩。否則，「縱使字句上堆砌到如何優美，不過是個造花而已，徒具形骸而沒有精神，只好供給有閑階級的玩弄罷了。」「第二旁觀生」還強調「改革」的必要性：「現在社會頂不好的東西，就是有壞的地方，而不要改革，倒要裝飾，其實內容，已腐敗到不可勝言……」

在第一四〇、一四一期《南方》上，鄭坤五發表〈駁醫卒氏三診及第二旁觀生之再診感言〉，文中云：「我眼內之詩，只當是藝術品，在今日不過是我等不便嫖妓賭博之代用消遣機關而已。」這裏強調文學的消遣功能，是鄭坤五及其他舊文人文學觀的眞實顯露。

《南方》從第一三九期起直至第一四七期，所刊載的論戰文章增多，特別是第一四五、一四七期先後刊出的兩次「文藝討論特輯」，刊登的文章都在二十篇上下。

這場有關臺灣詩歌制度至少存在著七大毛病之爭，持續近一年時間，新舊派文人學者參加討論達四十五人。（註二四）《南方》出至第一四七期後，紛爭暫停，但到了第一五〇期，卻有黃石輝的〈爲

「臺灣詩人的毛病」翻舊案〉出現。黃石輝是十多年前提倡「臺灣話文」和「鄉土文學」而聞名的新文學作家。他有感於此前的論戰淪爲互罵而作此文。文中對「七大毛病」逐一檢討，對元園客的觀點表示讚同。周傳枝在《南方》第一六〇期發表了〈吾島文壇必須改革論〉，認爲臺灣詩人七大毛病的爭論，證明本島的新文學家，已經邁出熱烈改革的第一步。末了，周傳枝還提出四項具體建議：第一，找覓現文壇所要改革的根本目標；第二，澈底的維持白話文，宣示新文學的眞理；第三，獎勵青年短篇創作，以及新詩散文等；第四，介紹東西名人著作，尤其是有關於文學變遷史的。這建議，稍後在毓文（廖漢臣）的〈島內文人應負的任務〉中得到響應。周傳枝又在《南方》第一六一期發表了〈白話文是歷史的產物〉，該文從時代演進的角度，說明白話文代替文言文的歷史必然性。他指出，舊文人們深信文言文是文雅的、尊貴的，卻不知文言已成歷史的遺物。文言文既然是兩千多年前的語言，我們就可以叫它「古話」或「鬼話」。由於時代的變遷產生了無數的新形象和新情感，它們只有用「白話文」才能表現，想用「鬼話文」表現是不可能的事，會被人喊爲「瘋子」。據朱雙一觀察：「可能由於時局原因，第一五九期《南方》上的〈本刊聲明〉，對於論爭再次喊停。」（註二五）

經過一連串的交鋒，舊文學制度被打得幾乎無法還手的地步。事實上，兩種文學制度的論戰剛開始，舊文人便出於守勢，還擊起來有氣無力，甚至還鬧出了內訌。應該肯定，舊文人成立詩社，對保存中華文化有過貢獻，但他們因循守舊，不思革新，對後一輩文人流毒甚深。對於這一點，比較開明的舊文人通過反省已有所察覺，故通過論戰，部分舊文人都能進行自我批評，如連雅堂在《臺灣詩薈》發表〈餘墨〉說：「詩人以天地爲心者也，故其襟懷宜廣，眼界宜大，思想宜奇，感情宜正，若仍奔走於權勢之中，號泣於饑寒衣食之內，非詩人也。」又云：「以詩人而諂諛權貴，人笑其卑，以詩人而求私欲，人訕其鄙。卑也鄙也，皆有損人格者也，故董仲舒曰：『正其誼不謀其利，明其道不計其工。學者宜然，詩人更宜然也。』」

無論從論爭的焦點、主題，或是從新、舊對陣的格局以及具體的參與者而言，這場「臺灣詩人七大毛病」的論爭，都可說是二十年代建立臺灣新文學制度論爭的延續。臺灣新文學是祖國大陸「五．四」運動所催生，是「五．四」新文學運動的「臺灣版」。四十年代的這場論爭，仍可看到與祖國大陸新文學的密切聯繫。在論爭中，魯迅、胡適、老舍等「五．四」新文學作家屢屢被提及，成為論爭中不可缺席的「要角」。

眾所周知，新文學制度強調文學要有社會性、時代性以及表現真情實感，反對摹仿、做作；舊文學制度則更注重於藝術形式的完美和文學的消遣娛樂功能，反對承擔社會使命。通過論爭，不僅使新舊文學制度的利弊被更多的人所瞭解，也教育了一些具有民族意識的舊派詩人，因而受到新舊文學界的廣泛讚賞。而舊文學制度歷經二十年仍未被新文學制度所完全取代，原因之一在於臺灣處於日本殖民統治之下，固守民族傳統文化仍具有特殊的意義。

第五節　「糞寫實主義」的論爭

寫實主義真有「香」、「臭」之分嗎？寫實主義如果有修飾語，那也是「批判寫實主義」、「革命現實主義」或「社會主義寫實主義」。可有人真的給寫實主義以大糞澆頭式的辱罵，此人便是日本的文化侵略首領西川滿。他在《文藝臺灣》發表的〈文藝時評〉中云：

大體上，向來構成臺灣文學主流的「糞寫實主義」，全都是明治以降傳入日本的歐美文學手法。這種文學，是一點也引不起喜愛櫻花的我們日本人的共鳴的。這「糞寫實主義」，如果有一點膚淺的人道主義，那也還好，然而，它低俗不堪的問題，再加上毫無批判性的生活描寫，可以說絲毫沒有日本的傳統。（註二十六）

西川滿譏笑本地人作家只關注「虐待繼子」、「家庭葛藤」諸如此類的問題，「只描寫這些陋俗」，「說他們是『飯桶』！『粗糙』！那還算是客氣話；看看他們所寫的『文章』吧！簡直比原始叢林還混亂」。辱罵過後，西川滿馬上搬出臺灣作家中極少數變節分子寫的「皇民文學」作品來打壓臺灣愛國作家。他寫道，就在臺灣主流文學家只描寫「陋俗」之時，「下一代的本島青年早已在『勤行報國』或『志願兵』方面表現出熱烈的行動了」。西川滿要求臺灣作家以描寫這種「熱烈行動」的「皇民」作家爲榜樣，他質問不跟這股潮流的臺灣作家，是不是也「應該去創作一些……具有日本傳統精神的作品嗎？」西川滿還警告他們：「在東亞戰爭中，不要成爲投機文學，應該力圖樹立『皇國文學』，如此而已。」

西川滿用惡臭的排泄物來辱罵和威脅不同觀點的人——這不同觀點的人並非來自日本而來自中國臺灣，自然引發了眾怒。反彈者結成統一戰線：既有日本進步作家，更多的是持寫實觀點的臺灣作家，如吳新榮以及用「伊東亮」筆名的楊逵，用「世外民」筆名的邱永漢。「世外民」的文章首先用「胡說八道」四個字表示對西川滿的憤慨：

讀了五月號的《文藝臺灣》上刊載的西川滿的〈文藝時評〉，它胡說八道的內容眞使我驚訝，與其說他率眞直言，倒不如說全篇都是醜陋的謾罵，實在讓人感受強烈。

針對西川滿誣衊臺灣作家「創作態度有低俗惡劣的深刻問題，只搞一些毫無批判的生活描寫，一點也沒有日本的傳統精神」，「世外民」反彈道：

我以第三者的立場通讀了《臺灣文學》、《文藝臺灣》和《臺灣公論》，卻很難看出本島人作家的作品在創作的態度上有比內地人作家的創作態度更無自覺之處，……實際上，作家的創作態度是不容易判定對或不對的！比如，毫無根據地說西川氏的創作態度比張文環氏或呂赫若氏的創作態度還更有自覺，這樣的說法是會笑死人的。（註二七）

和西川滿短兵相接的「世外民」不同，也有人不那麼旗幟鮮明，只在文章中略帶一筆表示對霸道的軍國主義者西川滿的不屑，這類作者有垣之外、寶泉坊隆一、辻義男。

在這些反彈文章中，値得重視的還有楊逵寫的〈擁護糞現實主義〉，其中用反諷的手法寫道：

雖然說起來很噁心，但最近常聽說有人偷糞便；在沒有化學肥料的今天，農夫們是如何重視糞便，從這件事也可以想像出來吧。沒有糞便，稻子就不會結穗，蔬菜也長不出來。

這就是現實主義。
是眞正的糞便現實主義。
糞便可不是浪漫的。
雖然人人別開臉，人人捂苦鼻子躲開的糞便，但是如果誰不憑這種糞便現實主義也能活到今天的話，我倒想見見他。（註二八）

這種中國式的幽默，自稱「中國通」的西川滿當然看得懂。他看了後，會認爲自己遇上了既膽大又藝高的強勁對手，如要反駁他，必須從大便對農作物作用說起，可西川滿五穀不分，要依此扳倒對手，談何容易。

和西川滿站在同一戰壕的還有濱田隼雄。他與西川滿不同的是，文章寫得過於隱晦，如他把臺灣作家高揚的批判現實主義說成是「否定性的現實」，他們不該專門暴露黑暗而不歌頌光明。他不瞭解，站在反殖民立場上的臺灣作家，無不認爲日據下的臺灣社會毫無光明一面，只有使人窒息的黑暗面。濱田隼雄便充當了軍國主義的辯護士。儘管他行文躲躲閃閃，但其侵略者的嘴臉還是可以看得出來的。

西川滿在臺灣本地文壇也有知音。其中値得注意的是受西川滿賞識的「紅顏少年」葉石濤。葉氏在〈給世外民的公開信〉中表示完全擁護西川滿的觀點。文章雖然寫得稚嫩，但畢竟爲他日後給「皇民文學」減壓埋下伏筆。他曾說：「沒有皇民文學，全是抗議文學」。可他這篇文章充斥著符合主流文學意識形態的「皇民」文學觀點。葉石濤大概悔其少作，認爲這篇文章對樹立自己的正面形象不利，便在晚年否定此文係他所寫，是西川滿捉刀代筆，強行將自己的文章署上「葉石濤」的名字。眾所周知，西川滿是葉石濤的恩人。當他被張文環主持的非主流刊物《臺灣文學》退稿時，便改投西川滿主持的《文藝臺灣》，從此西川滿便收其爲「徒弟」，把葉石濤當作「接班人」培養。

不能忽視日據時期留臺的日本作家的作用。有一部計六鉅冊，厚達近三千二百頁的《日本統治時期臺灣文學日本人作家作品集》，便記錄了日本作家在臺灣文壇耕耘的「業績」。儘管這時的日人作家號稱有一百多人，但在「糞現實主義」的論戰中，以罵人爲能事的西川滿布不成陣，與他站在一起的作家甚少。他這篇以「糞」字打頭的文章，被有正義感的臺灣作家批得體無完膚。不過，西川滿的初衷並不是想討論現實主義的利弊，而是想借機整肅臺灣本地作家辦的《臺灣文學》。在這方面，處於弱勢地位的張文環毫無招架之力，一九四三年後，他在「決戰精神昂揚、擊滅美英文化、擁立共榮圈文化」的強勢攻擊下，在「文藝雜誌的戰鬥配置」的花言巧語下，張氏只好屈服於「滅私奉公」的淫威，將自己苦心經營的《臺灣文學》「獻上」。這意味著軍國主義文化侵略的勝利，從而西川滿便名正言順全面占領了臺灣文壇。

第六節　戲劇觀等方面的爭鳴

日據時代發生的文學論爭，還有戲劇觀的對話、文藝大眾化論爭、是爲人生還是爲藝術的爭鳴、民間故事整理及歷史小說如何書寫、如何理解殖民地文學等項。

關於戲劇問題的論爭，由葉榮鍾發表的〈爲「劇」申冤——讀江肖梅氏的獨幕劇〉（註二九）所引發。該文嚴辭批評江肖梅的劇本〈病魔〉，並連帶批評張淑子的劇作〈草索倫〉。張淑子讀了後著文反彈，新舊文學營壘就不再保持沉默，分別為葉榮鍾及張淑子站臺。這不是單純的劇本評價問題，而是體現了兩種完全不同的文學觀。雖說是學術問題，但論戰起來火藥味甚濃，還夾雜有人身攻擊的內容。江肖梅雖被「修理」，但態度誠懇，表示歡迎他人指正，並對戲劇的寫作問題向發難者葉榮鍾請教，兩人就戲劇觀及其創作方法作心平氣和的討論。過後，又有紫鵑關於劇作問題的申論，葉榮鍾作出友好的回應。這場規模不大的論爭由激烈趨向平和而落下帷幕。雖有新舊文學觀的碰撞，但與以往不同的是首次牽涉到西方現代劇本質特徵及如何借鑑問題。

在一九二〇年代，無論是中國大陸還是日本的左翼思潮，對臺灣作家均很有吸引力，為臺灣文學朝大眾化方向發展引起了推動作用。但如何理解大眾化以及怎樣才能做到大眾化，則在左翼陣容內部發生了分歧。

最早提出「文藝大眾化」的是黃石輝，他認為鄉土文學的開展離不開大眾文化。由黃春成等於一九三二年一月創辦的半月刊《南音》，以「第三文學」詮釋文藝大眾化。一九三四年五月召開的首屆全島文藝大會，提倡文藝大眾化成為該會的重要議題。同年十二月，《臺灣文藝》發表林克夫文章，認為文藝大眾化是長遠的目標，不可一蹴而就。張深切認為大眾化的切入點為演講與演劇相結合，還可改編通俗小說，以便有利於普及。郭秋生認為不能忽視舊形式，如演義和說書。

從一九三五年二月起，「文聯」內部有關文藝大眾化的不同理解不斷出現，和楊逵大力推銷《臺灣民間文學集》不同，陳澄波、林錦鴻認為文藝大眾化不利於提高創作質量，有可能使文藝倒退。中山侑不諱言「內臺一體」的政策會偏離以使用母語為主的大眾化路線，因為臺灣本地人的母語不利於以國語為載體的同化運動。

一九三〇年代發生的文藝大眾化論爭，左、右翼文人各唱各的調，其中代表人物有楊逵與張深切。他們的不同主張是左、右翼內部的意見分歧所致，「所生爭論即有賴明弘與《南音》的大眾與民眾之爭、《臺灣文學》別所孝二與平山勳的路線分裂、郭水潭與新垣宏一的形式主義論爭、吳新榮與劉捷的『文學自殺論』筆仗、佐藤博起和楊熾昌的超現實主義之爭等。隨著論爭升溫，兼顧人生與藝術的『爲人生的藝術』中間路線亦隨之開展。逮文聯成立至一九三五年十二月《臺灣新文學》創刊期間，因文壇意識形態分裂使得論爭轉熾，例如張深切與李獻璋的民間故事整理論爭、楊逵與張星建的宗派化內訌，以及吳新榮與吳天賞、張深切與林茂生、吳新榮與新垣宏一的三場犀利論辯皆屬之。」（註二九）

一九三一年發生的是爲人生還是爲藝術的論爭，是左翼作家對右翼作家及藝術派的反彈。無論是一九三一年一月創辦的《南音》，還是同年四月創辦的日刊《臺灣新民報》，所走的是折衷的軟性路線，引發感時憂國的左翼人士的不滿。在「文聯」成立以前，「在實踐上則是對庸俗化、理想性失卻等現象的尺度之辯，映現出當時言論空間日益受抑的殖民地文壇困境。除了島內背景之外，臺灣文藝大眾及其爭議，也頗受第三國際聯合陣線戰略轉向、人民戰線、日本四次文藝大眾化論爭、中國三次文藝大眾化討論的影響，不宜孤立看待。」（註三〇）在這場「爲人生還是爲藝術」的紛爭中，楊逵、呂赫若、張文環的文章最有分量。由於戰爭即將開展，風花雪月的藝術也就不受歡迎，至一九三六年，「爲人生的藝術」以絕對優勢壓倒「爲藝術而藝術」的主張。

民間故事整理的論爭，發生在一九三五年一月《第一線》推出「臺灣民間故事特輯」後，由李獻璋的〈故事整理談〉一文所引發。李氏不同意林克夫有關民間故事的寫作方法的看法。張深切也不讚同《第一線》所推出的「特輯」，因爲其中有封建迷信的成分。作爲當事人的李獻璋就如何處理民間故事的素材、來源是否謠傳以及民間故事的社會作用、搜集者的態度一一做出辯駁。劉捷從遺產的再認識、各種方法論、民間文學的本質等方面駁「夜郎氏」的「愚言囈語」。這是兩種不同立場的交鋒，如張深切站在文學立場，而李獻璋從民俗學角度立論。劉捷主張「化用改寫」，李漢臣卻認為不能亂改而必須「忠實記錄」。這場紛爭，有助於提高民間文學創作的水平，使其糟粕部分得於剔除，最後促成了《臺灣民間文學集》的問世。

歷史小說的紛爭發生在一九三六年一月至六月，由平山勳發表的〈「對於歷史小說的展望」之摘要〉所引發。他認為提倡歷史小說不是發思古之幽情，而是出於政治現實的考量。還說歷史應具有現代性，在小說中不能直接影射現實而應用隱喻手法。夏川英誤解了平山勳的意思，認為這是在提倡歷史小說向現實低頭，有背現實主義的創作原則。後來，宮安中、劉捷發表文章或認為臺灣的歷史小說已進入成熟階段，或認為歷史小說應定位為大眾文學。《臺灣新文學》倡導描寫臺灣的歷史小說，也認為不應該忽視著眼於當前的殖民地文學。濱田隼雄則不滿平山勳過度解讀歷史素材的處理。這場紛爭的焦點，是如何借用歷史巧妙地譏諷現實，也就是如何才能做到古為今用。

一九三六年三月至一九三七年，則發生了有關殖民地文學的紛爭。紛論的焦點是如何理解殖民地文學的內涵和外延。參加論爭的既有臺灣本地作家，也有日本學者。楊逵的意見最值得重視，他認為殖民地文學應該具有本土性與世界性，並認為這種文學推廣不成功的原因在於內部不團結。民族主義作家與普羅作家應該攜起手來抵抗殖民統治。這場紛爭，為一九四〇年代的「外地文學論」及臺灣文壇今後應如何建設打下了基礎。

注釋

一　黃朝琴：〈漢文改革論〉，《臺灣》第四卷第一號（一九二三年一月），此文收入李南衡編：《日據下臺灣新文學明集．文獻資料選集》（臺中市：明潭出版社，一九七九年），頁二十～三十五。

二　黃呈聰：〈論普及白話文的新使命〉，《臺灣》第四卷第一號（一九二三年一月），此文收入李南衡編：《日據下臺灣新文學明集．文獻資料選集》（臺中市：明潭出版社，一九七九年），頁六～十九。

三　黃呈聰：〈應該建設臺灣特種的文化〉，東京市：《臺灣民報》第三卷第一號，一九二五年一月。

四　陳瑞明：〈日用文鼓吹論〉，《臺灣青年》第四卷第一號（一九二三年一月），頁二十五～二十七。

五　古繼堂：《臺灣新詩發展史》（臺北市：文史哲出版社，一九八九年）。

六　廖漢臣：〈新舊文學之爭——臺灣文壇一筆流水帳〉，《臺北文物》第三卷第二期、第三期，一九五四年八月、十二月。

七　張我軍：〈致臺灣青年的一封信〉，東京市：《臺灣民報》第二卷第七號，一九二四年四月。

八　鄭軍我（鄭坤五）：〈致張一郎書〉，《臺南新報》第八二四四號，一九二五年一月二十九日。

九　張我軍：〈復鄭軍我〉，東京市：《臺灣民報》第三卷第六號，一九二五年二月二十一日。

一〇　張我軍：〈糟糕的臺灣文學界〉，東京市：《臺灣民報》第二卷第二十四號，一九二四年十二月。

一一　張我軍：〈爲臺灣的文學界一哭〉，東京市：《臺灣民報》第二卷第二十六號，一九二四年十二月。

一二　張我軍：〈請合力拆下這座敗草叢中的破舊殿堂〉，東京市：《臺灣民報》第三卷第一號，一九二五年一月。

一三　張我軍：〈絕無僅有的擊鉢吟的意義〉，東京市：《臺灣民報》第三卷第一號，一九二五年一月。

一四　張我軍：〈揭破悶葫蘆〉，東京市：《臺灣日日新報》第三卷第三號，一九二五年一月五日。

一五　蔡孝乾：〈爲臺灣文學界續哭〉，東京市：《臺灣民報》第三卷第五號，一九二五年二月。

一六　蔡孝乾：〈中國新文學概觀〉，東京市：《臺灣民報》第三卷第十二～十六號。

一七　黃石輝：〈怎樣不提倡鄉土文學（一）〉，《伍人報》第九期，一九三〇年八月十六日。

一八　黃石輝：〈怎樣不提倡鄉土文學（三）〉，本引文已經過整理。

一九　郭秋生：〈建設「臺灣話文」一提案〉，本文分（上）（下）兩篇刊出，上篇刊《臺灣新民報》第三七九期，一九三一年八月二十九日；下篇同誌，第三八〇期，一九三一年九月七日。

二〇 郭秋生：〈建設「臺灣話文」一提案（下）〉，《臺灣新民報》，一九三一年九月七日，第三八〇期。
二一 柳書琴主編：《日治時期臺灣現代文學辭典》（臺北市：聯經出版公司，二〇一九年），頁五二四。
二二 柳書琴主編：《日治時期臺灣現代文學辭典》（臺北市：聯經出版公司，二〇一九年），頁五二四。
二三 朱雙一：〈日據末期《風月報》新舊文學論爭述評——關於「臺灣詩人七大毛病」的論戰〉，《臺灣研究集刊》二〇〇四年第二期。
二四 朱雙一：〈日據末期《風月報》新舊文學論爭述評——關於「臺灣詩人七大毛病」的論戰〉，《臺灣研究集刊》二〇〇四年第二期。
二五 朱雙一：〈日據末期《風月報》新舊文學論爭述評——關於「臺灣詩人七大毛病」的論戰〉，《臺灣研究集刊》二〇〇四年第二期。
二六 西川滿：〈文藝時評〉，《文藝臺灣》第六卷第一號，一九四三年五月一日。
二七 中島利郎編：〈一九三〇年代臺灣鄉土文學資料匯編〉（高雄市：春暉出版社，二〇〇三年）。
二八 楊　逵：〈擁護糞現實主義〉，《臺灣文藝》第三卷第三期，一九四三年七月三十一日。
二九 柳書琴主編：《日治時期臺灣現代文學辭典》（臺北市：聯經出版公司，二〇一九年），頁五二七。

三〇　柳書琴主編：《日治時期臺灣現代文學辭典》（臺北市：聯經出版公司，二〇一九年），頁五二六。

第二章　光復初期的文學紛爭

第一節　日本化是否等同「奴化」

臺灣受日本統治五十年。一九四五年十二月二十五日，臺灣正式回歸爲中國的一個省，隨即成立臺灣行政長官公署。一九四九年十二月七日，戰敗的國民政府退踞臺灣。這個國民政府爲清除「皇民化運動」的影響，強調「增強民族意識，廓清奴化思想，普及教育機會，提高文化水準。」

奴化思想誠然應清除，但把日據時期臺灣人接受的日本文化，不分青紅皀白一律看作是「奴化思想」，把日本教育全部稱爲「奴化教育」，這種缺乏具體問題具體分析的做法，受到當地部分文化人的質疑。

如《臺灣新生報》的社論〈建設臺灣新文化〉認爲：臺灣文化有缺點，也有優點，不宜全盤否定：

如以世界眼光看臺灣，則臺灣的優點頗多。無論如何，受日本統治五十年，臺灣同胞多少是學習了些東西了。質言之，臺灣的民族文化雖不如祖國，但其世界性的文化，絕對不低。……世界性的學術，我們須設法保留，不僅保留，還要使它發展。（註一）

這種論述，是在肯定臺灣文化是中國文化一個支脈的前提下，故「社論」認爲，臺灣文化不能光從

「中國眼光」看，還要從「世界性」的眼光進行分辨。

《臺灣新生報》另一篇社論〈認識本國與認識臺灣〉，認為榨取臺灣、統治臺灣的日本人，不能一概否定他們所做的許多調查工作和出版的不少研究臺灣的書刊。他們的研究範圍非常廣：「大至臺灣的歷史地理、政治經濟、風土人情，小而至於臺灣的蜘蛛，都有專門的研究和著作。……我們認為今後為建設臺灣而研究臺灣，可將日本過去在臺灣所設的各種科學與技術的研究機關所作成的各種研究報告加以翻譯，以供當局與專家參考，為擬訂各項建設計畫的根據。」（註二）這裏不主張將日本文化放一把火燒光，而主張翻譯出來供有識者鑒別。尤其是與政治聯繫不那麼緊密的科學與技術機構所作的研究報告，必須分清糟粕與精華。這種「專家」的眼光，發人之未發。

在戰後臺灣文化建設中起過重要作用的許壽裳，也認為日本文化有許多中國人無法接受的內容，但也有可供中國人借鑑的部分：

> 臺灣的學術文化；已經有了很好的基礎，可以有為各省模範的資格。……過去本省在日本統治下的軍國侵略主義，當然應該根絕，可是純粹學術性的研究，卻也不能抹殺其價值。我們應該接收下來，加以發揚光大。（註三）

時任臺灣最高統治者陳儀，也修正他的觀點，把「日本化」等同於「皇民化」以及「奴化」和「毒化」的觀點：

我覺得臺灣同胞有兩種很好的習慣，值得我們樂觀：第一是臺灣同胞比較有自治的習慣，這也許是受了日本教育的好處，因為日本教育是很注重自治的。……臺灣同胞第二種好習慣是勇於求知，這也是受著日本教育的影響。……自治與求知是現代政治最基本的條件，這種條件臺灣比較其他省份實遠為優越。（註四）

這種對日本教育一分為二的觀點，體現了陳儀體察民情的實事求是的態度。如果對照陳儀在重慶時期的言論，就可看到他在臺灣作實際考察之後，發現日本教育也有可借鑑之處。尤其是他看到臺灣同胞有勇於求知和自治的好習慣，並認為這是使臺灣社會走向現代化的重要條件，這顯示出他作為政治家的氣魄和眼光。

和陳儀、許壽裳這些來自行政長管公署內的「知日派」不同，民營報紙的看法更尖銳、更澈底，如《民報》發表的社論〈臺灣未嘗「奴化」〉：

本省人對於日本人之奴化教育始終沒有接受過，奴顏卑膝、甘心事仇的奴隸根性，除一小部分的御用紳士外，誰也沒有，……本省人雖然備受經濟的榨取，而斷然不是過著奴隸的生活。至光復以後，才時常看到奴化的文字。（註五）

這裏明確地指出具有反抗精神的臺灣人，不可能接受異族的奴化教育。只強調臺灣人被「奴化」，而沒有看到他們「反奴化」的另一面，對他們不公平。

在個人署名的文章中，也有同樣的看法。如王白淵在〈所謂「奴化」問題〉中說：

從前在日本統治下，有「皇民化」三字，使臺胞非常頭痛，光復後還有「奴化」兩字不斷地威迫著我們。臺省現在的指導者諸公，開口就說臺胞「奴化」，據說政治奴化、經濟奴化、文化奴化、語言文字奴化、連姓名亦奴化，好像不說臺胞奴化，就不成臺省的指導者，似有損失為政者的資格一樣。（註六）

這裏對臺灣當局的批評，非常中肯。持同樣看法的還有吳濁流：

光復後，各方面以臺灣曾受日本教育為題而做種種評論，其中雖也有教育專家，但也有一竅不通的。他們雖然爭論得有聲有色，但千篇一律且簡單地認為它是奴化教育，或識為日本教育的毒素；他們未能觸到日本教育在臺灣的真髓，且多偏於主觀論，甚至滲入感情是甚為可惜的。……日本教育在精神教育方面注意明瞭國體、修身、歷史教育，使國民妄信甚至盲從而推行所謂「奴化教育」，但在科學方面就沒有這種痕跡，並且也無法奴化的。在前面已經講過，日本在臺灣推行的精神教育——即所謂奴化教育並沒有成功，寧可說常常處在破產狀態。本省人經常地在表面上和暗地裏跟他們鬥爭著，回到祖國去為打倒日本帝國而奮鬥的志士也為數不少。不過，在科學教育方面倒相當成功，今天本省青年的科學思想不但不比外省籍的差，大體說來還有一日之長。（註七）

這裏說科學問題上無法「奴化」，顯得異常精闢。吳濁流是愛國主義者，對日本侵略者他不共戴天，但沒有感情用事，其態度顯得科學、客觀，令人信服。《新新》雜誌也認爲廢止日文，「無異等於封死本省人之耳目，不管是青年層或是壯年層皆對當局非效率的過度行動表示怨嘆和非難。」（註八）這裏代表的是市井小民的心聲，値得執政者傾聽以改進過激的文化政策。總之，這場紛爭有助於解決臺灣人一時學不會中文而保留原有的「耳目」，對臺灣社會的建設從殖民地走向現代化也有警示作用。

第二節　臺灣新文學何處去

光復後四年間的臺灣文學，既是現代文學向當代文學的艱難過渡，同時也是一種新社會意識和視野較前開闊的文學創作。這不但從何欣在當時介紹西方的文藝思潮可看出，也可以從發生在《臺灣新生報》「橋」副刊上的臺灣文學方向性問題的論戰中體會到。

一九四八年四月七日，《臺灣新生報》副刊「橋」出滿一百期。「百期擴大茶會論題徵文」，揭開了如何建設臺灣新文學討論的序幕。作爲臺灣作家領袖人物的楊逵，在談到這個問題時認爲：

（一）臺灣文學發軔於歐戰後「民族自決風潮」和祖國「五·四」運動。「在表現上所追求的是淺白的大眾形式，而在其思想上所標榜的即是『反帝、反封建』、『民主與科學』。」（二）一九三七年後，在日本法西斯壓制下，臺灣作家被迫以日文寫作。「但在思想上，臺灣作家卻未曾完全忘卻了『反帝和反封建』與『科學和民主』的大主題……臺灣新文學的主流未曾脫離我們的民族觀點」。（三）說到臺灣文學的特殊性，在長期分離與殖民化後帶來了「語言上的問題」。「但在思想上『反帝與反封建』、『科學與民主』與國內卻無二致」。（四）光復後文學沉滯，原因在語言不濟和（二·二八事變後）政治上的威脅感與恐懼感。楊逵還指出作家必須「到人民中間去，對現實多一點的考察，與人民多一點的接觸」；「本省與外省的作者，應當加強聯繫與接觸」。（註九）楊逵自己寫〈模範村〉就是這樣做的。

秦嗣人讚成楊逵的說法：「作者的範圍必須擴大深入到各社會階層裏面去……，寫出了眞實，並不是反映了現實，現實是比眞實更高級。」揚風亦認爲：「文藝不能忽略了人民與現實」。

建設臺灣新文學，重繪臺灣文學地圖，必須尊重臺灣文學傳統，必須承認臺灣文學與大陸文學的共性與特殊性。這特殊性，並不是一般省區意義上的地方色彩。正是在如何理解臺灣文學的特殊性問題上，省內外作家發生了爭論。駱駝英在他的長文〈論「臺灣文學」諸論爭〉中（註一〇），對將近二十個月以來的論爭，做了總結性的發言。正如陳映眞所說：「今日讀之，仍有極爲深刻的理論重要性。」下面是陳映眞對駱駝英論文主要觀點的概括和他對這場論爭的評價：

一、關於臺灣新文學的特點問題，駱駝英是從臺灣和大陸社會性質分析的高度展開他的分析的。他指出，臺灣割日時，包括臺灣在內的中國已經行進在半殖民地的過程中。在半殖民地的中國，帝國主義「爲了便於其榨取，不願澈底摧毀中國的封建勢力，反而與之互相勾結」。在帝國主義與封建主義雙重壓迫下，「反帝、反封建是中國革命人民共同之要求。」

另一方面，作爲日本殖民地的臺灣，日帝也和臺灣封建勢力相勾結。「因此反帝反封建的要求，特別是反帝的要求，是臺灣同胞普遍的要求」。半殖民地大陸社會和殖民地臺灣社會——在「受帝國主義和封建主義的壓迫、榨取這一點上是有共同性的。因此，大陸和臺灣新文學，或有使用日文和漢語之別，但就反映人民基本要求，充滿反帝、反封建內容來說，並無多大差別，因而「用不用『臺灣文學』四個字，並不是什麼大問題」。

二、關於怎樣理解臺灣社會、文學的特殊性問題，駱駝英也是從社會性質論著手分析的。他認爲，一九四五年「臺灣作爲國民政府的一個領有區而回到祖國」，在社會性質上「也是半封建、半殖民地」，有特殊性，也有普遍性。因此，他主張「要分析臺灣現階段的社會特殊性，並且從這一個別的特殊性，找出中國的一般性，配合現今全國性的新文學的總方向。」他又以魯迅的《阿Q正傳》說明偉大文學作品首先是地方的，同時又是民族的、世界的。因此，「用不用『臺灣文學』四個字，並不是什麼大問題」……

三、有關「新現實主義」的定義。駱駝英還就一九一九年「五·四」運動和一九四八年的中國社會性質、階級對比的異同、階級力量轉化的情況，革命的展望、文藝作品中人物的個性、階級性和群體性的關係，做了細緻深刻的分析。最後，就當時長期討論的中國新文學的「新現實主義」作出界說：新現實主義就是「立腳在辯證唯物論和歷史唯物論上，且站在與歷史發展的方向相一致的階級的立場上的藝術思想和表現方法」。而所謂「與歷史發展的方向相一致的階級」，在那個極端反共法西斯的政治環境下，其實就是無產階級的意識。一九四九年三月二十九日，《橋》副刊突然休刊。二十個月來參與爭論不分省籍的作家、理論家不是星散、失蹤，就是被捕乃至鎮壓。

臺灣文學新現實主義論爭的全部理論和思想內容，除駱駝英的論文外，水平還比較粗疏，但爭論觸及了：一、臺灣新文學的歷史定位；二、在大陸文學對比下臺灣文學的特殊性問題——即聯繫到「臺灣文學」的提法問題；三、臺灣和大陸社會性質的異同問題；四、臺灣文學與當前中國文學的關係等這些在今日也具有理論重要性的諸問題，而且在一九四七～一九四九年的歷史背景下，爭論充分顯現了被重編到中國當時的半殖民地、半封建社會基礎上的臺灣新文學，如何不能自外於中國新民主主義革命時期文學所承擔的使命。（註一一）

《臺灣新生報》「橋」副刊所上演的是兩岸具有左翼色彩或主張現實主義的作家首次「合作演出」。不過，這「演出」時間短暫，且只限於文學範圍，即使這樣，這場紛論中的結盟還是有益的。

第三節　檢討新文學運動的停頓

一九四六年十二月二十四日，爲清除皇民遺毒和加速中國化，報刊雜誌的日文欄從此廢除。最衝擊最嚴重的是《中華日報》龍瑛宗主持的日文版文藝欄。它曾大量刊登臺灣本地作家和日本作家用日文寫的作品。現在廢止日文寫作，造成臺灣作家寫作的「停頓」。他們一時適應不了主流語言所構成的龐大系統，無法表達自己眞正要抒發的情感。作爲臺灣新文學運動的重要人物的楊逵，針對這種現象指出：

> 文學「停頓」的第二個因素，我們必須求諸語言問題。新文學是人民的文學，所以最理想的表現方法，應該是用人民自身的語言，也就是用白話文來說，務求眞正的文、言一致。但是，在日本化政策之下，一直禁止我們整理自己的語言，不讓我們創造文、言一致。他們五十年來的政策，雖說終究連我們的語言都無法消滅，但已經遺留下來很大的混亂。也就是說用日語、臺灣白話或

> 是用中國話書寫，在這種嚴重混亂的時期，創造我們自己新的文、言一致，會是今後長期的一大艱鉅事業。儘管如此，我們的文學活動卻不可能延後到那個時候，過渡時期的變法如下：我們應該立即成立一個強而有力的翻譯機構，負責譯介各自以方便的語言所寫成的作品等事宜。（註一二）

此文指出日本投降後，到國民政府來臺之前，語言存在著嚴重的混亂，即日語與臺灣方言、中國普通話混雜使用。這本是過渡期必然產生的「失語震撼」現象，也正是造成臺灣文學「停頓」的一個重要原因。爲解決這種還未能重新拾回語言表達能力而產生的「混雜」現象，使臺灣文學不再「停頓」而向前飛躍，必須創造屬臺灣自己的「新的文、言合一」的語言。

早在《臺灣新生報》「橋」副刊發生的重建臺灣文學問題的討論時，便涉及到新的臺灣文學應用什麼語言的問題。歐陽明對三十年代發生的鄉土文學論爭，明顯站在賴明弘這一邊，即反對和使用臺灣話文，因爲用這種語言外省人看不懂，不利於兩岸文學交流，但不反對適當地使用臺灣地方語言，尤其是有助於文章生動性的俗語，這有利於建設「地方性」的大眾文學，楊風後來有回應。他對臺灣話文和大眾化的關係，提出如下看法：

> 所謂文藝的大眾化，應該寫的是大眾，不應該屬一個小角落，或僅作個人情感的發揮。文藝大眾化要使不能看的人聽得懂，不能聽的人看得懂。我絕不同意於用臺灣語來寫所謂「方言化的文藝」，因爲這第一，阻礙了語文統一的進度，第二，臺灣語不像蘇浙等省的土語，臺灣話的本身

就感語彙不夠，假如再行諸文，勢必更感彆扭。（註一三）

這段話牽涉到「大眾」是指臺灣地區的群眾，還是包括神州大地的讀者問題。用臺灣方言寫作，必然和主流話語脫離，楊風認爲這是一種「小眾行爲」，不利於與「大眾的國語文」的一致。可見，楊風具有大眾意識，他對只限於適用少數人範圍的臺灣話文，不主張廣泛使用。在他看來，「臺灣語彙」是一種疏離、自閉的語言，它不成熟，這體現在無論是聲音還是字眼，統合後均缺乏讀者能理解的內容，使用起來會使人感到詞不達意。洪惟仁卻認爲，語彙夠不夠要視當地的文化生活而定。在臺灣這種環境，講臺灣方言比講國語更受大眾歡迎。楊風站在外省人的立場來看臺灣話文，自然會感到水土不服，「語彙不夠」。嚴格說來，閩南語也就是臺灣話文是很難用漢文來書寫，儘管臺灣方言也是中國語言之一種，但它並不純粹，有一部分是古越語遺音，一部分是由南洋南島語、荷蘭語、日語借來的外來語，另有一部分是臺灣話自己獨特的派生語，這些詞彙顯然與中國漢語無關，用漢字書寫困難重重，這就是爲什麼楊風感到用此行諸文字會覺得彆扭的原因。

楊風這種觀點，並沒有違反臺灣使用語言的實際，故臺灣作家反駁起來並不容易。在楊風文章發表後即一九四八年四月三日，有一個作者茶會。在這個會上，本土作家不便也不敢提出「語文分離論」，而是用委婉的方式強調臺灣語文與大陸有不少相異之處。最有代表性的楊逵認爲：「回顧臺灣新文學運動的過去」，「我們可以發現的特殊性倒是語言上的問題，在思想上的『反帝反封建與科學民主』這一點，與國內卻無二致。」這就是說，用臺灣語文不一定是被人「奴化」和「毒化」。林曙光認爲用日語是爲生活所迫，臺灣人不需要爲這個問題負責。王白淵用日文寫的〈棘路〉，「作品中有描寫祖國實情，使青年喚起覺醒」。可見用什麼語言不重要，關鍵是其中有沒有表現民族情感，不能籠統說用日語寫作就是被奴化。吳濁流和吳瀛濤也表示，因爲文學形式的不同，造成青年人和國語有隔閡，間接表示了不理解臺灣人的心情和對當局頒布的語言政策的不滿。這不滿，是有其原因的，比如日本統治臺灣時，一直到最後十年才正式下令禁用漢語。即是說，日本人准許臺灣人民使用中文長達四十年，而國府在光復後各媒體的日文版只維持了十個月的時間。這時間太短，當然難於適應。

外省作家也並非鐵板一塊。《臺灣新生報》「橋」副刊主編歌雷就認同臺灣話文不同於大陸國語的特點。作爲一份官辦報紙的文藝部負責人，有這種觀點難能可貴。陳大禹則認爲要使臺灣文學不「停頓」，必須強調文學的語文教育性，這裏離不開臺灣文學的「殊象」：「眞正臺灣作家所用的文章除日文外，所用的中文的語文，仍是停留在五四時代，或者更早於五四時代的語文法……因此今日在語文的形式及技巧上與國內的作家遂產生了距離……文學上摻雜日語文與臺灣所有的一種鄉土中所變化的俗語與口語的語文，這些不但在語彙詞彙上產生了極大的混雜的現象，並且在語法上也與今日國內文學產生了極大的差異。」這就是爲什麼中國語文取代不了臺灣話文的特殊性，特殊的臺灣話文具有一種獨立性原因所在。（註一四）

歌雷站在團結省內外作家的高度，對有關「停頓」引發的語言論爭做出以下的總結：

> 在內地來的文藝工作者與臺灣文藝工作者在文字的學習上，不僅僅是臺灣文藝工作者對於中文白話文的普遍的學習與進步，來趕上這五十年中國在文字的形式上及技巧上的不及，並且還要加上今日國內文學上語文的應用與臺灣特有的語彙的融合，這種融合的過程是本省與外省的文藝工作

者的文學上的相互學習與創造，而不是單方面的要求普及。

這裏強調兩岸作家要取長補短，不要互相對立，有利於戰後臺灣文壇的融合，使「停頓」終止而向前發展。後來果然有「發展」，如一九四九年五月二日由臺灣師範學院學生創辦的《龍安文藝》。別看它是一份校園刊物，創刊號上卻有不少重量級的作家如黎烈文、謝冰瑩、龍瑛宗。也有文學新人朱實，他在上面發表了與臺灣文學運動有關的重要文章〈展望光復以來的臺灣文運〉。這份並非油印的鉛印刊物，對瞭解光復後的臺灣文學論爭的一些眞實情況，很有幫助。（註一五）

第四節　《臺北酒家》與「紊雜」語言

臺灣的新文學，具體來說是以白話的「漢文」爲寫作語言，有異於一九四〇年代的「日文」世代，這是因爲改朝換代帶來的語言「換代」。還在一九四六年四月，臺灣長官公署成立了「臺灣國語推行委員會」，要求「盡快」、「加速」用北京話取代日語，可群眾的步伐跟不上，便帶來文學的「停頓」。和臺灣文學「停頓」及語言使用問題論爭相關的是：一九四八年七月十四日，發生了如何評價《臺北酒家》藝術成就的紛爭。

首先引發討論的是陳大禹寫的同名劇本。這篇作品在中文中夾雜著日文和臺灣方言。作者在《臺北酒家》文章開頭附錄的給歌雷的信中云：

無論從任何方面看來，現實的臺灣，不管是社會架構，經濟生產，風俗生活，都有其不容忽視的，歷史演成的，一種混成體的特殊性，表現最明顯的，尤其是紊雜，現在要想寫實於當前生活，最成問題，還是如何寫作方法能適應普通閱讀者的瞭解。

在《臺北酒家》紛爭中，有明顯的兩派。支持《臺北酒家》使用混雜語言的多半為臺灣本地作家，他們認為現在處於過渡時期，語言的運用應該百花齊放，並沒有人為的規定。如麥芳嫻說，中央教育部的「國語推行委員會」就預想臺灣群眾放棄日語後，可自覺使用臺灣方言。何況臺灣話的表現空間不宜過寬過大，「口頭語言或方言在創作上的運用，僅是『為著使所描寫的人物更形象化』」，強調作為「邊疆文學」即不居中心地位的臺灣文學，「除了極少數特殊的方言之外，應該全以普通的國語（文）寫成。」並說明紊雜寫法的後果：「使正在學習國語文的本省同胞渾沌或曲解字義，正像現在流行的一種帶有日文文法的中國文句」、「採取陳先生的做法，久而久之，也許要產生一種臺灣語氣的文句。」（註一六）

針對麥芳嫻的批評，沙小風為劇作者辯護說：「今天，語言還沒有達到統一的時候，用這種寫法是再妥當也沒有的了。」（註一七）「紊雜」的語言，是人民大眾使用的語言，是他們表達思想情感乃至「生活鬥爭的一種武器」（註一八）。不能有語言歧視，把語言分成「正確」的與「不正確」的兩種。《臺北酒家》寫的是「酒家」而非高級賓館，用「紊雜體」正是適應了題材的要求，和人民大眾的要求。這種「紊雜體」是一種新生事物，不應橫加指責。朱實呼籲「本省作者不應再保持沉默，需要嘗試著用各種語文來描寫自己最知道的東西。」（註一九）他認為語文形式的「不純」，是在光復後語言轉換這種特殊環境中產生的，這是一種「眞實的聲音」。作家將語言生活化，這種生活化的語言轉到讀者手中，雖然不是人人喜歡，但仍有不少受眾喜歡。因其讀起來有生活氣息，聽起來感到親切。

比起沙小風等人的一邊倒，林曙光對《臺北酒家》的語言運用既有肯定，也有批評。他肯定的是這部作品不是死氣沉沉，而是帶有「生命性質」。他不滿的是作者缺乏語言的推敲和錘鍊，在文字的排列上過於「奇奇怪怪」。他不讚成作者用追求特殊語言這種手段去表現特殊的現實。林曙光希望看到語言統一的「曙光」，可這種「曙光」不是當年的現實，他操之過急，責備過甚。臺灣受日語、受本土方言的影響，這才是現實。後來他有所修正，認爲臺灣話存在的價值在於「使地方文化得於普遍地提高以及使臺灣成爲優秀的文學語言。」「只曉得使用漢字拼音，而對臺語沒有多大的研究和心得的人，應該放棄。」表面上看來，他對臺灣話文批評得過分，其實他是恨鐵不成鋼，希望臺灣文學早日走向成熟。

當時臺灣還有不少大陸來的文人，他們主張用純粹的白話文寫作，反對用地方話，也反對用「紊雜體」的語言破壞祖國語言的統一。這種觀點的代表人物有雷石榆、錢歌川和蕭荻。

鑒於從一九三七年日本殖民者廢止「漢文欄」到光復後國民政府廢止「日文欄」，臺灣作家在十年之內兩次「換筆」，尤其是後者的措施過於倉促，作家們不可能在一年之內學會新的「國語」，因而楊逵沒有對《臺北酒家》發表意見，但他創作了不少以文字諧音表現臺灣現實的臺語文學作品，如〈黃虎旗〉（註二〇）、〈臺灣民謠〉（註二一）等。他以自己的實際行動表達他不滿足於臺灣話僅局限在表現人的「混雜」上，而是要建立不折不扣的臺灣話書寫的企圖。（註二二）

《臺北酒家》的紛爭從劇作本身出發，涉及到國家認同和文化差異問題。因爲語言的使用，離不開社會背景和當局語言政策的制約。光復後全社會都在清除日本殖民文化的影響，這必然涉及到殘留的日語該不該保留和肯定的問題。使用「混雜」語言的作家，想從主流文化中走出一條既不違反當局語言政策又能使大眾接受的語言形式，這點良苦用心並非人人能理解。此外，將臺灣話文夾雜使用，關係到作品應不應有鄉土色彩和地方特點問題。「臺灣話文派」與「中國派」的分歧，正反映出臺灣文學重建的艱鉅性與複雜性。

第五節　口誅筆伐「袖手旁觀論」

一九四九年一月五日，陳誠就任臺灣省政府主席。同年四月六日，楊逵被捕判刑。同年五月二十日，臺灣警備司令部發布戒嚴令。同年十二月七日，國民政府遷臺。一九五〇年三月，蔣介石復職，〈戡亂時期匪諜檢舉條例〉也隨之公布，白色恐怖年代來臨，整個臺灣籠罩在風聲鶴唳之中。

當局爲了鼓舞士氣，一再要臺灣軍民勇敢奮起，展開戰鬥，隨時做好反攻大陸的準備。可也有人認爲這是根本不可能的。作爲老百姓，最好不要介入國共兩黨鬥爭，以免充當炮灰。於是，一九四九年十月十八日《臺灣新生報》上出現了〈袖手旁觀論〉一文。原文如下：

> 兩三年前，我們鄉間曾經忙過選舉「孝廉」（這是鄉間稱呼，諸君以意會可耳），前輩們比我們鬧得熱。記得那兩年關帝廟的秋薦，除「三牲」以外，也還有提名的「孝廉」在內上祭，連好久不出巡了的城隍，也由我們「孝廉」喝道執拂，視察四鄉一番。
>
> 那兩年誰都很平安地專等「風調雨順」，好像只有個人不夠瞭解「孝廉」似的，原因大約是我自

己不大懂得古時候測量「孝廉」用的是什麼尺？舉出來了的「孝廉」該是幾「品」官？可恨我們老前輩也不再説這些，就是説了也含糊其事，好像「孝廉」就是「天生孝廉」，某人某人是「孝廉」，不學某人某人死遭雷擊火燒（當時街上所見的標語）。我便不太怕這些「天譴」，因爲關帝和城隍都是死人，因此我對於這些「孝廉」，不感興趣，難怪有些話説。居然被全體老前輩補訓一番——怪我「袖手旁觀」，那有什麼辦法，就算活該。

記得《紅樓夢》裏焦大大罵賈府上下：「偷小叔子的偷小叔子，扒灰的扒灰」；焦大「旁觀」不「袖手」，焦大只是焦大。《三國演義》裏的徐庶，明明是「白面書生」，拿曹操薪水不替曹操做事也罷，偏來一個「走馬薦諸葛」，徐庶「袖手」不「旁觀」，徐庶也難得人們好評。這兩個人都是「投機者」，我們鄉間老前輩也不大以此爲訓，但是他們偏偏也不以我爲然。我以爲既是「旁觀」，就該「袖手」；既是「袖手」，就得「旁觀」。就像大舉「孝廉」吧，我本身既非「孝廉」，也不夠瞭解「孝廉」，所以我只得「旁觀」，我也只能「袖手」了。

「袖手旁觀」正是觀劇聽戲人的基本態度。他們演戲，我們評戲，這和戲場裏的觀眾偶然批評説：「那個坤伶眞到家，那個小丑太過火」一樣毫無意義的，自然這個權利也不該再受剝奪了。事情隔得那麼久了，其實不提也罷，因爲最近看到臺灣文壇兀地熱鬧起來，初看之下，眞以爲「風月談」時期又到了，細察起來，原來有些人也正決心自持其「旁觀」不「袖手」，「袖手」不「旁觀」主義了。因爲這樣來，一面比眞正「袖手旁觀」的「冷門」朋友來得熱鬧，比「急先鋒」來得穩妥，就可惜臺灣沒有銅牆鐵壁的「文藝防空壕」。

本刊編者在「國慶專頁」裏這樣說：「一個歡喜寫文章的人，大概總不善於寫頌揚捧場的東西，而發牢騷，即似乎都變成了看家本領。」無怪乎編者已有一日難安之感，因爲準備進「文藝防空壕」的作家，才不在此例，編者看錯了一眼。

這篇文章，劉心皇一口咬定「作者正是共黨的三十年代左翼作家王任叔」（註二三），原因是此文署名「巴人」，而王任叔使用的筆名中有一個便是「巴人」。事實上，「巴人」的筆名有不少作家使用過（註二四），當時兩岸互不往來，在北京工作的王任叔不可能向該報投稿。但這篇文章寫得老練、犀利，不從正面展開論述而將題旨包含在談天說地之中，使鴛鴦蝴蝶派的才子作家、《臺灣新生報》副刊主編傅紅蓼失去了「政治警覺」，將其刊登出來。

嗅覺銳敏的文探們，普遍認爲〈袖手旁觀論〉不是一篇普通的雜文，而是「潛臺共諜們」精心製作的，其用意是「警告臺灣作家，只可袖手旁觀，否則中共到來，性命難保。」（註二五）這種分析，正是評者也是國民黨恐共心理的一種表現。由於生怕人民解放軍渡海而來，以致弄得風聲鶴唳，草木皆兵：明明是文藝問題，說成是嚴重的政治問題；明明是一般作者所寫，偏偏說是「匪諜」所作；明明是只要稍加「批評」即可，偏偏要發動大小報一齊圍剿。先是孫陵走馬上任《民族報》副刊後，立即亮出寒光閃閃的匕首，寫了一篇題爲〈文藝工作者底當前任務——展開戰鬥，反擊敵人！〉的創刊辭（註二六），厲聲斥責「巴人」。攻擊不願隨大流的作家是「聰明透頂的『上下左右的古今派』，身在漢營，心存魏闕，貪圖安逸，又想邀功；以『清高』，以『自由主義者』作掩護，自列於反侵略反賣國的陣營之外，自己怠工，還恐嚇旁人，只可旁觀，不許動手？以待『解放大軍』到來，作爲邀得一官半職的資本。」

軍中要人閻錫山也出來殺氣騰騰地說：「在我們這反共的區域中，不只不容有一個投降的人，動搖的人，並且不許有一個兩可的人，因兩可的人就是滅亡我們的媒介。」這裏說的「兩可」的人，是指四十年代京滬等地出現的民主自由主義者。官方不許人民有選擇旁觀的自由，還把旁觀者看作「亡國」的媒介，這種上綱上線的做法，無非是爲鎮壓持不同政見者作輿論準備。

繼《中華日報》社論之後，《全民日報》也加入了口誅筆伐「袖手旁觀論」的行列。他們一致認爲：「共諜」（其實是假想的）膽大包天，居然敢在臺灣報紙上公開「警告」作家，要他們不參與「反共復國」的行列，可見「共諜」的滲透是多麼厲害。於是，一些不明眞相的作家，也跟著圍攻「巴人」。時任國民黨臺灣省黨部副主任兼《臺灣新生報》董事長的李友邦，覺得這樣做不利於團結更多的人。在他主持的「臺灣省第十次宣傳會報」，達成如下決議：

> 關於《新生報》最近副刊登載文字，引起各方紛爭，應如何處理案。決議：甲：目前戡亂緊張時期，必須團結一致，任何不必要的糾紛均應避免，即日起，各報一律不再刊登本項論爭文字。

李友邦從另一種角度考慮休戰，這有他的理由。不料引起某些極端分子的不滿，認爲這個決議是存心包庇「袖手旁觀論」，其司馬昭之心，路人皆知。（註二七）於是，孫陵化名鍾琦在《民族報》副刊上撰寫〈有原則無條件〉的短論，主張對「袖手旁觀論」一批到底：「對於在愛國陣營僞裝的奸細，我們必須提高警覺，予以澈底清除，不使發生破壞作用！」孫陵是有後臺的，他有恃無恐地將不同意見的人打爲「奸細」，可謂居心險惡。李友邦只好回擊，放出空氣，聲稱對持不同意見的人，應如何如何。於是，孫陵又化爲王蘭，寫了〈澈查匪諜奸細〉，其中說道：「我們的中下級幹部，也很少投匪，倒是高官厚祿，受國家厚恩之輩，領頭叛國。對付這批上層間諜，就不是查入境證、查身分證所能防止的！必須負責機構，切實負起責任！不留情，不顧慮，精確嚴密，普遍澈查！務使匪諜奸細，澈底清除！」其語咄咄逼人，使人覺得「有來頭」。果然不久，戰後回臺的「半山」，曾主持三民主義三青團，後又負責臺灣省國民黨黨務的李友邦，竟被誣爲通「匪諜」的後臺老闆，於一九五一年七月處決。這是當時白色恐怖驚心動魄的一幕，是國民黨到臺灣後藉文藝紛爭製造的頭一個冤案。

注釋

一　〈建設臺灣新文化〉，《臺灣新生報》，一九四五年十一月六日。

二　〈認識本國與認識臺灣〉，《臺灣新生報》，一九四五年十二月十三日。

三　許壽裳：〈招待新聞記者談話稿——省編譯館的趣旨和工作〉，一九四六年八月十日，許壽裳家屬提供。

四　陳　儀：〈來臺三月的觀感〉，收入臺灣省行政長官公署宣傳委員會編《陳長官治臺言論集》第一輯，臺北市：臺灣省行政長官公署宣傳委員會，一九四六年，頁四十八～四十九。

五　〈臺灣未嘗「奴化」〉，《民報》，一九四六年四月七日。

六　王白淵：〈所謂「奴化」問題〉，《臺灣新生報》，一九四六年一月八日。

七　吳濁流：《夜明前的臺灣》（臺北市：學友出版社，一九四七年），頁十五～十八。

八　〈巷の聲——日本廢止時期尚早〉，《新新》第六期（一九四六年八月），頁十六。

九　楊　逵：〈如何建立臺灣新文學（續）〉，臺北市：《臺灣新生報》「橋」副刊，第一〇一期，一九四八年四月三日。

一〇　駱駝英：〈論「臺灣文學」諸論爭〉，臺北市：《臺灣新生報》「橋」副刊，一九四八年八月二十五日。

一一　參看陳映眞〈臺灣現當代文藝思潮之演變〉，北京市：《文藝理論與批評》一九九三年第一期。

一二　楊　逵：〈臺灣新文學停頓的檢討〉，載《楊逵全集》第十卷。

一三　楊　風：〈新時代，新課題——臺灣新文藝運動應走的路向〉，《臺灣新生報》，一九四八年三月二十六日。

一四　陳大禹：〈「臺灣文學」解題——敬致錢歌川先生〉，《臺灣新生報》，一九四八年六月十六日。

一五　參看彭瑞金：〈戰後初期「臺灣文學路向之爭」的眞相探討〉，《文學臺灣》二〇〇四年秋季號（總第五十一期）。

一六　麥芳嫻：〈文學的語言——兼評：《臺北酒家》〉，《臺灣新生報》，一九四八年七月二十三日。

一七　沙小風：〈評《臺北酒家》〉，《臺灣新生報》，一九四八年七月十六日。

一八　沙小風：〈文學的生命〉，《臺灣新生報》，一九四八年八月二十日。

一九　朱　實：〈讀《臺北酒家》後〉，《臺灣新生報》，一九四八年七月二十六日。

二〇 楊　逵：〈臺灣民謠〉《臺灣文學叢刊》，一九四八年八月。

二一 楊　逵：〈黃虎旗〉《力行報》，一九四八年八月。

二二 陳志瑋：〈戰後初期臺灣的語文政策與意識形構——以跨時代臺灣文化人的書寫為考察對象〉，臺北教育大學碩士論文，二〇〇六年六月。本節吸收了此學位論文的研究成果。

二三 劉心皇：〈自由中國五十年代的散文〉，臺北市：《文訊》一九八四年三月號。

二四 臺灣就有一位小說家筆名為「下里巴人」。《這樣的教授王文興》也收有署名「巴人」的文章。

二五 臺北市：《民族報》，一九四九年十一月十六日。

二六 劉心皇：〈自由中國五十年代的散文〉，臺北市：《文訊》一九八四年三月號。

二七 孫　陵：《大風雪》「附錄」（拔提書局，一九六五年），頁四九三。

第三章　五十年代的文學紛爭

第一節　是簡體字，還是正體字

國民黨退守臺灣後，一些學者主張推行簡體字，胡適便是其中代表。一九五三年程天放任教育部長時，還成立過簡體字研究委員會。到了一九五四年，臺北發生了一場要不要使用簡體字的論戰。論戰由五四時代的風雲人物、時任考試院副院長的羅家倫所引發。他發表的〈簡體字之提倡甚爲必要〉脫稿於一九五四年三月十八日，還未定稿便在臺港同年三月十七～二十日各大報連續刊出。

羅家倫主張文字要簡化的理由，「第一是爲了要保全中國文字」。乍看起來，這是悖論，其實是反過來看簡化文字之必要。中國文字太複雜，不能適應時代的變化，因而有錢玄同、瞿秋白等人關於漢字是「最惡劣、最齷齪、最混蛋的中世紀毛坑」及「漢字不滅，中國必亡」一類的謬論。他們主張廢除漢字，讓中國文字拉丁化或全部改用拼音字，而不讓漢字羅馬化、拉丁化而改用簡體字，正有利於中國文字的保全。「第二個理由是節省時間，第三個理由是節省精力……第四個理由是爲忙碌的民眾著想」，使他們「能以最便利的工具得到知識」。

曾任國民黨中宣部代部長的葉青寫了〈簡化文字問題〉（註一），表示讚同羅家倫提出的採用已有的簡體字再簡化部首及偏旁的主張，另對反對簡體字的理論作了系統的檢討。有些人反對簡體字是因爲「中國的文字即是代表中國的文化之象徵。如存其意義，去其象徵，破壞文字本身的組織，即等於貶低文化的本身之意義」。所以簡化文字「這事關係民族意識和傳統文化甚鉅。爲防止其毀滅中國文化」，要反對簡化文字。葉青認爲，這個理由是錯誤的。中國文字只是中國文化底一部分。因爲文化包括甚多，所以中國文字不是代表中國文化底象徵，只是代表中國文化底外形。簡化文字雖是破壞文字本身底組織，但並不貶低文化本身底意義。歷史上已有簡化文字多次的事實……它在便於閱讀上，反而有普及作用。所以簡化文字是無害於保存中國文化，而有益於發揚中國文化的。指爲「毀滅中國文化」，顯然不當。「……過去由甲骨文、金文而大小篆而隸書、楷書而草書，不是已破壞文字本身底組織很多次了嗎？又何曾毀滅中國文化呢？」

反對簡體字的人喜歡給對方戴紅帽子。他們說：查大陸成立新政權以來，「主持毀滅中國文字的，設有中國文字改革協會……以吳玉章爲頭目。今羅家倫氏商由教育部組設簡體字研究委員會，主持文字變革事宜，其意義和作用豈不是和吳玉章等隔海和唱，與共同爲民族文化的罪人嗎？」葉青認爲，這段話有許多錯誤。主張簡體字的不僅有共產黨人，也有國民黨人，像吳稚輝、趙元任等人，並不是共產主義者。「如果說，今天共產黨主張簡體字了，我們就不要再主張簡體字，再主張簡體字便是與共產黨『隔海和唱』，那麼今天共產黨說中國話，我們就不要再說中國話了。如果再說中國話，豈不是與共產黨『隔海和唱』嗎？……我們與共產黨都是中國人，要說中國話，是有相同之處的！說反共要與共產黨完全相反，或一切都不相同，根本就錯誤了。」（註二）

著名學者潘重規也寫有〈論羅家倫所提倡之簡體字〉，先印成單行本，後在《臺灣新生報》發表。在刊登前一天，「中國語文學會」集會，剛回國的胡適及來賓羅家倫，一再強調簡體字推行之必要，希望大家響應。潘重規當即告訴羅家倫，他反對簡體字，因爲「文字是民族文化的命脈，是千萬世人的公共遺產，不容一世代一部分人專橫獨斷。」另一著名學者胡秋原則寫了〈論政府不可頒行簡化字〉。可他在反駁羅家倫時自相矛盾：一方面不讚成文字簡易化，可又說他不反對簡體字：「簡體字是一事，這是無人反對的……我們天天在寫簡體字，即如我這篇文章，恐怕十個字中八個字是簡體字。」由此可見簡體字有多麼強大的生命力，連反對的人都要採用它。至於羅家倫主張用簡體字印古籍，胡秋原認爲「消滅中國書的意圖又何其顯然。」原來，胡秋原主張簡體字只可在個人書寫中流行，而不能在學校教育、機關文書中推廣。胡秋原與潘重規另一不同之處，在於讚成廖爲藩用行政手段〈文字制定程序法〉案來反對簡化文字。葉青爲此寫了〈論立法院不可通過文字制定程序法〉（註三）批評胡秋原。當時立法院在討論文字制定法案時，獲多數通過。在即將交付審查之際，葉青向立法院呼籲，不可通過文字制定法。他認爲反對簡體字只是少數知識分子，大多數人尤其是全中國四萬萬人（按：當時全中國只有四億人）都不主張文字複雜化、凝固化。文字必須改革，這才是人民的心聲。在《大道》上的論戰接近尾聲時，葉青再寫了〈簡化文字答客難〉作爲總結。（註四）此文重申簡化漢字不是毀滅中國文字，更不是毀滅中國文化。葉青早年曾是共產黨高級幹部，也許這個緣故，使他不忘下層人民學文化的苦衷，尤其不主張「凡是共產黨擁護的我們就要反對」這一點，體現了他的認知以及在論戰中表現出來的淵博的文字學知識。

蔣介石於一九三五年頒布首批簡化字（由時任科長的陳伯達起草）。但由於國民黨元老戴季陶的強烈反對，「簡體字暫緩推行」，從此再未提倡漢字簡化。因而反對簡體字，一直是國民黨的主流論述。有些官員爲了保自己的烏紗帽，明知簡體字廢止不了，但怕別人給自己戴上與共產黨「隔海和唱」的紅帽子，只好違心地反對簡體字的使用。

另一些人反對簡體字，是因爲大陸有些簡體字簡得不合理。像「麵條」的「面」本來左邊有「麥」旁，現在一簡化與「面孔」的「面」混用，就會產生歧義。如在部分海外地區，毒品俗稱「白面」，如果訂合同時把作爲糧食的「白面」的「麵」不加「麥」旁，就會產生嚴重的後果。再如「刀削面」作爲招牌寫在餐館的門面上，在兩岸交流初期，有臺胞調侃說：「刀砍面孔血淋淋的，怎麼還可以做廣告。看了這種招牌，哪裏還會有食欲呢！」此外，「報表」的「表」與「手錶」的「錶」混用以及「爱」無「心」，「亲」不「見」，「产」不「生」。「厂」空空，也不妥，但像「尘」、「灭」等字的確簡化得妙。

關於是用正體字還是簡體字問題，完全可按「一國兩制」的構想在兩岸實行「一國兩字」，即臺灣用正體字，大陸用簡體字。在互相交流中，逐步做到繁中有簡，簡中有繁。臺灣儘管有許多人反對簡體字，但至少已有眾多報刊採用大陸的橫排方式，大陸書法家和領導人題詞也用繁體居多，可見兩岸可求同存異，不必要求國家統一，文字也必須統一。

第二節　「戰鬥文藝」一統天下？

爲了擺脫困境，官方在五十年代的臺灣進行了一場殘酷的清共運動。「那是一種澈底的高壓統治，完完全全用武力鏟除一切可能發生的反對力量，務求在短期間內，建立起絕對的控制權。」（註五）這種恐共、恨共的情意結，不僅表現在軍事上、外交上，也體現在文藝上。一九五〇年三月，由蔣介石的十七名親信組成的「中央改造委員會」，在政綱中要求文藝工作全力配合「反共抗俄」、「反共復國」

的戰鬥任務。

五十年代流行的「戰鬥文藝」，就題材而言，相當一部分屬「回憶文學」；就功用而言，是爲政治服務的「大兵文學」。倡導者要求文學自由主義者犧牲個人的自由，要求作家放棄個人單獨的行動和寫作主張，「一致聲討共產黨」。當時孫陵因創作反共歌詞有功，很快被委任爲臺北《民族報》副刊主編，使該副刊成爲臺灣第一家反共報紙副刊。在題爲〈文藝工作者底當前任務——展開戰鬥，反擊敵人〉的「發刊詞」中，孫陵要求作家去「創造士兵文學！創造反共文學！」（註六）

一九五五年元月，蔣介石正式出面號召作家創作「戰鬥文藝」。部分由大陸去臺的文化人和軍中文職人員，如陳紀瀅、王藍、姜貴、潘人木、潘壘、朱西寧、司馬中原、段彩華等相繼登場，先後創作了一批反共作品，如《女匪幹》、《馬蘭自傳》、《紅河三部曲》、《荻村傳》、《華夏八年》、《近鄉情怯》、《荒原》、《幕後》、《蓮漪表妹》、《滾滾遼河》等。其中在湯恩伯總部任過上校的姜貴創作的長篇小說《旋風》（註七）、《重陽》（註八），曾受到胡適等人的肯定。姜貴寫此小說時生活貧困，這促使他正視現實，即在控訴共產黨的同時大膽揭露舊中國生活的恐怖和黑暗，使得《旋風》這部小說長達六年找不到出版者，後來還是臺北美國新聞處協助才正式出版。王藍的《藍與黑》也很著名。寫歌頌領袖、抨擊「共匪」、鼓舞士氣的反共詩與反共歌詞的作家亦不少。紀弦與瘂弦「兩弦」外加現代詩明星余光中、洛夫、向明、羅門、管管、張默、鄭愁予等人，無不是炮製反共詩的能手。

文藝理論也不可能超時代，不能不受這股潮流的影響。一九五五年七月初，「中華文化出版事業委員會」出版了葛賢寧的《論戰鬥的文學》一書。作者稱這本書完全是受了蔣介石有關「戰鬥文藝」的啓示而寫。他曲意迎合，只用了四個月就寫成闡發蔣氏文藝思想的書，共分八章四大主題：一是中國文學中的戰鬥精神；二是歐美文學中的戰鬥精神；三是今日反共文學的戰鬥任務；四是幾種錯誤觀念的糾正。在開頭，作者把「戰鬥文學」定義爲：「凡以文學的詩歌、小說、戲劇與散文來表現人類社會各種戰鬥生活，而含有積極的思想、意識、情緒與精神者，都叫做戰鬥文學。」（註九）在這裏，他把人類和外界的大自然相搏鬥，以及人類內在的心與物、靈與肉、理智與情感、戀愛與道德等相激鬥的內容排除在「戰鬥文學」之外。也就是說，「戰鬥文學」是從政治思想上著眼的。另方面，他也沒籠統地把表現人類社會各種戰鬥生活的文學都叫「戰鬥文學」。以軍事的戰鬥生活爲例，項羽的〈垓下歌〉因含有悲觀、絕望的成分，因而不能稱爲「戰鬥文學」。葛賢寧還從軍事、政治、經濟、宗教、社會五方面將「戰鬥文學」悉加分類。

儘管葛賢寧用盡心機爲「戰鬥文學」抹上一層理論色彩，但由於「戰鬥文學」的提倡不符合臺灣人民渴望過和平生活的意願，因而遭到不少作家、讀者的抵制和反對。他們認爲：不管如何強辯，「戰鬥文學」的實質是「戰爭文學」，而「戰爭文學」絕對不能提倡（註一〇）。因中外文學史上許多進步作家的作品，都是「反戰」和「厭戰」的。另「有許多作家認爲『戰鬥文學』僅是一時的應景之作，沒有藝術價值的，那是政治上的工具和『奴婢』，那是粗淺的鄙俗的標語、口號與傳單一類；只有非戰鬥的文學，才有藝術價值，才有永久性而可以流傳不朽的。」（註一一）當時不僅非戰鬥的純文學家們一向鄙視文學與政治的結合，就是那些心甘情願創作「戰鬥文藝」的作家，也感到寫「戰鬥文藝」難免應景，無法使自己的作品傳之久遠。事實證明，這種看法是對的。試看一九四九年十一月，孫陵受國民黨中央宣傳部代部長任卓宣之託所寫的〈保衛大臺灣〉歌詞：「打倒蘇聯強盜！消滅共匪漢奸！保衛反攻戰線，保衛金澎舟山！」這和當時從火車站到酒瓶上寫的「反共復國」的標語相差無幾，所不同的是加以押韻和分行排列。再加上當局審查尺度過苛，連反共作家孫陵的小說《大風雪》也遭查禁。穆中南的《大動亂》因某些內容不適合當局的口味而遭禁錮，這便促使反共文學走上公式化的道路，形成所謂「戰鼓與軍號齊鳴，黨旗共標語一色」（註一二）的八股之作。

當作家和評論家把爭拿巨額稿費作爲寫作動力，把所謂「一年準備，二年反攻，三年掃蕩，五年成功」作爲自己的最高理想時，他們所寫出的作品和文章，自然難以顧及藝術性，更難以和現實有交集。但由於這類作品走紅，寫的人便愈來愈多，以致一些與文藝無關的人也擠了進來。據統計，當時推行反共文藝運動只三年，從事這類題材寫作的便多達一千五百人至二千人。這在當時來說，數字是夠龐大的。此外，政治掛帥的文藝刊物不斷出現，圖書出版也水漲船高，三年間出版長篇小說十餘種、中篇小說二十餘種、短篇小說近三十種、詩集約二十種、劇本約二十種、漫畫與歌曲十餘種，合計有一百二、三十種之多。（註一三）反共作家高密度生長，造成產品過剩；許多人不是爲藝術而寫作，而是爲獎金寫作，尤其是評論家把「政治正確」當作寫作最高目的，反共反到後來變成一切必須與對方完全相反，這就與實事求是、學術建樹相距十萬八千里。儘管當局吹噓「有了很多的優秀作品，但究竟哪一部具體地、明顯地表現了它的反共的戰鬥力？似乎很難舉出實績來」。（註一四）

關於「戰鬥文藝」走向公式化、概念化，遭廣大讀者厭倦的情況，連張道藩也承認：「一個不容否認的事實擺在我們面前：便是反共的文藝作品一年比一年產生得多了，廣大讀者對反共文藝作品的欣賞興趣卻一年一年減少了。不僅是少數專家學者認爲這些作品，是屬宣傳一類的東西；便是廣大的讀者，也把它們當作宣傳品看待。反共文藝的效用，在逐漸減削。」（註一五）如反共詩人寫的作品，「老是那一種形式，那一種調兒，那一種風格，讀十篇同讀一篇是一樣的感覺」，而反共小說則是「千篇一律的形式，千篇一律的布局結構，千篇一律的敘述描寫，千篇一律的語言文字。」（註一六）反共文藝評論也好不了多少：寫得愈多，讀者的興趣反而愈淡。當時的作家和評論家之所以願意寫這類作品，一方面是爲了適應當時的政治需要，另一方面也是爲了逃避現實，麻醉自己的心靈。正如聶華苓所說：「大陸來臺的人，由於懷鄉，不得不相信國民黨的反攻神話，生活在一廂情願的夢想中、幻想中。他們不敢也不願意承認自己會長期流放下去」。（註一七）

當時言論不自由，人們很難直接批評「戰鬥文藝」的倡導，因而有一類作家婉轉地說：「戰鬥文學固然可提倡，非戰鬥的文學也不容偏廢。即是非戰鬥的文學應與戰鬥的文學並存共榮而不衝突。」（註一八）這實際上是主張題材多樣化，認爲作家應有選擇題材的自由，不應由「戰鬥文學」一統天下。還在一九四九年十一月，就有人認爲「宣傳，正面不如側面，注射不如滲透，論文不如小說，八股不如詩歌，訓話不如小品，破口大罵不如幽默地旁敲側擊」。（註一九）也有人認爲，「一個勤勞終日的工作者，在休息的時候，往往要一點輕鬆的趣味的調劑，抽一支菸，喝一杯茶，唱一隻小調，開一回玩笑，這都有益於他的身心，而無礙於工作。同樣，一個鏖戰疆場的戰士，也有相似的需要，拿破崙軍書傍午，猶手一卷兒女情長的《少年維特之煩惱》；謝大傅大敵當前，還有閑情逸致搏弈消遣。這說明即使是戰鬥的生活，有時也需要一些非戰鬥性的調劑。」（註二〇）可惜這種合乎人之常情的要求，有關部門聽不進。葛賢寧還認爲這種觀點比小看「戰鬥文學」只有宣傳價值而無藝術價值的論調更爲有害。可主張題材多樣化的作家並不認同，他們以過去的中國文學爲例：「戰國七雄的紛擾，曾產生了屈原的《離騷》、《天問》、《國殤》等一些政治性和軍事性戰鬥的文學，而非戰鬥的詩歌，在數量上產生得更多。……魏晉南北朝三百餘年間的黑暗與紛擾，可說是一個大戰鬥的時代，而產生的文學作品，除了那此價值不高的軍歌外，百分之九十九以上都是沒有戰鬥性的」。（註二一）他們以上述中國文學史上非戰鬥文學與戰鬥文學並存的史實，乃至以任何民族文學史上非戰鬥文學與戰鬥文學並存的史實，去爭文學創作自由發展的空間，去反對在戰鬥時代只能寫戰鬥文學的謬論，可謂言之鑿鑿，有理有據。可官方並不聽這一套，他們只對反共的戰鬥文學有興趣。只要誰寫了反共作品，便會受到最優惠的待遇。紀弦曾寫過一首反共詩〈在飛揚的時代〉，通過穆中南介紹給國民黨宣傳部長張其昀，便領取了相當於公務員半年薪水的鉅額稿費七百元。葛賢寧的〈常住峰的青春〉（原名〈埃佛勒斯峰〉）後來被推薦到正中書局出版，作者被延攬到「中華文藝獎金委員會」工作，給予《文藝創作》主編的頭銜。（註二二）

反對「戰鬥文學」一統天下的作家，都是文學史知識非常豐富的人。他們還「以現代歐美各國的文學來解釋：他們舉出在第一次世界大戰中英、美、法、德、意各國的文學，非戰鬥的作品超過戰鬥性的作品有好幾倍；他們又舉出在第二次世界大戰中，各民主國家的文學，非戰鬥性的作品仍然超過戰鬥性的作品有好幾倍；他們復舉出在第三次世界大戰前夕的今天，各民主國家的文學，非戰鬥的作品超過戰鬥性的作品，更不可計數。」（註二三）儘管葛賢寧在反駁這些論點時沒注明出處，但顯然不是他憑空杜撰，而是他閱讀了大量有關「戰鬥文學」的正反材料後歸納或摘錄出來的，從這裏也可以看出當年反對「戰鬥文學」的勢力不可小覷（當時，《野風》雜誌就很少出現「反共抗俄」的字眼）。要不然，葛賢寧就用不著花費這麼多篇幅去反駁這些人的觀點了。

第三節　反對政府輔導文藝

在五十年代前期，「戰鬥文藝」將文壇弄得死氣沉沉，右翼文人中的自由主義派不甘心無休止地「戰鬥」下去，便想通過另外的途徑復甦文藝。這復甦文藝的任務除有夏濟安主持的《文學雜誌》擔當外，另有胡適任發行人、由聶華苓主持的《自由中國》文藝欄。

到臺灣後的胡適，繼續從政治上支持國民黨的統治。一九四九年春，他奉蔣介石之命到美國去爭取美方對國民黨的援助時，公開表明自己的政治立場：「我願意用我的道義力量來支持蔣介石先生的政府。」（註二四）基於這種立場，他發表的許多文章和講話充滿著反共色彩。

但是，事情是複雜的。胡適一方面擁蔣反共，另方面在意識形態上卻和當局離心離德。胡適不願意做一般的學者，而要當國民黨的高參，做他們的「諍友」，極力鼓吹在臺灣照搬西方的自由民主制度。他在自己做發行人的《自由中國》雜誌上極力宣傳言論自由，認爲「不能有用負責態度批評實際政治，這是臺灣政治的最大恥辱。」（註二五）

一九五六年十月，在蔣介石七十歲生日前夕，作爲執政黨諍友的胡適勸蔣介石不妨嘗試一下古代聖賢所奉行的「無智、無能、無爲」六字訣，做一個「三無」的元首（註二六）。這是對獨攬大權的蔣介石的委婉諷刺。

一九五八年五月四日，胡適在中國文藝協會第八屆會員大會上發表演說時，正式扯起「人的文學」和「自由的文學」兩面大旗，和他反對蔣介石獨裁政治的主張相配合：

我們希望的除了白話是活的文字活的文學之外，我們希望兩個標準：第一個是人的文學。人，不是一種非人的文學，要夠得上人味兒的文學。要有點人氣，要有點兒人格，要有人味兒的。人的文學，文學裏面每個人是人，人的文學；第二，我們希望要有自由的文學。文學這東西不能由政府來輔導，更不能夠由政府來指導。……人人是自由，本他的良心，本他的知識，充分用他的材料，用他的自由……創作的自由來創作。這個是我們希望的二個目標：人的文學，自由的文學。（註二七）

周作人在「五·四」時代即一九一八年十二月七日在《新青年》發表的〈人的文學〉中，倡導過「人的文學」。他講的「人的文學」，即提倡「一個個人主義的人間本位主義」，而「用這人道主義爲本，對於人生諸問題，加以記錄研究的文字。」胡適講的「人的文學」，自然不是周作人的簡單重複。他比周氏更強調發揚人性和重視人格的尊嚴。他提倡「自由的文學」，乍看起來有些奇怪：臺灣不是「自由世界」嗎？怎麼還用得著提倡「自由的文學」？原來胡適早就感到這個「自由世界」缺乏言論自由，風行一時的反共文學已蛻化爲政策文學。在他做發行人的《自由中國》出版的爲蔣介石「祝壽專號」中，曾發表過社論要求蔣介石不要連任總統，還反對在軍隊內設立國民黨黨部，要求「軍隊國家化」，並主張取消「救國團」，貫徹「自由教育」方針。（註二八）這引起國民黨極大恐慌，連忙開除雷震國民黨黨籍，並由「國防部總政治部」以「極機密」名義，發出〈向毒素思想總攻擊〉的特字九十九號「特種指示」，把矛頭對準胡適。作爲一介書生的胡適，除了以筆桿子與之對抗外，沒有別的辦法。

他主張政府不要干預文藝，正是他對官方反民主行徑的一種反抗方式。

胡適的文章發表後，國民黨高級文化官員任卓宣發表了〈論人的文學和自由的文學〉，（註二九）和胡適唱對臺戲。他在第一部分〈論人的文學〉中，先肯定「人的文學」的口號沒有什麼錯，然後以退為進，認為這個口號「卻又不夠得很，因為人乃與非人相對而言，即與物相對而言，沒有好多內容。說得異常簡單。他的理由就是『人味』、『人氣』、『人格』，這不過三個口號而已。而這三個口號，第一是人，第二是人，第三還是人。總之，人的文學就是人的文學。這有什麼意思呢？可見胡適思想乾枯，理論貧乏，說不出道理來。」任卓宣是從三民主義角度批胡適的，認為胡適講的「人的文學」沒有三民主義深刻。他要將胡適的思想拉回三民主義軌道，認為「人的文學就是三民主義的文學。反之，三民主義的文學就是人的文學。」在第二部分〈論自由的文學〉中，他仍先肯定「自由的文學」口號沒有錯，但反對胡適所主張的文藝「不能由政府來輔導，更不能由政府來指導」的觀念。理由是「自由的文學只應反對政府壓迫作家，不應反對政府輔導作家。原來輔導與壓迫不同。輔導是輔助和指導，為幫助之意，並無害於自由，反有益於自由。」

胡適關於「人的文學」和「自由的文學」的講話，臺灣各報及《筆匯》均有報導，但較為簡略，後來《文壇》季刊第二號刊登了由穆穆整理的全文。在刊登此文前面，穆中南寫了和胡適看法不同的〈關於文藝政策〉。穆氏不僅主張政府應輔導文藝，而且還獻計獻策，諸如成立文藝專門機構去輔導文藝，尤其是要有一個文藝政策來輔導文藝。據任卓宣說：穆中南的主張「是中國文藝協會中多數人甚至全體人底願望。」（註三〇）其實，很多作家是反對官方制定文藝政策去管制文藝的。當局當然不會因作家的反對放棄對文藝的領導權。蔣介石為了讓作家為「反共抗俄」服務，提出了「民生主義社會文藝政策」。「文藝總管」張道藩立即寫了〈略述民生主義社會的文藝政策〉去闡述，將蔣氏的觀點理論化。在此文中，張道藩又不指名地將胡適批評了一通：

也許有人認爲民生主義社會的建設過程中，應該讓文藝作自由的放任的發展，無須乎文藝政策的，那是一種錯誤的思想。所謂文藝政策，不限定全是消極的「統制」，同樣也有積極的「倡導」；不限定屬專橫的獨裁，同樣也可以有民主的包容。單是「統制」與「獨裁」，確是傷害了文藝的發展的。若側重於積極的「倡導」，則可促進文藝正常的發展。倡導中若有民主的包容，則與文藝的發展更有百利而無一害。（註三一）

這段話表面看似正確，其實，說的是一套做的又是一套。張氏擔任文藝領導人期間，「倡導」中極少民主，「統制」與「獨裁」卻占了重要地位，因而引起眾多作家反對。以梁實秋這樣一位長期與官方政治上保持一致的作家而論，早在半個世紀前，就反對文藝政策一說（「文藝政策」一詞，正始自張道藩一九四二年九月發表的〈我們所需要的文藝政策〉），認爲文藝而可以有政策，本身就是一個名詞上的矛盾。後來他在臺灣出版厚達七百頁的《梁實秋論文學》一書中，又原封不動重複這些話，認爲制定「文藝政策」不過是以政治手段來剝奪作者的思想自由。

當局本擬有計畫地對胡適的「人的文學」與「自由的文學」主張進行批評，但鑒於胡適的聲望，又不敢公開否定其主張的合理性，便打出三民主義的旗號去解釋和修正他的理論的「偏頗」。當局對胡適反對政府指導文藝的言論本來極爲反感，巴不得把這一觀點的影響迅速消除掉，另方面他們又還要繼續利用胡適這塊「自由主義者」的招牌爲其統治文藝服務，故批起來不痛不癢，這就是胡適的文藝主張與官方政治的微妙關係。

胡適的文藝主張雖然被壓下去了，但夏濟安創辦的《文學雜誌》，倒眞正實踐了「人的文學」、「自由的文學」精神。該刊倡導的樸實、冷靜的文風，提供了一個與官方意見不同的作家自由地抒發思想感情的園地。

第四節　「除三害」妨礙言論與出版自由

兩岸搞政治運動儘管火藥目標南轅北轍，但在形式上卻非常相似，王鼎鈞就曾談到自己根據〈詩經．汝墳〉篇構想了一個情節：魴魚發怒時尾巴變成紅色，那一定是忍無可忍了罷，這使人感到害怕，好像將要發生不可測的行動，便借著故事人物的口吻說：「你不可欺人太甚！」寫這個小故事只想炫耀自己博學，可在號稱「恐怖十年」的一九五〇年代，被檢肅匪諜辣手無情的圖書檢查官發現，便惡狠狠地指著王鼎鈞的鼻子：「你們這些臭文人這套把戲我看得很清楚，魚代表老百姓，紅色代表共產黨，你分明是鼓吹農民暴動！」原來深文周納的姚文元不僅大陸有，臺灣也有，而且比大陸早出十年。（註三二）正是在這個意義上，臺灣五十年代開展的文化清潔運動，也不妨視爲一場小型文革。

臺灣的文革式運動與文學主張，均來源於蔣介石〈反共抗俄基本論〉、〈三民主義的本質〉、〈解決共產主義思想與方法的根本問題〉、〈總理知難行易學說與陽明知行合一哲學之綜合研究〉等一系列文章和演講。其中蔣氏寫於一九五三年，正式確立其爲孫中山提出的三民主義繼承者兼發展者形象的

《民生主義育樂兩篇補述》，多次論及文藝問題，提示「民生主義社會文藝政策」的重點與方向。該文指出：「舊社會組織既不能適應工業革命，就要流於瓦解。我們中國近三十年來的趨勢，最主要的就是農業已趨凋敝，工業未能順利發達。舊社會組織瓦解，新社會組織還沒有完成。」在新舊社會交替期中，舊社會的文藝是「一般特權階級之士大夫，往往獨占文壇，玩弄其繁瑣的格局，保守其僵化的形式，民間文學反而埋沒。」而新社會的文藝則趨於商業化。「書賈爲了把握文學作品的銷暢，只有迎合一般群眾的胃口，便阻礙了文學走上眞摯和優美的道路」。

除以上內容外，《民生主義育樂兩篇補述》還論述了音樂、繪畫、雕刻、電影、廣播等藝術形式的創作方向問題。其中談到電影和廣播時，指出「電化教育事業必須先要由國家經營，……以達成保持與增進國民心理康樂的目的」，並批評「外國電影是商業化的娛樂品，我們的文學與戲劇便在這商業化的影響之下，走向墮落的道路。」作爲政治家的蔣介石，他談文藝主要從政權需要出發，所強調的是內容的重要性。他將中國的傳統文化與當代臺灣文藝緊密結合在一起，以「中國過去的學術文化界」的傳統風尚（如「講究個人品德的修養與性情的陶冶」）作爲文藝家們借鑑的對象，所強化的是他本人爲中國文化傳統當然繼承者的形象，以便和大陸提倡學習蘇聯文學、運用馬克思主義指導文學創作形成鮮明的反差，另方面也是將矛頭對準臺灣社會內部要求國民黨開放政權和實行民主的自由勢力。

同年，官方控制的中國文藝協會爲了效忠當局和貫徹蔣氏講話精神，公布了〈中國文藝協會動員公約〉：

> 我們願意貢獻一切力量，爭取反共抗俄戰爭的勝利，並爲厲行國家總動員法令，各自努力本位工

作，經鄭重議定下列公約，保證切實履行，如有違反，願服從眾議，接受嚴厲的批評和制裁，絕無異言。

這種「公約」，以文藝之名向當局表忠心。而「接受嚴厲的批評和制裁」云云，正可見文壇上所籠罩的嚴酷政治氛圍。更值得注意的是，「中國文藝協會」發動會員「展開熱烈研讀，前後舉行座談二十四次，發表文章三十萬字」，最有代表性的是一九五三年十二月發表的該協會全體會員學習〈《民生主義育樂兩篇補述》的心得與建議〉，除宣揚蔣氏的偉大貢獻外，還請求中央委員會從速制定「民生主義社會文藝政策」。「中國文藝協會」又於一九五四年五月四日集合了陳紀瀅、王平陵、陳雪屏、羅家倫、任卓宣、蘇雪林、謝冰瑩、李辰冬、趙友培、何容、王藍、馬壽華、何志浩、耿修業、梁又銘、梁中銘、宋膺、喬竹君、王宇清、王集叢等人成立文化清潔運動專門研究小組，負責研究如何會同各界開展這項運動。後來決定由會方發表書面談話，暗示運動即將展開。值得注意的是，蔣介石在〈民生主義育樂兩篇補述〉中只提到「國民不是受黃色的害，便是中赤色的毒。」但是到了陳紀瀅以「某文化人士」的名義在一九五四年七月二十六日的《中央日報》、《臺灣新生報》上正式提出「文化清潔運動」的口號時，卻多加了一條「黑色的罪」。中國文藝協會常務理事及國民黨內「文藝協會黨團」的幹事會書記陳紀瀅指出：「文化清潔運動」也可以叫做「除文化三害運動」。這是兩年前鑒於不少出版商專門編印誨淫誨盜、造謠生事、揭發隱私的書籍而提出「肅清文化陣容」口號的發展。鑒於「黑色新聞」勢力非常強大，他們常依仗「誰來管我，先內幕誰一番」，因而許多部門無奈他何。這次「某文化人士」談話一發表，立即受到內幕新聞雜誌的圍攻，但鑒於陳紀瀅的談話不代表個人，因而他並不怕別人報復。一九五四年八月七、八日，陳紀瀅和王藍以「中國文藝協會」代表人物身分正式亮相：嚴厲呵斥「赤、黃、黑」三害，並表明「中國文藝協會」願意充當除「三害」的前驅，從而正式揭開了「文化清潔運動」的序幕。

無論是蔣介石還是陳紀瀅所講的「赤色之毒」，均是指宣傳共產主義及過高估計蘇聯及中國共產黨的力量。「黃色之害」是指低級下流的色情作品和誨淫誨盜的圖文。「黑色之罪」，是指用誇張渲染手法寫黑社會殺人越貨、走私販毒黑幕的作品，其中包括有的報紙雜誌與通訊社虛構大陸新聞而美其名曰揭發內幕的報導。像主持《臺灣新生報》副刊的傅紅蓼，原就是鴛鴦蝴蝶派的成員。在他控制下的副刊，均為一股黃色乃至黑色的文藝氛圍所籠罩，並影響著別的報刊。在某種意義上說，「文化清潔運動」就是針對該報的。正如一位文學史家所記載：「臺灣當時，既然這樣受大陸局勢惡化的影響．在文壇方面，便呈現著『動亂、灰色和黃色』。方形的黃色雜誌和報導內幕的雜誌很多，裏面的東西不是黃得一塌糊塗，就是捕風捉影的似是而非的戰局內幕，和一些私人生活的內幕。報紙副刊的文章，充滿了名人以及名女人軼事，陳舊不堪的掌故，『鴛鴦派』的抒情，以及庸俗酬唱的舊詩詞。有多少文人噤若寒蟬，不敢說話，也不敢發表文章；有多少文人寫著『大腿、櫻唇、隆胸、豐臀』的黃色文藝，和胡扯八道的洋幽默。」（註三三）

從文學反映現實的角度看，黃色和黑色文藝倒是適應了動盪時代變化的需要，也是統治者麻醉人民的一種必要手段。而掃黃反黑「不過暴露了以政治強力干預文藝活動，以蠻力扭曲現實的強悍作風，並開始了永不歇止的文藝箝制政策。」（註三四）這裏講的「政治強力」，包括官方控制的文藝團體和報刊一起動員和上陣推行「文化清潔運動」，分別在臺灣、軍中、空軍、警察廣播電臺舉辦專題講座，前後達七十四次。

由於動員面是如此之廣，乃至事後有小型文革之稱的「文化清潔運動」，其涉及的不僅是文藝界，而是整個文化界。其中反黃、反黑在客觀效果上雖然有一定的積極意義，但反「赤」則純是禁錮言論自由、以通匪爲藉口修理異己，由此實施以打擊「赤害」爲名的恐共統治的一種專制手段。可見「文化清潔運動」並不是單純的文化運動，而是由官方支持的一項政治整肅運動。正因爲反「三害」的重點在反赤，而反赤又是爲了統一思想、除掉異端的聲音，因而這一運動「馬上引起很大的爭論。而所謂爭論，是官方的報章雜誌與非官方的報章雜誌對這個問題的看法竟不一致。」（註三五）民營報紙曾「平心靜氣地對這個問題給予極客觀的分析」：「他們並非無條件的承認三害之形成及存在，而是進一步分析三害形成及存在的主觀原因。這與政府的文化政策有密切的關係，與社會的文藝活動更有關係。……由是觀之，『反三害』不僅揭示了臺灣文化界黑暗之一面，亦暴露了文化與政治之間的若干矛盾。如果大家有勇氣承認這個矛盾的存在是在嚴重打擊了自由文藝運動，那麼，我們更要有勇氣來實行消滅這個矛盾的必要工作。庶幾作家們與文化人能夠安心的爲自由文藝運動而盡更多的努力。」

爲了清除對「文化清潔運動」的不同意見，《中央日報》於一九五四年八月五日發表了〈文化清潔運動〉的社論，爲蔣介石的號召作理論注釋。當時頗有影響的《中華日報》、《新生日報》也於同年八月七日、八日發表了「反三害」的文章。《公論報》、《聯合報》爲「文化清潔運動」大吹大擂。九月十五日出版的《文壇》第三卷第一期，還製作了「文化清潔運動」專輯。這次行動不僅將某些患軟骨症的文藝家們和作家們治得服服貼貼，而且也是張道藩借文藝整肅而擴大個人實力的一次集中體現。

面對這種如火如荼的「反三害」運動，民營報紙缺乏應有的熱情，即使有文章發表也是持一種冷靜客觀的態度，這與官方報刊一窩蜂配合正好形成鮮明的對照。但當局推行「反三害」運動是鐵了心的。他們不僅大造輿論，而且動用行政手段，於一九五四年八月二十七日，通知臺灣省政府，立即處分下列刊物：（一）《中國新聞》、《新聞觀察》、《紐司》、《聯合新聞》、《世界評論》等五種雜誌，作停刊十個月的處分；（二）《新聞評論》、《自由亞洲》作停刊兩個月的警告；（三）《婦女雜誌》、《新希望》、《影劇雜誌》，以停刊三個月作爲懲罰。這個決定由「內政部長」王德溥宣布，可見問題之嚴重。當局這種警察行動，引起文化界人士的普遍不滿。刊物本來就不多，現在有眾多刊物被迫停刊，使出版界顯得更爲蕭條。民間輿論還認爲，「反三害運動應該是純粹的文化界的任務。由文化工作者、作家們自己去檢討批評和改善」，（註三十六）而不應由官方使用強制性的方法去解決。現在這種做法，只能使人覺得臺灣「沒有言論與出版的自由」。（註三十七）

「文化清潔運動」像一陣狂風橫掃文壇，由於它破壞性大於建設性，故來得猛，去得也快。它給文壇帶來更多的是負面影響。

第五節　主知、抒情與象徵派

在一九五〇年代前半期，臺灣文壇很少發生紛爭，這是因爲文人剛從大陸去臺，驚魂未定，顧不上帶有學術爭鳴傾向的紛爭；又因當局用政工態度管制文學，用「反共抗俄」一統天下，嚴禁有不同意見發表。

到了一九五〇年代後半期，許多作家評論家，對清一色的反共八股的作品異常不滿，於是開始探索一條與動亂時代無關的追求藝術至上的道路。他們在探索時，很少從事「縱的繼承」，而多取「橫的移植」（註三八），這種傾向在詩歌界表現得尤爲突出，因而引起了激烈的論爭。

這種論爭先後有三回。第一回是從一九五六年到一九五七年間在夏濟安主編的《文學雜誌》上發生的規模不大的新詩論爭。參與者有周棄子、夏濟安、勞幹、覃子豪、嚴明等人。他們爭論的是現代詩過於小眾化，不爲讀者所接受，以及新詩與舊詩文學傳統的關係、新詩與古典詩的形式認知問題、新詩可不可解的問題等。

第二回是紀弦與覃子豪關於新詩向主知發展還是回歸抒情傳統之爭。這是詩壇內部因不同詩學觀引發的爭論。

中國古代文論一向強調詩詞的抒情傳統。「五．四」以後，郭沫若、何其芳等人也把抒情看成是詩的一大特徵。覃子豪論詩，亦十分強調詩的抒情性，認爲只有通過它才能凝煉人生經驗以臻於眞、善、美。在抒情詩、敘事詩、劇詩中，他特別偏愛抒情詩，認爲抒情成分凝聚可使詩的氣氛十分濃郁，而敘事詩與劇詩把抒情成分鋪陳在故事和劇情的發展上，造成抒情成分稀薄。抒情詩的作用，正在於用「最精煉而富有節奏的語言，表現生活情緒而給予形象化和意境的創造。」關於把抒情詩看作詩的正宗這一點，覃子豪後來有所改動。他在〈新詩向何處去？〉中，便認爲「最理想的詩是知性和抒情的混合物」。在給詩下定義時，也強調詩人的主觀意念，他說：「以最精煉而富有節奏的語言，將詩人對世界的一切事物的主觀的意見，予以形象化和意境的創造，而能給讀者一種美感的，就是詩。」這裏講的精煉、節奏、形象、意境與何其芳給詩下的定義相差不大；相差大的是何其芳強調新詩「常常以直接抒情的方式來表現」（註三九），而覃子豪卻認爲新詩著重表現的是「詩人對世界的一切事物的主觀的意念」。這裏的「意念」雖然由「情意」和「理念」兩部分構成，但著重點在「理」而不在「情」，是顯而易見的。也正是這一點，造成大陸新詩與臺灣現代詩的重要差別。這裏需要說明的是：覃子豪主「知」，並沒有像紀弦那樣偏激地反抒情，相反，他認爲：「詩無論進步到何種程度，抒情不會和詩絕緣，除非人類的情感根本絕滅。」（註四〇）他在談自己的創作經驗時，仍津津樂道「不從友誼和愛情的富刺激性的生活中吸取詩的源泉，我就不能寫出令讀者愛好的詩來。」（註四一）這就是他爲什麼在出版《畫廊》後，雖然十分注重知性的追求，但仍沒有徹底放棄抒情風格的原因。

由此可見，紀弦與覃子豪有關「主知」還是「主情」的爭論，其實是屬同一現代派營壘的論爭。他們的差別是一個激進，一個溫和。也就是說，覃子豪不矯枉過正，用兼有中國本體文化的中庸之道去對待詩歌理論問題。如關於現代詩與西方現代主義的關係，覃子豪所採用的是謹慎的批判選擇態度，而不像有些人那樣毫無選擇地全盤接收。他在〈新詩向何處去〉中說：「中國新詩之向西洋詩去攝取營養，乃爲表現技巧之借鑑，非抄襲其整個的創作觀，亦追隨其蹤跡。」這種論述既防止了不敢向西洋詩去攝取營養的保守封閉傾向，同時又與那些「抄襲其整個的創作觀」的全盤西化者劃清了界限。對反傳統問題，覃子豪認爲「傳統」固然要「反」，但反的是「傳統的虛僞與束縛，而不是反對『作爲太古以來人類智慧的積蓄的過去所形成的一個秩序』」。「我的主張不是對於傳統無條件的投降，而是要批判地加以接受。不是有形的引證、剽竊，而是化精粹於無形。」這種「中庸」詩觀，影響了藍星詩社不少詩人。這就難怪「藍星」無論在創作還是在理論上均持一種穩重態度，並用這種觀點去批評前衛性過於突出的「現代派」與「創世紀」詩社的實驗性作品。這在三大詩社鼎立的環境中，起到了制衡作用。

第三回是來自詩壇外部的質疑，即蘇雪林與覃子豪關於象徵派問題的爭論。

作爲論戰主角蘇雪林生活的時代，適逢國民黨的教育政策極端守舊。當局一面實施文化的閉關政策，一面在經濟上搞改革。後者可以收買人心，前者則可箝制思想，這有利於防止黨外勢力的抬頭。蘇雪林攻訐現代詩，正好適應了官方這種文化政策。她在〈新詩壇象徵派創始者李金髮〉中，借談李金髮爲名攻訐當今的新詩「更是像巫婆的蠱詞，道士的咒語，匪盜的切口……」。而謂大陸「變色」後，「這個象徵詩的幽靈又渡海飛來臺灣，傳了無數徒子徒孫，仍然大行其道」，把新詩弄得「隨筆亂寫，拖沓雜亂，無法念得上口」。（註四二）紀弦對此首先作出反響，認爲「現代詩之一大特色，在難懂」，婉轉地表示不同意蘇雪林的意見。正式提出反駁的是覃子豪。他在〈論象徵派與中國新詩——兼致蘇雪林先生〉一文中，認爲「臺灣詩壇的主流」，「既不是李金髮、戴望舒的殘餘勢力」，也非「法蘭西象徵派新的殖民」。新詩的進步不可抹殺，謂蘇氏的評語「未免有失公平」，並譏蘇氏爲「不前進的批評家」。（註四三）蘇氏緊接著寫了〈爲象徵詩體的爭論敬答覃子豪先生〉（註四四），對有關象徵派問題一一作出答辯。覃子豪又寫了〈簡論馬拉美、徐志摩、李金髮及其它——再致蘇雪林先生〉（註四五），除了反覆論及象徵派問題外，指出蘇氏文風惡劣：「把詩作者比作『巫婆』、『道士』已欠誠意與嚴肅；比作『盜匪』、『賊子』就簡直是在罵街了。」

蘇雪林是在大陸成名的老作家、老教授，由於在書齋裏討生活，對文藝創作實際不甚瞭解也不願理解，因而成了保守勢力的代表人物，這就是爲什麼她要抓住現代詩的某些毛病大罵的原因。覃子豪反駁時，「對現代詩的特質雖有較詳盡的剖析，但大部分是拾取早一代西方詩人的意見，並沒有以中國現代詩爲例做分析，也未能深入地解釋何以在那時候這種『曲高和寡』的『發掘人類生活本質及其奧秘』的新詩會被我們的許多詩人接受的背景。」（註四六）再加上論戰雙方所提及的李金髮、戴望舒的詩大部分讀者都沒有讀過，因而這場論爭影響有限。

第六節　不願集合在傳統旗幟下

如果說紀弦與覃子豪、蘇雪林與覃子豪的論爭還只限於個人之間的話，也就是白萩說的「新詩鬧家務之後，不久外人就找上門來。」（註四七）一旦「外人」介入，那後來的論戰便涉及了整個詩壇。事情是由作爲保守勢力的大本營《中央日報》專欄作家言曦（邱楠）的〈新詩閒話〉（註四八）引起的。

一九五九年十一月二十～二十三日，言曦從蘇雪林接到匿名信說起，廣泛地批評臺灣詩歌界，並一概將其貶爲「象徵派的家族」。他認爲大眾之所以不願意閱讀現代詩，是因爲現代詩沒有音樂性，內容晦澀難懂，這兩個缺點其根源在於象徵主義，由此必須排除由西方輸入的象徵主義影響，才能讓現代詩得到大眾的支持，而現代詩創作是否一定要接受西方文化、語彙乃至文學思潮的影響，這是言曦立論的一個出發點。而反對者認爲，這是把詩當成大眾發洩情感之工具的音樂至上論。余光中便認爲詩有自己的獨到的價值，不應該認爲有音樂性才有價值。當然余光中沒有全盤否定音樂性的重要，而是提出詩要有自然協律：「我們並無詩可以不要有音樂性的意思，只是和言曦先生恰恰相反，我們以爲詩的音樂性潛伏在字裏行間，因意義與節奏的恰如其分的融合而迴盪，與其說訴諸於肉耳，不如說訴之於心靈。」

言曦除批評現代詩不夠大眾化之外，也認爲現代詩使用外國人名、地名或者謎題式的寫法也是多此一舉：

……猜不出，固然浪費雙方的智力，猜得出，亦未見即有詩意。倒如黃昏被寫爲「下午與夜的可疑地帶。」死人的往事被寫成「古銅色的長方形的故事」，駕駛汽車被寫成「寄生蟹操縱其借來的螺殼」。這些謎語即使算是詩，也不免落纖巧之譏。一方面，詩人爲矯造神秘的氣息，又不惜假借中國讀者最陌生的地名和人名，讀之如譯自外國的詩集，例如「滿城的愛普羅河維尼斯河的嘆息」，「在賽納河與推理之間誰選擇死亡」，讓讀者不會有感受，而作者也未必知道這些名詞所蘊藏的眞正意義。……詩必須是可以讀得懂的，而不是醉漢的夢囈；必須是在造句的習慣上可以通得過的，而不是鉛字的任何的排置，必須是具有韻律的可以擊節欣賞的詩句，而不是詰屈聱牙的散文的分列。先求正，而後求奇；先求熟，而後翻生，與這個時代的悲歡同脈搏，而不只是個人超實感境界的捕捉，則我們將來一定可以讀到許多眞正的好詩。（註四九）

這裏說「先求正，而後求奇」，是深諳藝術規律之言。至於言曦所舉的所謂難於詮釋的句子，言曦破譯得頭頭是道，余光中認爲他看得懂現代詩，可他怎麼說現代詩看不懂呢？況且現代人寫的是現代生活，用當代生活常見的名詞寫進詩內，那不是很自然的嗎？

在論戰中，言曦花了很大力氣說明臺灣現代詩人對西方文論的理解是一知半解，甚至連一知半解都談不上，他列舉法國象徵主義詩人藍波、馬拉美等人的話去說明象徵主義無時無刻不在危害著現代詩：「蓋瞬息間所捕捉而記錄成爲分行文句的奇妙意象，時過境遷，即不復可解。如此則必然使象徵派的詩與一般的讀者相去日遠，而成爲少數鑒賞家玩賞的對象。」在這裏，言曦以偏概全，把象徵主義當成臺灣現代詩人唯一膜拜的對象，這是重複了蘇雪林的錯誤。余光中指出：「說自由中國的新詩作者承繼了昔日象徵派詩人李金髮的遺風，說今日的新詩作者盡是象徵派的末流，對於近十年的新詩是一種扭曲……今日的新詩運動是廣闊的現代文藝中的一環，並非言曦先生所說的象徵派的餘波。言曦先生以為象徵主義是現代文藝中的毒蛇猛獸，且將它所感到的困惑的一切流派皆籠統地稱為象徵主義，正如不解現代繪畫者把一切難懂的繪畫皆歸入印象派。」在閱讀西方文論方面，言曦的知識顯然短缺。在博學的余光中面前，他暴露了自己的對西方文論知之甚少的缺陷。不過，言曦對中國古典文論畢竟積累深厚，他提出「造境、琢句、協律」這三條自以為「比較客觀的尺度」，認為詩的構成條件——

> 最低的層次是「可讀」，再上是「可誦」，最上一層是「可歌」。可讀意指差能琅琅上口，無所蹇礙，可誦則是以自由創作的聲調諷詠呻吟，是一種「高度的讀」，可歌則必譜之於曲，被以金竹管弦，詩原即起源於語言與音樂的結合，故音樂的成分愈多亦愈能感動更多的人。造境臻美亦可稍疏於琢句，琢句至工亦可稍疏於協律，但卻不能完全置琢句協律於不顧。有詩境而沒有精煉且富音樂性的句子，那只是「詩的散文」，音韻協調而沒有詩意，也只是曲文鼓詞。（註五〇）

用這個標準衡量，言曦認為許多新詩是以艱澀的造句來掩蓋其空虛，淺入而深出。言曦還有寒爵這些連筆名或人名都帶有一股黴味的人的傳統觀點，在客觀上呼應了某些官方文人認為現代詩不利於政權鞏固屬危險物的潛在看法，再加上他對現代詩的本質及其表現技巧缺乏深入的瞭解，故未能擊中新詩的要害。

詩壇由此變得不平靜。捲入這場論爭的人很多，其中恆來、風人、梁容若是站在舊詩的立場看新詩的。鍾鼎文、羊令野、洛夫等現代詩人則站在革新的立場上爲現代詩辯護，其矛頭均一致指向言曦。當時已成爲現代詩旗手和論戰主將、身兼《文星》雜誌主編的余光中，一九八〇年代在〈文化沙漠中多刺的仙人掌〉和〈摸象與畫虎〉（註五一）中，認爲臺灣的新詩不能用象徵主義去概括。臺灣的三個主要詩社「藍星」、「現代詩」、「創世紀」受象徵派的影響，但現在「已經超越了象徵派，甚且不屑一談象徵派了」。余光中這番言論，算是回答了蘇雪林等人對新詩的詰難。余光中還舉了許多例子，說明「不可歌」的詩之價值，是遠高於「可歌」的。談到「藝術大眾化」問題，余光中以鄙視的口吻說：詩人「在氣質上」或多或少是「異於常人」的，「大眾之中，究竟有多少人能在沙中見世界，在鴉背上見昭陽日影？」要使大眾都瞭解詩，是幾乎不可能的。即是說，余光中認爲詩是象牙塔中產生的藝術，它帶有貴族性，詩人「不屑於使詩大眾化，至少我們不願意降低自己的標準去迎合大眾」。「大眾」不瞭解詩，不是詩人的錯，而是大眾本身藝術修養太差。余光中這種看法，是偏頗的。詩人自然不必爲了迎合大眾降低自己的藝術水平，但也不能完全忽視群眾的藝術趣味，並認定他們的趣味就一定是低下的。詩人應首先反省：爲什麼自己的作品不受群眾歡迎？這裏有無主觀上的原因？

作爲力圖突破國民黨封鎖宣揚新思潮的文化刊物《文星》，也出版過專輯（註五二），從不同角度爲新詩辯護。其中余光中、黃用、夏菁、覃子豪等人的觀點，大致認爲十年來新詩比「五．四」以後的「新月」等時期有進步；現代詩雖然反傳統，但並未與傳統切割；蘇雪林、言曦等人的批評不恰當，所詰難的詩句並非不可解；詩無法做到大眾化。其中余光中的〈大詩人艾略特〉，還對「現代派」的鼻祖艾略特，作了簡要的介紹。言曦針對他們的反駁，再寫了四篇〈新詩餘談〉（註五三）作爲回答，孺洪也出來助戰，發表了〈「閒話」的閒話〉（註五四），饒有興趣完全認同言曦的觀點，但也認爲現代詩的確存在著不少弊病，希望余光中等現代詩人敢於面對這些問題。言曦和孺洪的言論又引來他人的反彈。《文星》一九六〇年二月號第五卷第四期登載了余光中和黃用的文章。鑒於黃用態度激烈、口吻強硬，而成爲衆矢之的，而黃用則抓住他們不是詩人的弱點，影射他們的批評爲「瞎子摸象」，提出「唯詩人可以論詩」的觀點，不僅火藥味濃，而且霸氣十足。

正當論戰高潮快要過去的時候，一向「寡言」的詩人陳慧，寫了〈新詩的一些意見〉，站在中間立場與言曦、余光中商榷。他認爲，「可歌」與「不可歌」不能作爲論詩的優劣標準。詩人雖不必降低水平迎合大眾，但也無須「不屑一顧大眾」。（註五五）他這個意見較爲客觀、冷靜，得到一些人的讚同。

作爲激進勢力代表的《文星》，一九六〇年四月又刊出錢歌川的〈英國新詩人的詩〉、陳慧的〈現代、現代派及其它〉、余光中的〈摸象與捫虱〉等三篇文章。言曦抓住陳慧、錢歌川文中有利於自己的一面，去攻擊「砦堡自雄」的某些詩人；又根據余光中難以自圓其說之處，製造一些臆想氣氛。不過，在臺灣文學變革的關頭處於劣勢的言曦等人，儘管有些觀點也有可取之處，但仍難於在年輕一代中找到市場。覃子豪、余光中等人高喊的「新的內容、新的形式」，對青年人的誘惑力很大，故大多數青年都擁護現代主義而不願集合在傳統的旗幟之下。這場論爭的結果，與守舊派言曦的願望完全相反：詩變得更加不易懂，朝著「小眾化」的道路上越走越遠，借用紀弦的話來說：「論戰的結果是：整個詩壇都現代化了；余光中成爲一個現代主義者；覃子豪也寫起現代詩來了」。（註五六）

注釋

一　葉　青：〈簡化文字問題〉，臺北市：《公論報》，一九五四年四月十一、十五～十八日。

二　葉　青：〈簡化文字問題〉，臺北市：《公論報》，一九五四年四月十一、十五～十八日。

三　任卓宣（葉青）：《文學和語文》（臺北市：帕米爾書店，一九六六年），頁三六〇～三七六。本節的一些文章沒有原始出處，均轉引自此書。

四　葉　青：〈簡化文字答客難〉，臺北市：《大道》總第九十二、九十三期，一九五四年七月十六日和八月一日。

五　焦　桐：《臺灣戰後初期的戲劇》（臺北市：臺原出版社，一九九〇年六月）。

六　孫　陵：〈文藝工作者底當前任務——展開戰鬥，反擊敵人〉，臺北市：《民族報》副刊，一九四九年十一月十六日。

七　姜　貴：《旋風》（臺北市：明華書局，一九五九年）。

八　姜　貴：《重陽》（臺北市：皇冠出版，一九六一年）。

九　葛賢寧：《論戰鬥的文學》（臺北市：中華文化出版事業委員會，一九五五年七月），頁一、一一二、一一三、一一六、一二〇。

一〇　葛賢寧：《論戰鬥的文學》（臺北市：中華文化出版事業委員會，一九五五年七月），頁一、一一二、一一三、一一六、一二〇。

一一　葛賢寧：《論戰鬥的文學》（臺北市：中華文化出版事業委員會，一九五五年七月），頁一、一一二、一一三、一一六、一二〇。

一二　郭　楓：〈四十年來臺灣文學的環境與生態〉，臺北市：《新地文學》一九九〇年第二期。

一三　張道藩：〈論當前自由中國文藝發展的方向〉，臺北市：《文藝創作》一九五三年第二十一期。

一四 周棄子：〈腳踏實地說老實話——讀《文學雜誌》創刊號〉，臺北市：《自由中國》第十五卷第十七期。

一五 張道藩：〈論當前自由中國文藝發展的方向〉，臺北市：《文藝創作》，一九五三年第二十一期。

一六 葛賢寧：《論戰鬥的文學》，臺北市：中華文化出版事業委員會，一九五五年七月，頁一一五。

一七 聶華苓：〈臺灣和海外文學〉，《編譯參考》一九八〇年第七、八期。

一八 葛賢寧：《論戰鬥的文學》（臺北市：中華文化出版事業委員會，一九五五年七月），頁一一五。

一九 轉引自馮放民（鳳兮）：〈拿言語〉，臺北市：《臺灣新生報》副刊，一九四九年十一月。

二〇 轉引自馮放民（鳳兮）：〈拿言語〉，臺北市：《臺灣新生報》副刊，一九四九年十一月。

二一 葛賢寧：《論戰鬥的文學》（臺北市：中華文化出版事業委員會，一九五五年七月），頁一一、一一二、一一三、一一六、一二〇。

二二 葛賢寧：《論戰鬥的文學》（臺北市：中華文化出版事業委員會，一九五五年七月），頁一一、一一二、一一三、一一六、一二〇。

二三 陳紀瀅：〈張道藩先生與文獎會文藝協會〉，見《中國文藝鬥士張道藩先生哀思錄》（臺北市：張道藩治喪委員會，一九六八年），頁二二〇。

二四　見胡適一九六〇年十一月二十八日日記，收入雷震：《雷震回憶錄》（香港：七十年代雜誌出版社，一九七八年十二月），頁一一六。

二五　參見胡適一九五一年八月十一日致雷震信，見雷震：《雷震回憶錄》（香港：七十年代雜誌社出版，一九七八年十二月），頁九十五。

二六　參見雷震：《雷震回憶錄》（臺北市：吳三連臺灣史料基金會，二〇〇九年二月版），頁一〇八～一〇九。

二七　胡　適：〈中國文藝復興．人的文學．自由的文學〉，臺北市：《文壇》季刊，一九五八年第二期。

二八　參見雷震：《雷震回憶錄》（臺北市：吳三連臺灣史料基金會，二〇〇九年二月），頁一〇七。

二九　任卓宣：〈論人的文學和自由的文學〉，臺北市：《文壇》季刊，第三號，一九五八年。

三〇　穆中南：〈關於文藝政策〉，臺北市：《文壇》季刊，第三號，一九五八年。

三一　王夢鷗選編：《當代中國新文學大系．文學論評集》（臺北市：天視出版事業有限公司，一九八一年），頁四十二。

三二　王鼎鈞：《文學江湖》，臺北市：爾雅出版社，二〇〇九年。

三三　劉心皇：《自由中國文學三十年》，臺北市：《國立編譯館館刊》第九卷第二期。

三四　彭瑞金：《臺灣新文學運動四十年》（臺北市：自立晚報社文化出版部，一九九一年），頁七十。

三五　李　文：《當代中國自由文藝》（香港：亞洲出版社，一九五五年），頁二四一。

三六　李　文：《當代中國自由文藝》（香港：亞洲出版社，一九五五年），頁二四二。

三七　李　文：《當代中國自由文藝》（香港：亞洲出版社，一九五五年），頁二四二。

三八　紀　弦：〈現代派六大信條〉，臺北市：《現代詩》第十三期（一九五六年二月）。

三九　何其芳：《關於寫詩和讀詩》（北京市：作家出版社，一九五六年），頁二十七。

四〇　覃子豪：〈海的歌者談詩創作〉，載《覃子豪全集》第二輯，覃子豪全集出版委員會印行，一九六八年詩人節出版。

四一　覃子豪：〈新詩向何處去？〉，《論現代詩》（臺北市：藍星詩社，一九六〇年）。

四二　蘇雪林：〈新詩壇象徵派創始者李金髮〉，臺北市：《自由青年》第二十二卷第一期，一九五九年七月一日。

四三　覃子豪：〈論象徵派與中國新詩——兼致蘇雪林先生〉，臺北市：《自由青年》第二十二卷第三期，一九五九年八月一日。

四四　蘇雪林：〈爲象徵詩體的爭論敬答覃子豪先生〉，臺北市：《自由青年》第二十二卷第四期，一九五九年八月十六日。

四五　覃子豪：〈簡論馬拉美、徐志摩、李金髮及其它——再致蘇雪林先生〉，臺北市：《自由青年》第二十二卷第五期，一九五九年九月一日。

四六　何　欣：〈三十年來臺灣的文學論戰〉，臺北市：《現代文學》復刊第九期。

四七　白　萩：〈魂兮歸來——臺灣詩壇回顧〉，《笠》總第二期，一九六四年六月五日。

四八 言　曦：〈新詩閒話〉，臺北市：《中央日報》，一九五九年十一月二十～二十三日。

四九 言　曦：〈新詩閒話〉，臺北市：《中央日報》，一九五九年十一月二十～二十三日。

五〇 言　曦：〈新詩閒話〉，臺北市：《中央日報》，一九五九年十一月二十～二十三日。

五一 余光中：〈文化沙漠中多刺的仙人掌〉，臺北市：《文學雜誌》第七卷第四期，一九六四年十二月。余光中：〈摸象與畫虎〉，臺北市：《文星》第二十八期，一九六〇年二月一日。

五二 《文星》專輯，一九六〇年元月一日出版。

五三 言　曦：《新詩餘談》，一九六〇年一月八～十一日。

五四 孺　洪：〈「閒話」的閒話〉，臺北市：《中華日報》副刊，一九六〇年一月。

五五 陳　慧：〈新詩的一些意見〉，臺北市：《文星》，一九六〇年三月一日。

五六 紀　弦：《紀弦回憶錄（第二部）》（臺北市：聯合文學出版社，二〇〇一年），頁一一四。

第四章　六十年代的文學紛爭

第一節　余光中向洛夫高喊「再見」

在一九七〇年代，由青溪新文藝學會發起舉辦的「第一屆中韓作家會議」上，周錦提供了一篇引起爭議的〈近三十年來的中國現代文學〉論文。文中說：「現代詩的首領紀弦，藍星的領導人覃子豪，不僅有過筆戰，而且形成群架，貶敵揚己的結果，亂了詩壇，也亂了文壇。」這話帶有誇張成分，但現代詩壇愛「吵架」是不可否認的事實。連洛夫在反駁周錦的文章時也承認：「當年現代詩人正處於創造的高峰，而詩的觀念尚不夠成熟，兩派不同觀念的人尋求新的表現方法而相互間質疑，本是一種正常現象。法國許多新文學思潮，就是作家在咖啡店內吵出來的。」（註一）

在此之前有過紀弦與覃子豪的論戰、覃子豪與蘇雪林的論戰、余光中等人與言曦的論戰。下面再補充為世人關注的另一樁「吵架」公案。

眾所周知，洛夫與余光中在臺灣詩壇都是赫赫有名的人物，其創作成就各有千秋，但由於兩人哲學觀、文學觀存在著巨大的差異，因而常常發生碰撞。

余光中的長詩〈天狼星〉（註二），通過自我將海峽兩岸和中國幾千年的歷史揉合，作了視野寬廣的抒情描寫。這是當代一位重要詩人龐大澈底的自省展現，其所代表的意義不僅是余光中生涯的轉折，還可足以印證現代文學的困境與突破。不過，余光中只認為自己「所表現的是我一九六一年春天的精神狀態。」那時的余光中剛與言曦〈新詩閒話〉論戰劃上句號，但不等於余光中就認同現代主義。此詩中在一定程度上涉及到與自己過從甚密的詩人以及自己對現代詩運動的評價。在接受陳芳明的訪談時，余光中說：「在現代文學的運動中，我選擇了天狼星，也帶有一點自嘲的意味，好像現代詩人、現代畫家在當時的社會都被認爲是一群叛徒。」

洛夫讀了〈天狼星〉後，發表了長達萬餘言的〈天狼星論〉（註三）：

> 〈天狼星〉是中國現代詩歷年來創作中一座鉅型的文學建築，是詩人們歷年來對現代藝術實驗與修正的過程中一項大膽的假設，也是目前中國新詩諸多問題、諸多困惑的一次大暴露。

這是一篇嚴肅的學術論文，分析極爲翔實。洛夫認爲，這首長詩是屬於描寫現代詩人奮鬥精神的史詩。接著，洛夫依次分析和闡明什麼叫史詩，並討論現代詩體創作史詩的可能性，末尾仔細分析作品的優劣處。洛夫用先抑後揚的手法，肯定余光中「這種旺盛的企圖心，這種追求博大的傾向以及驚人的創造力，都將爲中國新詩開闢一個新的路向。」但開闢時有偏差，洛夫認爲此詩缺少一種「屬於自己，賴於作爲創作基礎的哲學思想」即存在主義，這便注定〈天狼星〉失敗的命運。另一失敗的原因，是意象與意象之間，有比例，有發展，沒有做到「不合邏輯，不求讀者瞭解」的地步。再加〈天狼星〉是事先擬好提綱寫作，而不是「廣泛的醞釀，之後始有中心觀念之湧出，再後始有此一觀念之發展以及作品之完成」，這種傳統的寫法，便決定了它是一首早熟之作。表現在用重複的詞語來強化音樂後果，並不承認：「如〈萬聖節〉中的『此刻此刻此刻擦擦，此刻此刻此刻擦擦，擦擦！擦擦！』在表現上實無必要。這類例子在『天』詩中累見不鮮。如〈圓通寺〉第六節之『Adagio，而且Adagio，而且Adagio』（即緩徐之意，使用原文想係取其催眠之聲音），又〈海軍上尉〉第五節：『古吉啊，古吉，我的古吉』，以模仿『貓在日式屋頂』，『厲呼佛洛伊德的鬼魂』之呼叫。〈太武山〉第十節隔行使用『敲，彌衡的鼓聲，敲彌衡！』共三次，以及該詩數次出現之蓮花落調『咿呀呵嗨——呀呵嗨』之協奏，其用意均在製造音樂效果。」至於「天狼星的戶籍」，洛夫有不能認同的看法：「我們推測『天狼星的戶籍』之出現，其用意可能有三，（一）是一種現代主義表現趣味的裝飾。有許多作者為了達到某種強烈的藝術效果時，往往玩弄一些『有意晦澀』的小魔術……（二）是表弟們（現代詩人群）的象徵。以一連串嚇人的天文名詞，光度、熱度來隱喻現代詩人藝術成就的輝煌……（三）如僅係天文知識之炫耀，則無啥意思。」余光中原來想標新立異，但弄巧成拙，實在沒有必要。

洛夫寫〈天狼星論〉正值他研讀和實踐超現實主義時期，難免以自己的嗜好要求他人。「藍星」詩社評論家張健便認為，洛夫的推理純是「觀念中毒」的表現。又鑒於洛夫文章在措辭上對余光中的社會地位及其尊嚴有所損害，於是余光中大為惱火，寫了〈再見，虛無！〉（註四）反駁，指責洛夫的評論體現了虛無思想，認為洛夫是「主義至上者」，過於迷信自己的理論，而忽略了更重要的寫作實際。余光中說：「洛夫先生的理論是很矛盾的。一方面他說明人是『空虛的，無意義的，模糊不可辨認的』，在另一方面又指責〈天狼星〉的作者『忽略了周夢蝶人格與藝術思想的發掘』。既然人毫無意義，則我們何必斤斤計較『人格』與『思想』？」末尾云：「如果說，必須承認人是空虛而無意義才能寫現代詩，只有破碎的意象才是現代詩的意象，則我樂於向這種『現代詩』說再見。」

關於〈天狼星〉是否屬於描寫現代詩人詩運的史詩問題，陳芳明認為〈天狼星〉的結構，有一半的篇幅是余光中的自我寫照，如果有組詩的形式也看不出有明確的敘事企圖。針對洛夫的觀點，陳芳明斷言：「無論如何，把〈天狼星〉當作一首長敘事詩，或是一首史詩，都是錯誤的。它僅僅是一首組詩，嘗試從各個不同的角度，向內省察自己的思想，並向外觀察文化的前途。」（註五）這位以余光中研究專家著稱的評論家，這回說得不對。余光中在與陳芳明的訪談中，這樣談自己的創作初衷：「這裏有自傳，也有爲朋友作傳。不過在自傳與他傳之間，可以說是所有現代主義者、所有的叛徒的一個總傳。我當時的野心是如此，裏面也寫到瘂弦、周夢蝶等人。」（註六）就爲所有現代詩人樹碑立傳這點來說，余光中的創作動機的確與洛夫「史詩」的論斷不謀而合。至於「史詩」有無大過強調敘事，背後隱藏著哲理的內涵，洛夫認爲存在主義是現代主義詩人所共同信仰的哲學思想，只不過存在主義的思想與史詩的準則不相吻合。這就是因爲〈天狼星〉這首史詩不夠含蓄，不夠抽象的原因所在。

余光中與洛夫均是重量級詩人，這場爭論可謂是棋逢對手。那時洛夫以激進的現代派著稱，在觀念上比余光中前衛。由於洛夫覺得虛無問題過於玄妙和複雜，雙方開戰之日也就成了終戰之時。兩人後來還作了不同程度的自我批評。洛夫在論覃子豪的文章〈從《金色面具》到《瓶之存在》〉中說：「數年前筆者曾秉著藝術良心寫過一篇萬餘字的〈天狼星論〉的詩評，由於在措辭上對作者的由社會地位所養成的『尊嚴』有所損及，致使作者大爲震怒，爲此我一直深感歉疚與愚昧。」在〈洛夫詩論選集・自序〉（註七）中也說：「其中某些看法浮泛而零碎，至今讀來，自己都難免爲之一笑。」余光中在出版《天狼星》詩集所寫的後記亦說：「《天狼星》舊稿在命題、結構、意象、節奏、語言各方面都有重大毛病。」後來余光中對《天狼星》作了程度不同的修改。

在〈天狼星論〉出現之前，還未有人寫過這種嚴肅而規模大的現代詩評論。洛夫有偏頗的批評帶動了後來者對現代詩嚴肅而認眞的研究，倒是這場論爭的意外收穫。

第二節　宣布解散「現代派」

六十年代是臺灣的轉型期，這時文化界有「中西文化大論戰」，有李敖、柏楊對傳統文化的尖刻嘲諷。當時還是臺大外文系學生的白先勇則創辦了帶有很強實驗性的《現代文學》。至於新詩方面，紀弦更是「以介介竹竿一根，擾亂池水，有英雄血統。」（註八）他當年高揭「現代派」大纛，並高喊「向國際水準看齊，進而超越國際水準，向世界詩壇學習，進而影響世界詩壇」的不同凡響之處。

紀弦組織的「現代派」，很多人認爲是一場詩壇爭奪領導權的鬥爭，其實是「『詩壇』背面的『政壇』才是眞正的競技場」（註九）。「政壇」的情況是：國民黨喪失反攻大陸的條件，有意淡化「戰鬥文藝」運動。而「現代派」對黨國體制和社會現狀並不直接構成威脅作用，它的成立正迎合了官方調整文藝政策的需要，或者說張道藩「找到」了一向熱衷反共文藝創作、且喜歡出風頭的紀弦作爲文藝政策急轉彎的代理人。但張道藩怕控制不住性格愛衝動的紀弦走向極端，故只「默許」他成立而沒有給他活動經費，「現代派」也就不可能召開全體成員大會，更無法設立理監事一類的組織，只有紀弦自己刊登的名單和綱領而已。《現代詩》也是紀弦一人的詩刊，他身兼四職：發行人、社長、主編、經理。但紀弦活動能力很強，該刊出至第三年後推出朱紅色封面的第十三期，刊登了紀弦執筆的〈現代派六大信條〉、〈現代派信條釋義〉等文章。其中「六大信條」云：

一、我們是有所揚棄並發揚光大地包含了自波特萊爾以降一切新興詩派之精神與要素的現代派之一群。
二、我們認爲新詩乃是橫的移植，而非縱的繼承。這是一個總的看法，一個基本的出發點，無論是理論的建立或創作的實踐。
三、詩的新大陸之探險，詩的處女地之開拓，新的內容之表現，新的形式之創造，新的工具之發現，新的手法之發明。
四、知性之強調。
五、追求詩的純粹性。
六、愛國。反共。擁護自由與民主。

在這六條中，前五條來自西方價值標準，這好像是寫給對蔣介石不信任的美國人看的。最後一條原爲主張「無神論」，現在這樣改，是爲了保護自己，以示「政治正確」。這種臨時加上去的反共尾巴，嚴重地違反了詩的藝術規律。

六十年代現代化思潮的出現，主要是臺灣三大詩社尤其是紀弦創辦的《現代詩》起了重要作用。紀弦強調知性，從藝術上講，是對浪漫主義格律派的反動；從政治層面講，是爲了改變反共文藝公式化的傾向。這裏有一個問題：爲什麼黃、赤、黑在「除三害」運動中無法生存，而不黃不赤不黑的灰色現代詩，可以生存？這自然是當局微調文藝政策的結果，另一方面，那些「泛現代派」寫的現代詩，原本是反共詩的「孿生兄弟」。（註一〇）正因爲如此，紀弦不可能認識自己的偏頗與謬誤，於是又寫了〈新現代主義之全貌》（註一一）進行辯解。對新詩的再革命，紀弦從兩大階段加以解釋：其第一階段，以自由詩運動爲中心；其第二階段，以現代詩運動爲主體。所謂新詩的現代化，就是使新詩現代主義化的意思。（註一二）

關於第一階段，係指紀弦自創刊《現代詩》至第十二期止，其工作重點如下：一、要求詩之本質，排斥形式主義之僞自由詩及僞格律詩。（註一三）二、以散文的音樂、文字工具寫自由詩，但自由詩和散文有本質之別，而不用韻文之押韻、音樂、格律寫詩。（註一四）三、堅持自由的形式，即沒有固定的形式，認定自由詩是圖案的形式，而舊詩是均衡的形式。（註一五）四、自由詩是新月派格律詩的反動，打破抄襲西洋詩形式的新月派體詩。（註一六）五、自由詩必須有深邃的詩想與醇厚的韻味。（註一七）

「自由詩運動」的最大收穫是削弱新月派的格律詩影響，使摹擬十四行詩的「豆腐乾體」向自由詩形式轉化。

關於第二階段，即現代詩運動的階段，又稱「自由詩的現代化」階段，始自《現代詩》第十三期至第三十四期止。這一階段重申「自由詩」之特質，集中力量從詩的本質上進行革新。爲了加強詩的「詩想」性質，革新傳統詩的抒情本色，紀弦提出方法論的改革：在主題上，不再強調主題鮮明、表現集中，而強調不以主題的表現爲目的，去建立一個秩序的世界；在形式上，現代詩不再像自由詩那樣講究朗誦和節奏，它根本否定文字的音樂性，甚至使用符號、外文以及種種怪誕的排列。在這種改革下，出現了林亨泰的「符號詩」，其特點是突破文字在意義上的思考功能，走上圖像意義的表達方式。紀弦所提出的從「主題的發展到主題的消失」，後來爲以「超現實主義」著稱的「創世紀」的詩人繼承並加以

發揚光大。（註一八）

在這一階段由於否定詩的抒情性，便引起了詩社的廣泛討論與抨擊，如前面所述的紀弦與覃子豪「主知與抒情之爭」。紀弦在爲自己辯護時，儘管振振有詞，但難以自圓其說。如他否定覃子豪在第一原則「詩底再認識」中所提出的詩對人生意義的強調，可在談到覃子豪的第四個原則時，又「承認思想的重要性」，這便自相矛盾。不僅理論上，就是在創作實踐上，紀弦的詩作也沒有足夠的前衛性，和他的「主知」主張不一致。如他的〈一片槐樹葉〉等大量作品均是抒情詩，並未與傳統一刀兩斷。就是那些跟紀弦靠攏的人，也不可能因加盟「現代派」脫胎換骨，在一夜之間就寫出「知性」的詩。他們大多數人對現代主義的本質與精神均缺乏深刻的認識，無論在氣質上和藝術追求上彼此並不一致，如林泠和鄭愁予本質上是純粹的抒情詩人，方思的某些作品具有傳統的風格，紀弦本人則極富浪漫色彩，故在他們之間要形成統一的流派談何容易。也許紀弦後來感到自己陷入了困境，便聲稱停止這場「新詩的再革命」，要重新爲現代詩正名，甚至要取消「現代詩」一詞，並於一九六二年宣告解散「現代派」，《現代詩》也隨之在一九六四年二月停刊。

第三節　「星空，非常希臘」

「星空，非常希臘。」這個名句出自余光中於一九六一年十月十二日寫的〈重上大度山〉。此詩共四節，第一節的最後三行爲：

撥開你長睫上重重的夜
就發現神話很守時
星空，非常希臘

馬來西亞的一位中學教師給香港中文大學余光中研究專家黃維樑信中說，這句詩文理不通，是「不可原諒的敗筆」，甚至說這樣的句子「誤人子弟」，但畢竟這首詩選入了海外的中學課本，這位姓謝的老師問黃氏：「當一般華文老師提到這個問題時，我們要怎樣回答才比較圓滿呢？」黃維樑回答說：

向來有不少人談論、背誦、引述這句名句，有時引述錯了，例如變成「天空，非常希臘」。這情形就像卞之琳的四行名詩〈斷章〉引述者眾，卻常常錯引若干字一樣。名句變爲訛句，這是無可奈何的。這名句出自〈重上大度山〉，但此詩卻非名詩：余光中自編的《余光中詩選》、《守夜人》（*The Night Watchman*）兩本選集都沒有選；劉登翰等編的《余光中詩選》、流沙河選釋的《余光中一百首》，以致陳燕谷等選的《中國結》（余光中詩文選）、盧斯飛著的《洛夫余光中詩歌欣賞》等，也沒有。〈重上大度山〉爲什麼不入選集，以及剛才說的名句訛句問題，這裏順筆一提，不細論了，回到主題。

「星空，非常希臘」中，「非常」是副詞，「希臘」是名詞；這樣的構造，用一般的語法規則來衡量，確是不通的。這就像我們說——

「大地，非常中國」

「山水，非常桂林」
「都會，非常紐約」
——不通一樣。

然而，我們須知道，詩人享受特權，可以創新，可以不理會語法。「禮教豈爲我輩而設哉！」這是名士、狂士的豪言；「語法豈爲我輩而設哉！」這是詩人、詞客的壯語。翻開《世說新語》〈任誕〉，我們看到禮法被藐視；翻開唐詩宋詞集子，我們看到語法被打破。杜甫的「香稻啄餘鸚鵡粒」，李清照的「簾卷西風」，都是倒裝句子。王力的《漢語詩律學》，有專論近體詩語法的部分，其中論及「名詞作形容詞用」的，就有李嘉佑這樣的詩句：「孤雲獨鳥千山暮，萬井千山海色秋。」其中「暮」字、「秋」字都改變了詞性。說到「變性」的著名詩句，相信大家都記得「春風又綠江南岸」的「綠」字。

「若無新變，不能代雄。」文學就是這樣，詩尤然。多年前，我寫過《現代詩詩法四變》一文，綜述現代詩中變形換位的種種修辭法，因爲現代詩人十分善變。多變以致濫變，爲變而變，變得走火入魔，自然不美不妙；適當的變、中庸之變，卻是詩藝的表現。

善變者可使詩句新巧、靈活、簡練。「星空，非常希臘」的詞性改變——把「希臘」這個名詞當作形容詞用，正是這樣的。在這裏，「希臘」包羅極廣：神話、詩歌、藝術、歷史等等，盡在其中。語法上的詞性改變，更使讀者眼前一亮：慣性被打破了，彷彿突然看到滿天閃爍的星星。《重上大度山》一詩發表後不久，就引起批評，有人說「非常希臘」不通。余光中在一九六二年二月五日寫的〈現代詩：讀者與作者〉一文，已述論了這個公案。余氏認爲：「如此表現，有其必要性，因爲無論將末行改成「星空，非常希臘化」，「星空：非常像希臘的星空」，都不美好，也不是作者的原意。」余氏還引述美國詩人愛倫坡的句子：

To the glory that was Greece
And the grandeur that was Rome

指出Greece和Rome是名詞而非形容詞，因此都不合語法；然而，愛倫坡的句法「簡樸而又耐讀」，不容改動。

黃維樑寫過《怎樣讀新詩》的專著，難怪他解釋起來頭頭是道。黃維樑又說：

數十年前美國康乃爾大學的修辭學教授William Strunk寫過〈文體要義〉（Elements of Style）一書，列述種種清規。不過，他也指出，「最優秀的作家有時也違背修辭法則」，而其違法有創意在焉。余光中是極優秀的現代作家，也是位著名的教授。他沒有開過語法修辭的課，但有這方面的專業知識，更絕對可以寫出四平八穩通順無病的句子。事實上，他數十年來寫的正是清通（當然遠遠不止如此）的中文，且提倡這樣的中文。「星空，非常希臘」不是敗筆，而是偶然出格的佳筆。「誤人子弟」嗎？只要同意上面我所說的，這一句大有「誤人子弟」之效。

寫過修辭學專書的黃維樑，他這段話的「文眼」是「違法」二字。這「法」不是法律上的「法」，而是「法則」的「法」。「法則」是死的，人是活的，故可以「違背」。黃氏「以文爲論」，又「以論爲文」，堪稱「學者作家化」或「作家學者化」的典範。他受了余光中的影響，他引用在休士頓演講兼主持人的話說：「今天休士頓的天空很余光中。」這個「活剝」眞是恰到好處，妙趣橫生。

和黃維樑同調的還有《當代文藝》主編徐速，他認爲：「星空，非常希臘」不應該受到攻擊，因爲「如果寫成『希臘化』，任何人都明白，但不是詩，更不是『現代詩』。」（註一九）

許多現代詩人都在追求創新，不願意走老路子。余光中一九七〇年夏天在香港中文大學崇基學院作報告時，對大學生自謙只夠得上半個姜白石，這使人聯想到姜白石的「自譜新辭韻最嬌，小紅低唱我吹簫。」姜白石這種清新活潑的詞句使余光中非常羨慕，也使他感到超越前人眞不容易，故有「星空，非常希臘」的寫法。這種寫法，有一種陌生化效果，使那些傳統派看不慣而批評他。

第四節　散文能否文白夾雜

余光中右手寫詩，左手寫散文，還有可疑的第三隻手寫文學評論。他的評論與他的創作同樣受到高度重視。尤其是他在〈左手的繆思〉、〈逍遙遊·後記〉、〈我們需要幾本書〉、〈剪掉散文的辮子〉等文章中對散文的看法，爲現代散文的理論建設做出了應有的貢獻。

一九六二年六月，發生了一場關於散文能否「文白夾雜」的爭論。這場論戰終結於一九六三年十二月。劉永讓在〈文學形式的現代化〉中，主張「純正的白話文」，反對文白夾雜行文方式，並由白話文轉向攻訐以余光中爲代表的「中西混淆」的新詩，其中還涉及一九五〇年代的文學成就能否一筆抹殺問題。爲此，余光中發表〈剪掉散文的辮子〉（註二〇），在描繪現代散文應具有彈性、密度和質料典範的同時，對清湯掛麵式的散文和「浣衣婦」式的散文作了尖刻的諷刺。

這場論爭的主戰場是《文星》和《中國語文》雜誌，共發表六十篇文章，雙方交戰的焦點不在於能否「文白夾雜」寫散文，而是對「現代」一詞的理解和爭奪。這是散文界唯一稍具規模的論爭，它對余光中以後的創作生命有關鍵性影響。正是在論爭中余光中重新定義文學的現代性，才促使他從詩人、詩評家成長爲現代文學理論的旗手之一。

還在六十年代初，余光中對「五・四」文學就有與眾不同的評價，並寫過〈下五四的半旗〉（註二一）那樣雖有偏頗但卻極富鼓動性的文章。〈剪掉散文的辮子〉，則是臺灣散文向「現代散文」邁進的宣言。他認爲，當詩歌、音樂、小說都在接受現代化的洗禮，作脫胎換骨的蛻變之際，散文仍跟不上現代化的步伐，還捨不得剪掉它那根小辮子。這類有「辮子」的散文可分爲三種：一是花花公子散文，傷感做作，猶如華而不實的紙花；二是食古或食洋不化的酸腐的學者散文，包括半生不熟的洋學者的散文和咬文嚼字不文不白的國學者的散文；三是浣衣婦的散文。寫這種文章的人，猶如有潔癖的老太婆，總把衣服洗了又洗，結果污穢當然向肥皂投降，可衣服上的花紋刺繡也統統給洗掉了。

正忙於創作現代詩和參與現代詩論爭的余光中，對散文的現代化只是以左手兼顧。他從一個詩人對藝術的敏感出發，對現代散文提出講究彈性、密度和質料的要求。

既然要革新，自然不能停留在前人的成績上。就是對前人的成績，也不能盲目迷信，而必須用現代的眼光加以審查：該肯定的肯定，不該肯定的絕不肯定，肯定過頭的堅決糾正過來。對但求「流利痛快」的胡適散文觀，余光中認爲膚淺而且誤人；對長期以來被視爲散文大師的朱自清，余光中也不以爲然。當然，對朱自清，余氏並不想踩前人一腳而後快，只是他認爲將朱自清說成「散文大家」，未免過譽了。「只能說，朱自清是二十年代一位優秀的散文家：他的風格溫厚，誠懇，沉靜，這一點看來容易，許多作家卻難以達到。他的觀察頗爲精細，宜於靜態的描述，可是想像不夠充沛，所以寫景之文近於工筆，欠缺開闊吞吐之勢。他的節奏慢，調門平，情緒穩，境界是和風細雨，不是蘇海韓潮。他的章法有條不紊，堪稱扎實，可是大致平起平落，順序發展，很少採用逆序和旁敲側擊柳暗花明的手法。他的句法變化少，有時嫌太俚俗繁瑣，且帶點歐化。他的譬喻過分明顯，形象的取材過分狹隘。

至於感性，朱自清則仍停留在農業時代，太軟太舊。他的創作歲月，無論是寫詩或是散文，都很短暫，產量不豐，變化不多。用古文大家的水準和份量來衡量，朱自清還夠不上大師。……事過境迁，他的歷史意義已經重於藝術價値了。」又說：「到了七十年代，一位讀者如果仍然沉迷於冰心與朱自清的世界，就意味著他的心態仍停留在農業時代，以爲只有田園經驗才是美的，所以始終不能接受工業時代。這種讀者的『美感胃納』，只能吸收軟的和甜的東西，但現代文學的口味卻是兼容酸甜鹹辣的。」（註二三）這些觀點儘管還有可商榷之處，但余光中所闡述的反感傷、反濫情的美學主張，要求突破田園散文的創作模式以及認爲要破除對二、三十年代散文名家的迷信，要敢於超越他們，特別是提醒那些數十年如一日追隨朱自清的背影的作家，不要「認廟不認神」，這觀點體現了余光中作爲一個散文藝術革新家的膽魄和勇氣。

如果稱余光中首先揭起散文藝術革新的旗幟不至於牽強附會的話，那余光中所從事的主要是散文的語言與文體的革新工作，尤其是在詩質散文的建設上，他下的功夫尤深。

余光中的散文理論，有時只點到為止，未能展開更深入的論證。但它也不是古代詩話、詞話那種吉光片羽式的評點，更無學院派的繁瑣與脫離創作實際的弊端。如果研究臺港的當代散文理論而忽略了余光中對變革散文藝術的呼喚，「那眞是認廟不認神了」。

第五節 《心鎖》是寫蕩婦淫娃？

新聞局管制言論和新聞出版自由，其中有一條是女人不能露「三點」。李敖說：「從性心理學上來看，這也是一種陰毛恐懼症。」（註二三）如郭良蕙的作品遠未達到描寫陰毛的程度，可仍受到衛道者的破口大罵。那是在一九六二年一月四日起至六月十九日止，《徵信新聞報》「人間」副刊連載郭氏的長篇愛情小說〈心鎖〉。這部小說一九六二年初由高雄大業書店出版，同月再版，十二月出第三版。由於出現了性描寫，便被指控為「黃色小說」。蘇雪林在〈評兩本黃色小說——《江山美人》與《心鎖》〉（註二四）一文中，抓住〈心鎖〉的個別場面描寫，誇大其辭地說：「多少蕩婦淫娃看了這本《心鎖》女主角的榜樣，更將放膽胡為下去了……當前社會風氣不是已經夠糜爛嗎？像〈心鎖〉這類小說等於一大桶腐蝕劑，傾瀉下來，人心更將腐蝕殆盡，結果整個社會將為之解體，這影響實在太大，我們對於〈心鎖〉這本書又怎能不抨擊！」另一位資深女作家謝冰瑩在〈給郭良蕙女士的一封公開信〉（註二五）中，不僅指責〈心鎖〉「黃色」，還對作者作人身攻擊，說她在「搔首弄姿」，還說她「發了財」。蘇、謝的文章均是「婦女寫作協會」受少數人操縱，導演出來的女作家攻擊女作家的一場鬧劇。後來，「婦女寫作協會」（以下簡稱「婦協」）乾脆開除了郭良蕙的會籍，然後向內政部提出檢舉書，內政部便據此查禁〈心鎖〉。在這種形勢下，「中國文藝協會」（以下簡稱「文協」）於一九六三年「五·四」文藝節前夕，常理監事們運用「一審終結」的手法，通過了注銷女作家郭良蕙會籍的決議。在「文協」採取這一措施之前，臺灣省新聞處受到輿論的制約，也於一九六三年一月二十一日下令查禁此書。文藝作品因「妨害風化罪」被禁，在各種不同制度的國家均發生過，但臺灣發生的查禁《心鎖》的事件，卻有三點不同之處：一是《心鎖》是在報上連載完之後，出單行本至第三版時才被禁的；二是內政部查禁《心鎖》，並不是根據廣大讀者的要求，而是依據「婦女寫作協會」少數理事的要求而作出決定的；三是《心鎖》被禁後，「婦協」與「文協」幾乎同時開除了郭良蕙的會籍。

在世界文學史上，一本小說在連載時不聞不問，等到連載完畢出第三版單行本時才下令禁止，這是絕無僅有的，也是不合情理的。因爲按照法理，出版品記載犯法，應是初版犯法；假如初版不認爲犯法，再版就不應受到處罰。內政部查禁《心鎖》，雖然根據出版法明文規定有此權利，但在法理原則上是解釋不通的。

不僅在法律的時效原則上有爭議，而且對《心鎖》是否屬黃色小說問題爭議更大。《心鎖》只描寫了性心理，而且這方面的文字也不多。《心鎖》更沒有用挑逗詞句去寫做愛場面。著名作家孫旗在〈由《心鎖》事件析論臺灣文藝界的風氣〉（註二六）中說得好：『性心理』描寫的小說，當然也包含讀者能夠讀得懂爲一要件，既然能夠讀得懂『性心理』描寫的小說者，必然是受過相當教育，受過相當教育的人也必然心性有所修養，能夠以理智來克服性衝動（假如有性衝動的話），否則在蘊藉的美中，必然有經過想像的過程。所以《心鎖》缺乏黃色小說的要件，它不是一本黃色小說！」至於蘇雪林指控《心鎖》教人亂倫，這一罪名也不能成立。不錯，《心鎖》寫了夏丹琪的「亂倫」，范林與江夢石的「洩欲」，但作者對此行爲不是持讚賞而是持否定態度。談及叔嫂通奸，莎士比亞的《哈姆雷特》就寫過，《紅樓夢》也有過亂倫關係的描寫，但誰都不會否認它們作爲藝術名著的價值。

正因爲當局對《心鎖》及其作者處理不當，郭良蕙本人便委請彭令占律師提出行政訴願，社會上同情郭良蕙的人也越來越多，許多非文藝界人士也表示不平。南登在〈對《心鎖》事件的幾點商榷〉（註二七）中，指責「文協」開除郭良蕙的會籍是「落井下石」。《自立晚報》發表〈論《心鎖》事件〉的社論，認爲即使郭良蕙有錯，也應「扶植教育」，而不應「不教而誅」，這「有違中國傳統的恕道精神。」（註二八）「中國青年寫作協會」曾擬仿照「婦協」、「文協」做法開除郭良蕙的會籍，結果被否決。文藝評論家明秋水認爲，「文協」投票開除郭良蕙會籍時，到會者遠遠不足法定人數，這是典型的「理監事強奸會員的意見」。（註二九）高陽化名「龍夫」在《幼獅文藝》「今日論壇」中撰文〈文藝圈子一大事〉（註三〇），認爲「文協」開除郭良蕙會籍做法粗暴，不足以服人。于還素認爲，攻擊郭良蕙的人，「顯然是因爲郭良蕙走紅而吃醋。我認爲這些人很可憐，自己寫不好，也不希望別人寫得好了。」（註三一）一位作家認爲：「文協那班男女會員，曾經打著旗子到刑警大隊看春宮電影，至少郭良蕙沒有看。誰道德不道德，也就不言而喻了。」（註三二）《亞洲畫報》爲使海內外讀者明瞭此一事件的詳情，特以三頁篇幅評論。執筆者除了名作家南宮博、名書評家孫旗和香港某大報總編輯微之外，還轉載了《自立晚報》社論和《星島日報》一篇論《北回歸線》的文章，以聲援郭良蕙，支持文藝創作的藝術探索，向當局爭取寫作自由的權利。

但文藝界反對《心鎖》的勢力也很大。蘇雪林簡單化地認爲文藝作品只要寫了性，寫了亂倫，就屬黃色文藝，重申對這類作家作品「不妨激烈抨擊，不必姑息」（註三三）的嚴正態度。「文協」發表聲明，認爲他們處分郭良蕙，是爲了推行「文化清潔運動」，「以消除赤色黑色黃色的毒害」，是爲了使青年的身心健康不受影響。（註三四）趙友培認爲：〈心鎖〉不能與《查泰萊夫人的情人》比，當局禁它，「必有法律依據，是很正當的。」（註三五）穆中南在〈一個反常現象——《心鎖》事件〉（註三六）中認爲，《心鎖》的題材「有傷民心士氣」，不利「反攻復國」。劉心皇則寫了帶總結性的長文〈關於《心鎖》的六問題〉，就《心鎖》黃不黃，《心鎖》與世界名著相比，《心鎖》的被查禁，《心鎖》作者被「婦協」、「文協」開除會籍，《心鎖》作者繼續遭到攻擊，批評郭良蕙是否出於「吃醋」與「嫉妒」等問題作了論述，認爲《心鎖》確屬「淫書」，不該爲它辯護。（註三七）

郭良蕙的作品被禁後，有些新聞單位如「中廣」仍在廣播郭氏的另一本小說，臺灣電視總經理周天翔還照樣請郭良蕙主持該公司的「藝文學苑」節目，鳳兮在新聞工作會議上對此提出質問。有些人認爲鳳兮這樣做未免太過分，因郭良蕙未被判爲罪人，沒有理由讓她失業。中央黨部第四組文化專員唐棣說：「《心鎖》被查禁絕非本組所支持，但亦無力反對各方之決定。至於她在電視公司的職務，本組不但不主張所謂『打垮』，反而竭力維護。」（註三八）

現在看來，《心鎖》的性描寫遠不及後來出現的李昂等人的情愛小說露骨和嚴重。郭良蕙不過是突破了某一禁區，便遭到代表「政治正確」的黨政軍及文壇保守勢力的撻伐。這可作爲解釋戒嚴體制摧殘文化創新空間的象徵。隨著社會的開放，郭良蕙二十年後恢復了「文協」會籍，作品也就准許再版，還拍成電影，並有不少大學研究生以郭良蕙的婚戀小說做畢業論文。

第六節　中西文化大論戰

五十年代至六十年代初，臺北空氣令人窒息，一群對現狀不滿的人，對前途不存希望，而陷入一片苦悶之中。

過去長期跟隨蔣介石的顯赫人物，對清除派系的「改造運動」愈來愈不滿，先後發生過「孫立人事件」、「吳國楨事件」。當局以後又對雷震及其主持的《自由中國》雜誌下了毒手，這使廣大人民更加認清了官方的獨裁面目。尤其是隨農業社會向工業社會過渡而產生的中產階級，他們不滿於「納稅有份參政無份」，爲此產生了極大的苦悶和困惑。

在文化界，國民黨爲了維護它的統治地位，加強對意識形態領域的控制，由「中央黨部」秘書長張其昀一手策畫成立了「中國新聞出版公司」、「中央文物供應社」、「中華文化出版事業委員會」等三個黨辦出版機構。他們除出版「現代國民基礎知識叢書」三百餘種外，也點綴地出版了一些文藝理論書籍（主要是「文物供應社」）。這些書籍，皆貫穿著清一色的政治說教，這使得廣大讀者只好從線裝書或外國（尤其是西方）書中找尋新的精神食糧。對不滿在「想當年」中過日子的文化人來說，便想在西方文化思潮中開闢自己的文化革新之路。現代派著名作家、國民黨高級將領之子白先勇在〈《現代文學》的回顧與前瞻〉裏，便生動地記錄了文化界尤其是青年知識分子的內心世界：「我們現在所處的，正是中國幾千年文化傳統空前劇變的狂飆時代，而這批在臺灣成長的作家亦正是這個狂飆時代的見證人。目擊如此新舊交替多變之秋，這批作家們內心是沉重的、焦慮的。求諸內，他們要探討人生本身的存在意義。我們的傳統價值，已無法作爲對人生信仰不二法門的參考。他們得在傳統的廢墟上，每個人，孤獨地重新建立自己文化價值堡壘。」

在分化才開始的傳統經濟結構基礎上移植西方文化，重建自己的文化價值觀未免有早熟之嫌。但知識分子急於找中國文化的新出路，因而那些超前的精英人士，無視從未停過「反攻大陸」宣傳和揮舞「道統」大棒的高壓，挑起了一場聲勢浩大的有關中西文化問題的大論戰。

論戰以創刊於一九五七年十一月五日的《文星》雜誌做戰場。這是一個綜合性月刊。雖不是文學雜誌，卻開闢有現代詩及文學評介、藝術評論專欄。在由夏承楹（何凡）主辦的四年間，標榜要「讓文星來嚮導一代文運的星宿」，但它的內容缺乏特色，因而並未像當年的《新月》更不用說《新青年》那樣將廣大青年吸引住，甚至還被人稱爲「盜印」刊物。自從一九六一年有「小鋼炮」之稱的李敖尖銳潑辣的文章不斷在《文星》亮相尤其是該刊受副總統陳誠支持，而陳誠的幕後則是美國支持之後，《文星》才改變了它過去默默無聞的地位，以致「雜誌變色，書店改觀」，《文星》及其《文星叢刊》成了繼雷震的《自由中國》之後，成爲黨外媒體和不時給臺灣社會帶來強烈震盪的文化陣地。

李敖在青少年時代就長有「反骨」，中學時代抨擊過「中央集權，整齊劃一的」臺灣教育制度。後來進了臺灣大學，他對「傳統的倫理教育」更無法忍受，以致認爲要使國家現代化，非得「先培養憤世嫉俗的氣概不可」。（註三九）大學畢業後在部隊服役，他堅絕不參加國民黨，以致吃盡苦頭，並被戴上「思想游移，態度媚外」的帽子。不過，這反而更加堅定了他自由主義的立場。正是在這種情緒支配下，李敖決定「在環境允許的極限下，赤手空拳杵一杵老頑固們的駝背，讓他們皺一下白眉、高一高血壓。」（註四〇）

李敖反「老頑固」的一個重要手段是以老反老，即通過對資深文化人胡適形象的重新塑造去鼓動風潮，去造成反傳統的時勢。

胡適在一九三五年四月，曾鮮明地表示過「完全讚成陳序經先生的全盤西化論」（註四一）。後來他長期鼓吹中國應實行英美式的資本主義，其思想根源便在於此。胡適這種思想和主張，顯然和中國國情相悖，也不符合實行獨裁統治當局的需要。胡適去臺後，在政治方向上和當局保持一致的前提下，不時小罵大幫忙，對當局一些政策措施提出不同政見，目的是企望蔣介石能把美國思想作爲治黨治國的參照系，以便平息知識分子對當局的不滿。雷震事件之後，胡適在逝世前不久，以〈科學發展所需要的社會改革〉作爲自己演講的題目，在學術討論的掩蓋下以批判中國文化傳統的糟粕部分爲名，責備國民黨近乎老朽，缺少現代民主的風度。敏感的李敖從中看出了胡適弟子和好友所忽略的作爲胡適思想核心部分的自由主義精神，他不顧當時在軍隊中掀起的一股「槍斃雷震，趕走胡適」的惡浪，寫了一系列諸如〈播種者胡適〉（註四二）、〈胡適先生走進了地獄〉（註四三）的文章，在爲胡適背書的同時，力圖恢復胡適的自由主義者形象，借此推動自由主義在臺灣的發展。

在這些文章中，李敖充分肯定胡適漸進的社會改良主義理想，批評胡適一生「脫不開乾嘉餘孽的把戲，甩不開漢宋兩學的對壘」，不在推行原先讚成過的全盤西化上下功夫，並提出要超越胡適前進。

李敖這些帶有極端化色彩的言論，完全是對社會現實有感而發，其鋒芒所向是傳統文化和以國民黨作後盾的傳統勢力，這便使以民族傳統承繼者自居的國民黨深感不安。可李敖並不想就此打住，一發不可收拾地寫了〈給談中西文化的人看病〉（註四四）、〈我要繼續給人看病〉、〈中國思想趨向的一個答案〉等火藥味甚濃的文章，列舉了三百年來中西文化衝突的歷史事實，集中抨擊封閉保守落後的中國文化，滋生了中國人落後的群體性集體意識，並認爲這種意識具體表現有十一種：

一、盲目排外的「義和團病」。
二、誇大狂的「中勝於西病」。
三、熱衷比附的「古已有之病」。
四、充滿謊言的「中土流傳病」。
五、小心眼兒的「不得已病」。
六、善爲巧飾的「酸葡萄病」。
七、最具蠱惑人心作用的「中學爲體，西學爲用病」。
八、淺薄的「東方精神西方物質病」。
九、意識空虛的「挾外自重病」。
一〇、夢囈狂的「大團圓病」。
一一、虛矯的「超越前進病」。（註四五）

對這十一種病源，李敖分析「泛祖宗主義」等問題時，有極端的片面性。本來，傳統中確有陳穀子爛芝麻，對此應毫不猶豫的揚棄。但傳統也不完全是「斷爛朝報」，不能因爲傳統文化有「髒水」就連「孩子」一起潑掉。李敖主張將傳統放一把火燒光，這未免愚蠢，但也應充分理解李敖的處境。當時國民黨對知識分子採取的是白色恐怖政策，這就難免使李敖矯枉過正。更重要的是，他抨擊傳統是把矛頭直指一向「好談道德和正統」的國民黨，責罵他們吹捧「歷史精神文化」的同時在物質上崇洋媚外；政府空喊「選賢任能」，卻沒有「合理的投票法」。李敖從集中火力攻擊傳統發展爲澈底否定「道統」，從中不難聽到「換馬」的呼聲。（註四六）在他醞釀已久，一氣呵成的〈老年人和棒子〉中，李敖說得極爲露骨：那些依靠國民黨權勢過活的所謂社會賢達，「你們老了，打過這場仗，贏過、輸過，又丟下這場仗」，「當我們在奔跑，你們對世界的恐懼，不能把我們嚇倒」，「大老爺別來絆腳，把路讓開！」（註四七）李敖說得到做得到。對這些「大老爺」——黨政學界要人，他一一指名道姓奚落，這其中有國民黨要人張其昀、陳立夫、陶希聖；監察院副院長劉哲；被李敖譏之爲在「政治與學術之間」遊走的胡秋原、任卓宣、鄭學稼、陳啓天；以及著名的學術界人士錢穆、唐君毅、牟宗三、徐復觀、毛子水、徐道鄰、薩孟武、謝扶雅等。

在沉悶僵化了多年的臺灣思想界，李敖以他過人的膽識和尖銳潑辣的文風，展現了黨外文化界新世代威猛的活力與批判的勇氣，成爲繼殷海光之後指點江山、激揚文字的人物，引起了相當一部分原就對現實強烈不滿而無處發洩的知識分子的共鳴，同時也觸犯了一大批朝野達官貴人和學術權威，所謂「三大評論」即《政治評論》、《民主評論》、《世界評論》便紛紛起來反擊李敖。胡秋原是李敖的頭號論敵，鄭學稼、任卓宣批李的火力也很猛。

胡秋原是民族主義者、愛國者、自由主義者，是史學家、思想家，也是著名文藝評論家。三十年代曾因主張「自由文藝論」，反對將藝術墮落爲「一種政治留聲機」和魯迅等人發生論戰。以後又參加過「資本主義論爭」、反對簡化字的「文字問題論戰」，還與費正清論戰過「東方社會論」問題，這次他與李敖論戰中西文化問題，一個重要原因是他關於中國文化的著名觀點「超越傳統派、西化派、俄化派

而前進」（註四八），被李敖概括為「超越前進病」，並被李敖認為是「好高騖遠實在是貽誤青年的惡瘡」。（註四九）

胡秋原反駁李敖，從批評「全盤西化論」入手。在李敖發表了〈給談中西文化的人看病〉之後，胡秋原立即作出反應，在《文星》第五十三期上發表長達六萬字的長文進行批駁。胡秋原稱李敖是「西化青年的標本」，指出李敖們的理論、知識的貧乏和對英文術語之誤解。在批評時胡秋原顯得很激動，對李敖使用了諸如「小軍閥」、「文化廢人」、「骷髏姿態」、「維辛斯基口氣」等刺激人的字眼。

儘管胡秋原在《世界評論》答辯時說「文化問題無戰爭」，其實一場學術爭論來不及深入發展就差不多變成了一場惡意謾罵、人身攻擊、矛鋒劍利的互相砍伐的「私人戰爭」。

李敖揪住胡秋原的歷史問題不放，大做以誹謗他人為能事的文章。先是揭老底，說胡氏在三十年代左派所辦的「神州國光社」中出過《唯物史觀藝術論》的書；繼而在〈胡秋原眞面目〉一文中，揭發一九三三年的閩變之事——胡秋原參加倒蔣的福建人民政府並擔任文化宣傳部主任，後又到蘇聯避難一年半，並大寫為蘇聯唱讚歌的文章。大陸變色後，又不立即渡海來臺而滯留武漢、香港看風駛舵，企圖做共黨百姓。去臺後則一百八十度大轉彎，大寫特寫「秋原式抗俄文字」（註五〇）。最後稱胡秋原患有「幻想的被害症」，給胡氏戴上近乎死刑之罪的親共紅帽子，要「警總調查」，並說他「一死不足蔽其罪」。

對早年參加過中國共產黨的任卓宣（葉青）、鄭學稼，李敖也是窮追猛打，並暗示任卓宣的思想作風、理論背景乃至「心理運作」，均與早年歷史有難分難解的關係。

作為立法委員的胡秋原，自然不甘束手就擒。他舉行記者招待會，上法院以「誣陷、誹謗罪」控告李敖和《文星》雜誌。胡秋原並以其人之道還治其人之身，稱李敖爲「豪權」，「背後有中年，有老年，有教授，有計畫、有組織攻擊，有參謀團、顧問」，是「危險打手」，並以史學家身分查李敖的三代，說李的祖父是「馬匪」，李父在日本人手下做過官，因而李敖是「土匪後代、漢奸兒子」。更抓住李敖在中學讀書時，曾與中共黨員、老師嚴僑來往一事，給李敖扣上「匪諜嫌疑」的帽子。

一場文化論爭終於導致法律解決。先是鄭學稼控之於法院，胡秋原則先由律師警告對方，後於一九六二年九月十八日，正式宣布起訴，與鄭案合併辦理，一理就是十多年。這裏不僅有思想問題、法律問題，而且與這小島上的政治暗潮有關。胡秋原後來回憶說：「不僅調查局介入，還有洋人參與。臺灣的西化派，在文字上，乃至在講臺上，都將我當作『傳統派』攻擊。據我所知，在政治上除了蔣總統父子對此案是中立的以外，大多數人都是偏袒對方的。」（註五一）胡秋原之所以一時處於劣勢，是因爲李敖揭老底時在許多地方講的是事實，另方面也因爲文星書店蕭孟能之父蕭同茲也是立法委員，許多國民黨要人均是「文星」股東。有許多人從中調解，包括二十位國民黨要人寫了幾次共同聲明，但仍無效。

最後打贏官司的是胡秋原。這是因爲李敖及「文星」的現實表現比歷史問題更可怕：李敖在一九六五年十月出版的《文星》上發表〈我們對國法黨限的嚴正表示〉，公開與當局唱對臺戲，這無異是自踩地雷。於是，當局毫不客氣給其戴上「與共匪隔海唱和」、「協助臺獨」的嚇人帽子，於一九六五年十二月將出版至九十八期的《文星》封閉，其下場與《自由中國》一樣慘。李敖並未因此而停止對胡秋原的進攻，終於碰得頭破血流，於一九七一年三月入獄，次年以「叛亂」罪判刑十年，蔣介石去世後減刑爲八年半。

這場起於徐復觀與胡適、類似「五・四」新文化運動袖珍版本的中西文化論戰，終於在槍桿子的干預下收場。力戰群儒三年的李敖雖然以失敗告終，但不等於說他的行動都是消極的。他勇敢地反對獨裁專制，不怕高壓爭取民主，這顯然順乎人心，連他的論敵也不否認這一點。

當局用專政手段對付李敖，這純粹是為了維持和鞏固自己統治地位的需要。對偏激和錯誤的言論不是採取說理和批評的辦法，而是用政治手段解決學術問題，這充分說明臺灣沒有言論自由。正如李敖所說：「他們很不願意用壓迫言論自由的罪名來抓人，他們給你換一個罪名．譬如柏楊是匪諜，李敖是臺獨。眞正的原因卻是你寫文章使他們不高興，可是他們又不願意被看成是壓迫言論自由，所以就給你換另一個罪名。」

李敖入獄後，其人在文壇上沉寂了許多。一九七九年李敖出獄後不改本性，捲土重來：重新加入黨外活動，痛斥國民黨。所有這一切均證明：李敖憑著他的一股傲氣和一支憤世嫉俗之筆，為臺灣黨外運動的開展打下了堅實基礎。

第七節　文壇往事辨偽

在臺灣，蘇雪林有「教育界的耆宿、學術界的大師、文藝界的長青樹」（註五二）之稱。第一、三個美稱倒是名副其實的，至於第二個稱號，則要打點折扣。她在屈賦研究上，無疑做出了很大的成績，但她的新文學研究，則常有欠科學之處，尤其是牽涉到自己時，感情用事時居多。以胡適於一九六二年二月去世後為例，蘇雪林在此期間發表了不少借題發揮回憶文壇舊事的文章，如在《聯合報》上發表的〈冷雨淒風哭大師〉，以及在《臺灣新生報》上發表的〈悼大師話往事〉等七篇文章。她稱這些文章是用眼淚寫成的，因而一九六七年由文星書店出的書就叫《眼淚的海》。這些文章多半是借悼大師爲名洗刷自己、抬高自己。可大師生前偏對這位後學頗有微辭，認爲蘇雪林寫的文章不少地方是「憑空臆說。」就是有事實作根據，由於「意氣用事」、「火性很大」，而且多用「舊文學的惡腔調」，因而史實常常被歪曲。以蘇雪林對魯迅的態度爲例，她宣揚自己一貫「反魯」——這「幾乎成了我半生事業」，就與事實不符。當時以撰寫「人間閒話」專欄著稱的寒爵便揭她的老底，寫了〈替蘇雪林先生算一筆舊賬〉，這「舊賬」是指她在一九三四年十一月五日上海出版的《國聞週報》第十一卷第四十四期上，寫過〈《阿Q正傳》及魯迅的創作藝術〉，長達一萬三千多字，用貶低胡適的方法抬高魯迅的地位，極力推崇魯迅是中國最早、最成功的鄉土藝術家，對其文學成就作了極高的評價。該文措詞極爲「肉麻」，多處親昵地稱呼魯迅爲「這個老頭子……」。對抗戰前夕的文壇狀況，蘇雪林的敘述也違反了史實。爲此，另一位新文學史家劉心皇寫了〈胡適先生對蘇雪林的批評〉、〈從胡適之死說到抗戰前夕的文壇〉、〈欺世「大師」——與蘇雪林女士話文壇往事〉等文與蘇雪林論戰。劉文披露：一九三六年十月十九日，魯迅在上海去世。蘇雪林在同年十一月，寫了兩封公開信給蔡元培、胡適，信中大肆攻擊魯迅不反日，霸占文壇，是「玷辱士林之衣冠敗類，二十四史儒林傳所無之奸惡小人。」胡適覆信給她時，指出她不應對魯迅實行如此刻毒的人身攻擊：「我很同情於你的憤慨，但我以爲不必攻擊其私人行爲。……如你上蔡公書中所舉『腰纏久已累累』，『病則謁日醫，療養則欲赴鐮倉』……。至於書中所云『誠玷辱士林之衣冠敗類，二十四史儒林傳所無之奸惡小人』一類字句，未免太動火氣（下半句尤不成話），此是舊文學的惡腔調，我們應該深戒。論一人，總須持平。」（註五三）可見，連胡適對蘇雪林的潑婦罵街式的做法都看不慣。蘇氏批判魯迅，竟說及魯迅收入高，有良好的療養環境，這不是出於嫉妒之心又是什麼？

面對寒爵等人的挑戰，蘇雪林自不甘示弱，便寫了〈爲《國聞週報》舊賬敬答寒爵先生〉，爲自己洗刷。寒爵又很快發表了〈蘇雪林先生可以休矣〉的文章和她唱對臺戲。後來，劉心皇還把這些論爭文章收集起來，自費印了《文壇往事辨僞》一書。蘇雪林最恨別人揭她的底牌，她連忙寫信向情治機關打報告說：置她死地的人都是共產黨，還在信中點了批評她的人的名字，企圖給別人戴紅帽子，給他苦頭吃。蘇雪林急於陷害他人又拿不出任何證據，只好用這種簡單化的邏輯推理法：「我是反共的，別人居然反對我，那反對者肯定是共產黨。」這是蘇雪林的故伎重演。還在三十年代，她就用過類似手法攻擊郁達夫，使得郁達夫含淚離開講壇。爲此，劉心皇又利用自己熟悉新文學史實的長處，編了另一本《從一個人看文壇說謊與登龍》，於一九六三年底自印發行。此書著重辯明下列史實：新月派諸君子和左聯論戰情況，「第三種人」胡秋原、蘇汶的「文藝自由論辯」與魯迅、馮雪峰的關係，意在澄清蘇雪林講的無人敢批評左聯，以突出她個人的所謂「鬥爭精神」的事實眞相。劉心皇的文章語語有來歷，使蘇雪林有口難辯。

這場論爭是戒嚴時代「反共抗俄」的社會思潮和蔣介石倡導的「戰鬥文藝」思想泛濫發展的結果。在這場大辯論中，劉心皇、寒爵和蘇雪林似乎是誓不兩立的兩派。但就三人反魯、反左、反共，都崇拜胡適這一點來說，並無根本的分歧。可悲的是，蘇雪林用自己的拳頭擊傷了自己，劉心皇用「豐富」的史料所打造的亦是一根很粗的反效果的恥辱柱——正如當年作魯仲連的柳浪所說：劉心皇非難、牽絆與打擊在現階段「堅決反共」的蘇雪林，其作用是「專拆反共人士的臺，無形間有利於」中共。（註五四）基於此，我們對他們反魯、反左在「感謝」之餘，還要指責他們互扣紅帽子助長了當時的白色恐怖氣氛，在學術上既輕慢了魯迅，也傷害了胡適。

總之，「文壇往事辨僞案」是一面反共本能與無法躲開三十年代文藝潛意識的鏡子，映照出「悼大師」的蘇雪林與「往事辨僞」的劉心皇各具形狀的靈魂。

第八節 「文化漢奸」得獎案

劉心皇在《當代中國文學大系》〈史料與索引〉論述到六十年代文藝時，還談及了另一樁「文化漢奸得獎案」。這裏講的「文化漢奸」，係指梁容若。「得獎」，係指梁容若寫的《文學十家傳》，於一九六七年十一月十一日獲中山學術文化基金會的文學史獎，得獎金五萬元。

梁容若（一九〇六～一九九七），河北行唐人，又名梁盛志。北京高等師範肄業，在日本帝國大學文學院獲碩士學位。一九四八年到臺灣省立師範學院任教，旋即任《國語日報》總編輯。在臺灣住了二十七年後曾回母校即現今北京師範大學參觀，後旅居美國。在抗日戰爭期間，他曾撰寫〈日本文化與支那文化〉，應徵日本紀元二千六百年紀念國際懸賞徵文，獲得冠軍。在此文中，他用辱罵中華文化的手法去抬高日本文化，爲日本侵略中國張目。他到了臺灣後，仍活動自由，出版了《容若散文集》、《鵝毛集》、《中國文化東漸研究》，另於一九六一年六月出版了《中國文學的地理發展》、《國語與國文》等書，後將東拼西湊的《文學十家傳》送去評審。正如胡秋原指出：這本傳記缺乏學術著作的嚴肅性。以杜甫傳爲例，著者對杜甫的生年瞭解支離破碎，有重要的遺漏。梁容若「不但對唐代的社會，天寶亂後的中國，全無理解，而對杜甫詩中所描寫的戰亂和個人身世憂患也全無印象。」對杜甫在這樣大亂奇窮生活中的大抱負和人格，亦知之甚少。（註五五）對韓愈這樣一個大家，著者隨意抄抄新舊唐詩本傳充數，外加自己的臆斷和妄說。對黃遵憲和梁啓超文學特點成就和對後世之影響，梁容若也未曾作科學闡述。正是這樣一本最多只收集了若干前人對傳主的評論外加版本說明的拼湊之作，劉邕、賀蘭進等人竟大加吹捧，說此書如何有學術價値。當張義軍首先在《中華雜誌》上著文批評梁著時，獎金董事會竟出來爲梁辯護，說此獎辦得公平正當，並說批評者抱的是「個人恩怨」，逞「乖戾之氣」。梁容若本人也自稱「世界公民」，到處發動宣傳攻勢保自己。對批評過他的胡秋原，他打電話以「不喜歡談閩事」相要挾，還要胡秋原去「忠告」寫過文章批評他的徐復觀「自己站起來」。梁容若在爲自己那篇文章〈日本文化與支那文化〉辯護時，對胡秋原說：那戰時日本懸賞論文集有歐美印度人的文章，而審查人員「全是知名的世界第一流學者」，並以其日本老師稱其「高瞻遠矚未曾有」自豪，又說日本人篡改了他的文章約有十分之二之多。可實際情況是：日本當年那班評委除小泉外，其餘均夠不上「第一流學者」資格。就算是「第一流學者」，又怎麼會亂改別人的文章，且是動大手術後才拿去評獎？〈日本文化與支那文化〉後由張義軍、曾湘石節譯，胡秋原讀後認爲「字字奸意，不是十分之二的問題」。自然，這是歷史問題，梁容若過了幾十年後仍未有悔改之意，而不認識文章的嚴重錯誤，還作爲今時評獎的資本。一旦遭人揭發批判，其同黨還打人罵人，甚至還要封雜誌，這自然引起眾怒。爲文批判者除上面說的張義軍、胡秋原、徐復觀外，還有趙滋蕃、田膺、曾湘石、劉心皇、太史筆、高陽、沈野、劉中和、杜育春、許遜、徐高阮、何南史等人。《徵信新聞報》、《中華雜誌》、《陽明》雜誌，《警察之友》還發了社論，與之配合。

批判梁容若得獎一事持續一年多，震動了文化界和文藝界。後來，《陽明》雜誌社出版了《文化漢奸得獎案》一書記載此事。此事之所以持續那麼長時間，其「嚴重之點，還不在那得日寇特獎者又可得中山獎，成爲永恆得獎者；而在這一事實：即主持國柄者又是主持文柄者，而其知識之貧乏與其對民族大義之冷淡相平行；其對邪妄之愛好與其對公意之藐視相對照。」這不僅是社會禍患之由來，也是將來危險之所在。有識之士的不滿，其源蓋出於此。但獎金最後還是沒有追回。弔詭的是，梁容若後來將《文學十家傳》擴充爲《文學二十家傳》，在八十年代後期由（北京）中華書局出版。

北京之所以接納梁容若，其原因可能是：

一、「文化漢奸」是較難界定的概念。事實上，當年只有柳雨生、陶亢德等極少數人被當作「文化漢奸」繩之於法。司馬文偵的《文化漢奸罪惡史》（註五六）所開列的十七名「文化漢奸」名單，也無梁容若。

二、指梁容若爲「文化漢奸」的張義軍（註五七），僅憑梁氏一篇親日文章，證據不足，至少沒有指出梁氏曾經落水任僞職或積極參與過「日僞卵翼下的漢奸文學活動」，由此認爲梁容若「實夠得上天字第一號的文化漢奸」，顯然上綱過高。

三、共產黨在對待漢奸問題上，總的說來比國民黨嚴厲，但對「文化漢奸」處理起來與別的漢奸有所區別，如「文化漢奸」總頭目周作人在南京解放後，解放軍便不要周作人辦理手續，讓其門生接到上海。當時，中共不像國民黨那樣對其作出「通謀敵國，圖謀反抗本國」的明確決定，讓其從滬返京改用筆名周遐壽發表研究魯迅的論著。在六十年代「三年自然災害」時期，還發給他比大學一級教授還高的工資。

四、在解放戰爭期間，所謂「共匪」被國民黨視爲比汪精衛一類的「舊漢奸」更具危險性的「新漢奸」。反共即所謂反「新漢奸」，經常成了替「舊漢奸」打掩護的障眼法。國民黨不對漢奸嚴辦反而勾結某些投誠的漢奸一起反共，成了臺灣文化界愛國人士的一塊心病。聲討「文化漢奸」梁容若得獎案，便是這種不滿情緒的宣洩。與其說這是申張民族正義或補劃梁容若爲「文化漢奸」，不如說是一種道德審判，「更像是文化界內部以文字來主持正義，淨化自身的工具」。（註五八）

五、梁容若的《文學二十家傳》，畢竟是學術著作，對宣揚中華文化有好處，裏面並無不妥內容。根據中共「盡可能團結一切可以團結的力量」尤其是團結臺胞的統戰方針，可以出版。

第九節　抨擊新閨秀派

瓊瑤的小說，早期是讚揚美滿的愛情，少女們閱讀這些作品伴著自己成長。她那些愛情故事，含有濃郁的情感色彩，顯示出中國式的愛情、婚姻、家庭和傳統的倫理道德，其作品絕大部分被改編爲電影、電視。瓊瑤的作品所代表的是一股唯美、唯愛的創作思潮，這是一個實力強大、擁有各項傳播媒體（含電影院、電視、出版社海內外銷售網、唱片公司）的強有力的集團。瓊瑤靠寫作致富後，在忙著周遊世界的同時，奔走於港澳之間去爲影界、出版界因搶印、搶拍她的作品而發生爭執打官司，同時還忙著督視拍電影等事宜。

還在瓊瑤六十年代崛起不久，李敖就寫了，〈沒有窗，哪有《窗外》？〉（註五九），猛烈抨擊瓊瑤。他認爲，《窗外》是屬「新閨秀」派的作品。瓊瑤寫的「這一代青年的夢和希望」，無非是「花呀草呀月亮呀『淡淡的哀愁』呀媽媽的話呀罪惡呀傳統的性觀念呀皺眉呀無助呀吟詩呀蒼白呀」。瓊瑤

「把自己關在象牙塔裏，只是夢遊太虛幻境，然後把夢遊的紀錄，努力寫成一部部的『春晨的露珠』，然後，再由這些露珠，甘露普被般的灑到小百姓的頭上，從女學生到男老師，從女學生的媽媽到歐八桑，使他們每個人都會跟著瓊瑤做『煙雨濛濛』般的『六個夢』。」李敖也認爲瓊瑤的作品題材狹窄，她「應該走出她的小世界，洗面革心，重新努力去做一個小世界外的寫作者。她應該知道，這個世界，除了花草月亮和膽怯的愛情以外，還有煤礦中的苦工，有冤獄中的死囚，有整年沒有床睡的三輪車夫，和整年睡在床上要動手術才能接客的小雛妓。……她該知道，這些大眾的生活與題材，是今日從事文學寫作者應發展的新方向」。「眞正偉大的文學作品，一定在動脈深處，流動著群眾的血液。在思想上，它不代表改革，也會代表反叛。但在瓊瑤的作品裏，我們完全看不到這些。我們看到的只是私人小世界裏的軟弱，不但作品本身軟弱，它還拐帶著人們跟它一起軟弱」。李敖最後希望「在瓊瑤的筆下，能夠遲早湧出這種新時代的女性，不再『淚眼問花』，而去『笑臉上床』。如果這樣，我們的時代，也就越來越光明了。」

李敖爲文以六親不認著稱，雖然他不作文時所認的六親也不多。他這篇聲稱要澈底掃蕩「新閨秀派」的長文，猶如一顆重磅炸彈擲進「新閨秀派」作家的「窗內」．使瓊瑤們嘻嘻不起來，再也不露酒窩了，改爲橫眉怒目地吶喊、反駁。如被稱爲「新閨秀派」之一的蔣芸認爲：從李敖的文字裏，「我看不出一點眞誠，我也沒有讀到同情與諒解；他有的只是一種嘲謔的狡猾，爲此，他根本不夠資格批評。」（註六〇）評論家劉金田（劉菲）寫了〈閨秀派吶喊了〉（註六一）反駁她。張潤冬也寫了〈從《窗外》到《象牙塔外》〉，（註六二）表示附和李敖文中的新觀念。

在六十年代的臺灣文壇上，受到讚美最多的是女作家，因爲她們擁有更多的讀者；受到批評最多的也是女作家，因爲她們的創作確實存在著問題。在《青年戰士報》上，由劉金田發難，拉開了論戰的序幕。他在〈把眼淚和血汗分開〉（註六三）中，批評華夏在〈致評論家們〉（註六四）中爲瓊瑤辯護的觀點，「認爲我們要毫不留情地把星星月亮派揪出來，打倒蒼白，打倒灰濛，打倒無病呻吟，澈底地建立起頂天立地的大好國民文學」。對出版社、廣播電臺、電影製片廠等傳播機構，劉金田認爲他們應「負起傳播『灰色』之責，都要拿出良心來自我檢討，都要虛心地接受廣大群眾對他們的聲討！」劉金田是從「戰鬥文藝」的角度去批判瓊瑤作品的，因而言辭激烈，這便引來沙穗的反批評。他在〈吃不到葡萄說葡萄酸〉（註六五）中，大肆讚美瓊瑤的作品可圈可點，甚至呼籲各階層人士必須讀瓊瑤的作品。這篇文章，又引來一系列的爭鳴文章，計有疏雨的〈我對當前文藝作品的看法〉（註六六）、華慕的〈激起良知和自覺〉（註六七）、夏鳳濤的〈可憐的掌聲〉（註六八）、壺中天的〈吃不到的酸葡萄〉（註六九）、鑠金的〈請勿混扯〉（註七〇）、金蕾的〈盲目的正義感〉（註七一）、子文的〈三思而動筆〉（註七二）、東郭牙的〈爲何不聞不問〉（註七三）、劉金田的〈拿出證據來了——兼答沙穗先生〉（註七四）。淩雲飛寫了〈風來水面紋〉（註七五），把上述文章對瓊瑤的作品討論統統給予否定，認爲這些評論並沒有針對作品本身，劉金田又寫了〈爲何而批評〉（註七六）回應。

《青年戰士報》副刊所組織的這場討論，影響巨大，瓊瑤本人曾去信表明態度。她把批評她作品的文章稱作「罵人文章」、「不値（得）浪費筆墨反駁。」（註七七）在另一篇文章中，她辯解道：「我承認我寫作的範圍狹窄。女人的生活本來就很狹窄，這也是男女不平等的地方。好像我沒有在礦場裏生活過，又怎能瞭解礦工們的生活呢？……我想人生自古就離不開『情』這個字。這包括了父母之情、手足之情、師生之情。愛情是永遠寫不完全的。……我從不解釋我的小說，但這一點我要說明：許多（不是全部）悲劇都是自己的性格造成的，聰明人駕馭感情，愚笨的人爲感情所駕馭；而愚笨的人總比聰明人多。我所描寫的人是一些愚笨的人，給大家一些警惕。我當然希望世界上都是聰明的人。」

著名評論家蔡丹冶、姜穆也分別在《青年戰士報》副刊的「新文藝」上，發表了〈論鴛鴦蝴蝶派〉、〈誰害了她〉。他們不像上述爭鳴文章就作品論作品，而著重在劃清嚴肅文學即「文藝創作小說」與「社會言情小說」的界限。

在臺灣，無論是李敖還是劉金田火藥味甚濃的批評，都未能阻止瓊瑤的小說成爲長期的暢銷書，都未能改變瓊瑤的文藝片成爲六、七十年代上半葉委靡不振的國片市場中唯一賣座不衰的電影這一事實。這是因爲社會環境過於封閉，人們需要從瓊瑤的小說中找精神慰藉。如六十年代在出口導向的經濟政策帶動下，臺灣經濟穩步成長，促成了中產階級的興起，並由此提高了群眾的生活水平，使他們安於現狀。瓊瑤對現實中敏感尖銳的矛盾鬥爭採取迴避調和態度的作品，正好適應了這部分讀者的要求。另方面，當時戒嚴還沒有解除，政治上的壓力造成人們心情的苦悶，這也需要借助情調溫軟、不食人間煙火的瓊瑤小說去解脫。尤其是一些女學生，異常嚮往瓊瑤式的「純情」，成天生活在瓊瑤製造的小說藝術世界中如痴似幻。當白馬王子未能追逐到後，有些意志薄弱者便接受幻滅，乃至走上自尋短見的道路。一九六五年《中華日報》刊登了王淑女因讀了瓊瑤寫師生之戀的小說而愛上自己的老師，老師沒答應她的要求而到海濱自殺的消息。到了七十年代，又有女學生首仙仙自殺命案爆發，同樣從她遺留的日記中反映出瓊瑤一類灰色文藝作品對她的毒害，社會上由此又掀起了批判瓊瑤作品的一陣聲浪。但由於聲勢不夠大，也缺乏權威人士的參與，因而這陣批判瓊瑤之風很快退卻下來。瓊瑤由此更加努力寫她的小說，眾多少男少女照例讀瓊瑤的書，看瓊瑤的電影，唱瓊瑤的歌，渴望當演瓊瑤電影的林青霞、秦祥林那樣的明星，渴望像瓊瑤一樣靠寫作住豪華公寓，去環遊世界。

在臺灣，嚴肅文學界一向不把瓊瑤的作品看成是文學創作：「只當它是低級的、無理可循的，任它在文學範圍之外，社會上去逍遙、自愛自憐。評論界也知道瓊派文字、電影在社會上造成的公害之可怕、可憎，但都不曾大刀闊斧、澈底地加以討伐」（註七八）。這一方面是因爲有些評論家對它不屑一顧，認爲評論瓊氏作品有降低自己身分之嫌，另一方面也因爲文學評論家脫離文學創作實際，缺乏參與社會現實的熱情。「而影視事業走的是資本商業功利路線，也是一個強有力的網，被瓊瑤等人善於運用，控制了民眾的視聽」（註七九）。還有一個原因是瓊瑤的作品確實滲透了中國式的人生、倫理道德、中國的人情味，尤其是在她的小說表現出來的中國女性的智慧、生活的涵養、靈秀的思維、柔美的筆調，是別的小說無法取代的。

第十節　不公正的《七十年代詩選》

在一九六五年之前，出版過由瘂弦、張默合編的《六十年代詩選》及其他詩選計七種。第八本是一九六七年九月，由張默、洛夫、瘂弦主持出版了篇幅超過以往的《七十年代詩選》（註八〇）。該書收入四十六家二百四十多首詩。其中蓉子、鄭愁予、周夢蝶、羊令野、葉珊等人作品，有濃厚的抒情韻味，羅門等人的詩，也有悲壯的氣息，但該書選取的大都是「創世紀」詩社社員的詩，以超現實主義爲主，而現實的、抒情的、明朗的詩作只是聊備一格，非該詩社社員的作品只占五分之一左右，這便引來眾多作家的不滿。這不滿，皆源於下面的入選條件和標準：

（一）《六十年代詩選》入選之作者，如在此六年內仍有其創造性純粹性之作品問世，當列爲優先入選對象。

（二）前因篇幅所限而未可入選《六十年代詩選》之成熟詩人，六年來創作不懈，且其作品日益精純，均已納入本選集。

（三）新崛起而確具有潛力之海內外新作者，儘管其詩齡甚嫩，我們亦將其作品作選擇性之納入。

（四）雖爲外籍而能以中國文字、現代技巧表現我國現代精神之優秀作者，亦爲我們邀選之對象。

這裏強調的雖然是入選者的身分，但突出的仍是「創造性、純粹性」。臺港詩壇自開展現代詩運動以來，在新技巧的實驗和語言、形式的創新乃至創造方面取得了重大成績，但也帶來許多問題，諸如過分迷信馬拉美的「詩即謎語」信條，有人還把詩的語言等同於矛盾語法，這就給讀者進入詩人所締造的藝術世界帶來極大的障礙，《七十年代詩選》入選的作品便有這方面的弊病。這本詩選用葉維廉〈詩的再認〉作爲代序，認爲詩只是一種「姿式」，是「當代一種超脫時空的意識感受狀態」，高準認爲「詩從來不是一種姿式，詩既以文字構成，每個文字莫不有其意義，故詩必有意義。」如果詩人成爲「一種只關心『姿式』而絕不關心現實的，自以爲『不食人間煙火』而實在則爲自欺欺人的極度蒼白貧血的迷幻藥之服食者。」小說家尉天驄也發表短文（註八一）評《七十年代詩選》，以碧果詩作爲例指出現代詩的毛病，並勸告新詩作者應「揚棄這種病態的破壞性的作品，而努力建設一種誠懇的眞正表現這一代人類心靈的作品。」余光中在〈靈魂的富貴病〉（註八二）中亦指出《七十年代詩選》的缺陷。他認爲：

一、詩必須先具有「國籍」，即先要有民族性，才有國際性。

二、許多現代文學工作者，已覺察到現代詩的弊病，開始加以批評。

三、碧果的詩有嚴重的缺陷。

四、詩的理論或批評都應該是澄清的過程。

五、現代詩已出現了玄學化的不良傾向。

余光中所作的這些善意警告，仍然是出自保護現代詩的立場。洛夫對余氏的批評卻不以爲然，發表〈靈魂蒼白症〉（註八三）和余氏針鋒相對。他認爲，碧果的詩並不像余光中說的那樣糟。相反，在「我國現代詩人中，碧果是最具獨創性者之一，他確有許多非凡的好詩。」碧果隨後在《青年戰士報》上爲自己的作品辯解。

圈外人對《七十年代詩選》都持批評態度。如葉珊、陳芳明、鄭炯明對該詩選的內容和編選態度均持異議。這次論爭延伸到一九七〇年代。高準發表〈《七十年代詩選》批判〉（註八四），以激烈的詞句抨擊這本詩選具有「極度相互標榜自我吹噓之虛驕性」，「以一小撮人的偏激作風而自命主流之虛僞性」，「力求曖昧晦澀、摒絕社會而觀點紊亂之虛無性」，「排斥純正抒情而發揚頹廢思想之虛妄性」。高準的說法雖然過於誇張，但在某些方面的確打中了對方的要害。他綜觀此「詩選」，將其歸納成一個「虛」字：「針對於這種『虛弱』所需要的是一個『實』字。我願詩壇上患了『虛弱症』的諸君，能以『踏實』對『虛憍』，以『誠實』對『虛僞』，以『現實』對『虛無』，以『切實』對『虛妄』，則庶幾可望結出甘美可口、營養豐富的果實。」

這場論爭在香港詩壇也有投影，如《盤古》的骨幹作者古蒼梧特地寫了〈請走出文字的迷宮——評《七十年代詩選》〉（註八五）。

洛夫參加編的選集所採用主流收編支流乃至吞沒支流的做法，常常引起非議。這些批判者，難免夾雜「邊緣抵禦中心」所帶來的委屈情緒，因而有不夠冷靜和欠客觀之處，但《七十年代詩選》乃至由洛夫參與編選的《八十年代詩選》（註八六），以正統詩選自居，確實存在著排他性，這便難免引火燒身：

> 在本詩選出版之際，我們還有一項重大聲明，即本詩選是繼《六十年代詩選》以降一系列發展下來的正統詩選（並非指詩之內容與風格而言），一支具有權威性、代表性的現代詩選主流。（註八七）

這裏說的「正統」，說穿了就是「走超現實主義路線」才是「正統」，技巧的繁複才是「正統」，非「正統」則爲抒情性作品。這樣的選詩標準，還有刻意引錄西方詩人名稱和詞句，用來模仿西方的表現風格，當然難以得到詩壇的廣泛認同。

隨著兩岸頻繁的文學交流，洛夫的名聲在大陸乃至整個華語詩界，越來越響。許多詩人認爲臺灣詩歌洛夫第一，余光中第二，但就膾炙人口這一點來說，余光中遠遠超過洛夫。洛夫早年追求詩的實驗性和純粹性，中期努力吸收中國古典詩詞的長處，這樣的雙面經驗得到大陸眾多讀者的讚賞。到了八十年代末，他提出「大中國詩觀」，用臺灣詩人唐捐的話來說，「宣告了一種回歸行動……是彼而言曰『歸』，由此視之曰『放』，此間弔詭，頗耐尋思。」（註八八）

第十一節　余光中的情色詩

愛情，本是詩人歌詠不盡的題材，但眾多詩人一旦涉及男歡女愛時，大都含蓄不露，對做愛場面更是望而卻步。戒嚴解除前的一九七〇年代後期，這種苛嚴的政策和保守風氣式微，余光中在為其女弟子鍾玲詩集作序時指出：

> 《芬芳的海》裏的情詩還有一個特點：不避諱性愛。傳統的情詩大抵強調心靈而不及情欲。這原是自然的趨勢，而出於女詩人的筆下，更無可厚非。不過，欲既然是情的另一面，至少也是人性之常，則以欲入詩也無非是正視人性，值不得大驚小怪，斥為不雅。雅不雅，要看藝術的成品，不能執著於藝術的素材。純情的詩可以成為好的情詩，不純情的詩也可以成為好的、甚至多元而繁複的情詩。（註八九）

肯定不拘泥保守的鍾玲，其實也是作序者為自己大膽突破性愛禁區辯護。這辯護是有說服力的。余光中的性愛詩，早期有〈吐魯番〉和〈海軍上尉〉。留美時期寫有〈火山帶〉，其中作於三度赴美歸國之初的〈鶴嘴鋤〉，由於是純粹寫男女作愛過程，因而被某些道學家認爲太「黃」了：

吾愛哎吾愛
地下水爲什麼愈探愈深？
你的幽邃究竟
有什麼樣的珍藏
誘我這麼奮力地開礦？
肌腱勃勃然，汗油閃閃
鶴嘴鋤
在原始的夜裏一起一落

原是從同樣的洞穴裏
我當初爬出去
那是，另一個女體
爲了給我光她剖開自己
而我竟不能給她光
當更黑的一個礦
關閉一切的一個礦

將她關閉

就這麼一鋤一鋤鋤回去
鋤回一切的起源
溯著潮潮濕濕的記憶
讓地下水將我們淹斃
讓礦穴天崩地摧塌下來
溫柔的夜
將我們一起埋藏
吾愛哎吾愛（註九〇）

如此栩栩如生再現兩性愛得欲仙欲死的情景，如果沒有相當高的藝術造詣，是寫不出來的。

由於題材的禁忌，有人不加思索地認爲此詩猥褻淫穢，趣味低級，有傷風化，是典型的色情詩。其實，衡量一首詩是否色情，不在題材本身，而在於作者如何表現。如用極端露骨的語言寫器官、寫動作，便是販賣色情，而用含蓄手法尤其是用隱喻寄託的方式寫，這就有可能給讀者愉悅和美的享受。以此詩而論，余光中不是自然主義寫色情，而是另有象徵意義。香港著名教授黃國彬說：不能把這首詩當作淫褻作品看。作品始於性愛而終於深遠的象徵。從在原始的「夜裏一起一落」開始，鶴嘴鋤已帶有很濃厚的象徵意義，到了第二段的礦，整首詩已輻射向外，牽涉到重要課題——生和死。（註九一）錢學武進一步引申道：自人類的老祖宗開始，就不斷重複夜裏一起一落這一動作傳宗接代。「礦」是詩眼所在，象徵女性的下體，「原是從同樣的洞穴裏／我當初爬出來」，是生，「礦」也是眞正的礦，是墳墓，「當更黑的一個礦／關閉一切的一個礦／將她關閉」，便是死。以性愛始，擴展成豐富的象徵，接觸到生和死的嚴肅課題，便是此詩的主題思想。（註九二）

另一首被認爲余氏色情作品達到登峰造極地步的，是開頭提及的〈雙人床〉：

讓戰爭在雙人床外進行
躺在你長長的斜坡上
聽流彈，像一把呼嘯的螢火
在你的，我的頭頂竄過
竄過我的鬍鬚和你的頭髮
讓政變和革命在四周吶喊
至少愛情在我們的一邊
至少破曉前我們很安全
當一切都不再可靠
靠在你彈性的斜坡上
今夜，即使會山崩或地震
最多跌進你低低的盆地

讓旗和銅號在高原上舉起
至少有六尺的韻律是我們
至少日出前你完全是我的
仍滑膩，仍柔軟，仍可以燙熟
一種純粹而精細的瘋狂
讓夜和死亡在黑的邊境
發動永恆第一千次圍城
惟我們循螺紋急降，天國在下
捲入你四肢美麗的漩渦

左翼評論家陳鼓應認爲：此詩讀後感到頗爲蹊蹺，作者爲什麼要把性交和戰爭扯在一起呢？烽火連天，「詩人」卻安然於床笫之間，只顧片刻的色歡，即使革命和政變發生在周圍，皆與我無關。這給人的感覺是：他的生命中只有性。（註九三）錢學武持相反意見：〈雙人床〉用「彈性斜坡」比喻女性身體，「跌進你低低的盆地」和「捲入你四肢美麗的漩渦」比喻性愛，用的是隱喻式的語言，占的分量不多。更重要的是，詩的主題非描寫性愛，而是透過愛情和戰爭的對比，以強調個人對群體的關懷。寫性愛是爲了不忘社群，故性愛的描寫很重要。這是余光中關心社會、介入時代、表現知識分子憂患意識的代表作。（註九四）另一些詩評家，對此詩也十分讚賞，如旅居美國的奚密評論道：「字面上，詩說的是以性愛來逃避戰爭，但是通過誇張、對比和反諷的手法，它眞正要說的是逃避之無力與無效。別忘了整首詩是以祈使句的語氣來陳述的，它代表一個不可能實現的臆想，一個知其不可的姿態。」（註九五）臺灣大學外文系教授顏元叔也認爲：所謂最「黃」的段落「當一切都不再可靠……跌進你低低的盆地」，這其實是余光中最佳的詩行，也是中國現代詩最佳的一些詩行——最有文字的機智，最形而上！最能把愛情與戰爭、創造與毀滅、群體的命運與個人的陶醉熔冶在單一的意象之中！……詩是從戀愛的男子的意識中浮現出來的，他的意識不只把握著當前戀愛的世界，更把握了戀愛之外的大世界。小世界有的是愛情與安全，大世界卻充滿了戰爭、流彈、政變和死亡。余氏能夠從個人的小世界，影射到大世界，以小世界和大世界對比，進而暗示大世界籠罩著小世界。（註九六）總之，〈雙人床〉通過兩個世界的鮮明對比，表現了詩人對戰爭的譴責，對愛情的渴望和對和平的追求。連做愛也不能「忘我」進行，還要擔心外界的炮火焚毀後的敗井頹垣，難道不值得同情嗎？

把殘酷的戰爭和劇烈的性愛並舉，以蒙太奇的手法使二者互爲穿插的作品，還有〈如果遠方有戰爭〉（註九七）：

如果遠方有戰爭，我應該掩耳
或是該坐起來，慚愧地傾聽？
應該掩鼻，或應該深呼吸
難聞的焦味？　我的耳朵應該
聽你喘息著愛情或是聽榴彈
宣揚眞理？　格言，勛章，補給

能不能餵飽無饜的死亡？
如果有戰爭煎一個民族，在遠方
有戰車狠狠地犁過春泥
有嬰孩在號啕，向母親的尸體
號啕一個盲啞的明天
如果一個尼姑在火葬自己
寡欲的脂肪炙響一個絕望
燒曲的四肢抱住涅槃
爲了一種無效的手勢。　　如果
我們在床上，他們在戰場
在鐵絲網上播種著和平
我應該惶恐，或是該慶幸
慶幸是做愛，不是肉搏
是你的裸體在臂中，不是敵人
如果遠方有戰爭，而我們在遠方
你是慈悲的天使，白羽無疵
你俯身在病床，看我在床上
缺手，缺腳，缺眼，缺乏性別

在一所血腥的戰地醫院
如果遠方有戰爭啊這樣的戰爭
情人，如果我們在遠方

郭楓認爲，這首詩和〈雙人床〉一樣，性愛是主題，戰爭是襯托；性愛是紀實，戰爭是寫意。即使用了活鮮的詞語和別致的隱喻，也無法掩蓋這首詩的色情本質（註九八）。而顏元叔認爲：不能以色情來概括這首詩，而應該看到這是一首充滿悲憫的詩。如同前面的詩一樣，一位戀愛的人意識著在遠處發生的戰爭（如越戰）。所以，這首詩的主題結構也基於愛情與戰爭的對比。不同的是，〈雙人床〉的戰爭就發生在床外的四周，戰爭世界環伺著愛情世界；而〈如果遠方有戰爭〉卻把戀愛世界和戰爭世界隔離開來，相距遙遠。前者以愛情世界反抗戰爭世界，強調生命力量；後者以悲憫的情懷，要求戀愛的人關懷發生在遼遠處的戰爭，憐憫戰火中的他人。詩中交織著戰爭與愛情、戀愛的人與戰火中的人、小我與人類的對立。戀愛的人說，「我們在床上，他們在戰場」，床上不僅是戀愛肉搏的場所，在詩人的同情與移情之下，戀愛的床也是被戰爭加害的死亡之床：「看我在床上缺手，缺腳，缺眼，缺乏性別……」總之，這是愛情與戰爭、小我與人類的結合；這是通過詩人的移情與同情而形成的結合。無論是情操與技巧而言，〈如果遠方有戰爭〉是余光中的最佳詩篇之一。（註九九）

文學作品描寫性愛，不一定就會淪爲不潔。關鍵在於作者是否言在此而意在彼，是否能從審美的高度處理這類題材。大陸有所謂「下半身」寫作，而余光中的作品雖然涉及了「下半身」，但與那種充斥著同性戀、性別倒錯、亂倫、器官書寫的「下半身」和「同志文學」，區別甚爲明顯。此外，不能用道學家的眼光看待這類詩。陳鼓應（註一〇〇）、姚立民（註一〇一）認爲「捲入你四肢美麗的漩渦」是非常低劣的一句詩，郭亦洞在香港著文說，他「倒是頗爲讚賞。曾經領略過人生妙諦的人，該有會心的微笑。漩渦的感覺，是可遇而不可求。也許陳、姚兩位尚未證道吧？如已證道，而斥爲低劣，便等而下之假道學了。作詩講究靈性，讀詩講究會意。讀者不必強作解人，也不可斷章取義。而且詩貴含蓄，有時不懂較懂更有趣，故不必求其必懂。」（註一〇二）

余光中的鄉愁詩曾進入大陸大中學校教材。這類性愛詩，則可作爲研究生分析現代詩的案例，以便弄清情色與色情、性愛與淫穢的界限。

注釋

一　洛　夫：《詩的邊緣》（臺北市：漢光文化事業股份有限公司，一九八六年八月），頁一八〇。

二　余光中：〈天狼星〉，臺北市：《現代文學》第八期（一九六一年五月）。

三　洛　夫：〈天狼星論〉，臺北市：《現代文學》第九期（一九六一年七月）。

四　余光中：〈再見，虛無！〉，臺北市：《藍星詩頁》第三十七期（一九六一年十二月）。

五　陳芳明：〈回望《天狼星》〉，臺北市：《書評書目》總第四十九期（一九七七年五月）。

六　陳芳明：《詩與現實》（臺北市：洪範書店，一九八三年）。

七　洛　夫：〈洛夫詩論選集．自序〉，《洛夫詩論選集》（臺南市：金川出版社，一九七八年）。

八　白　萩：〈魂兮歸來（二）〉，臺中市：《笠》詩刊第二期（一九六四年八月十五日）。

九　陳明成：〈反攻與反共：關鍵年代的關鍵年份——臺灣文壇一九五六的再考察〉，載《文學與社會學術研討會——二〇〇四青年文學會議論文集》（臺南市：臺灣文學館，二〇〇四年版），頁一九五、二〇三、二〇八。

一〇　陳明成：〈反攻與反共：關鍵年代的關鍵年份——臺灣文壇一九五六的再考察〉，載《文學與社會學術研討會——二〇〇四青年文學會議論文集》（臺南市：臺灣文學館，二〇〇四年版），頁一九五、二〇三、二〇八。

一一　紀　弦：〈新現代主義之全貌〉，臺北市：《現代詩》一九六〇年六月，第二十四～二十六期。

一二　《紀弦論現代詩》（臺中市：藍燈出版社，一九七〇年），頁三十九。

一三　臺北市：《現代詩》第四期，一九五三年十一月。

一四　臺北市：《現代詩》第三期，一九五三年八月。

一五　臺北市：《現代詩》第三期，一九五三年八月。

一六　臺北市：《現代詩》第七期，一九五四年秋季。

一七　臺北市：《現代詩》第十一期，一九五五年秋季。

一八　參看陳玉玲：〈紀弦與《現代詩》詩刊之研究〉，臺北市：《臺灣文學觀察雜誌》第四期（一九九一年十一月）。

一九　徐　速：《啣杯集》（香港：高原出版社，一九七四年），頁一七四。

二〇　余光中：〈剪掉散文的辮子〉，臺北市：《文星》雜誌，第六十八期，一九六三年六月一日。

二一　余光中：〈下五四的半旗〉，臺北市：《文星》雜誌，第七十九期，一九六四年五月。

二二　余光中：〈論朱自清的散文〉，載《青青邊愁》（臺北市：純文學出版社，一九七七年十二月），頁二三七、二二三。

二三　李　敖：《李敖作品集》（太原市：北岳文藝出版社，二〇〇四年），頁十。

二四　蘇雪林：〈評兩本黃色小說——《江山美人》與《心鎖》〉原載臺北：《文苑》。另見余之良編：《〈心鎖〉之論戰》，臺北市：亞洲出版社，一九六三年十二月十一日。

二五　謝冰瑩：〈給郭良蕙女士的一封公開信〉，臺北市：《自由青年》，第三三七期。

二六　孫　旗：〈由《心鎖》事件析論臺灣文藝界的風氣〉，《亞洲畫報》第一二二期（一九六三年六月）。

二七　南　登：〈對《心鎖》事件的幾點商榷〉載臺北市：《民族晚報》，一九六三年五月十一日。

二八　孫　旗：〈由《心鎖》事件析論臺灣文藝界的風氣〉，《亞洲畫報》第一二二期（一九六三年六月）。

二九　參看孫旗、王俊雄：〈《心鎖》事件的來龍去脈〉，《亞洲畫報》第一二四期（一九六三年八月）。

三〇　高　陽：〈文藝圈子一大事〉，臺北市：《幼獅文藝》「今日論壇」，一九六三年五月號。

三一　參看孫旗、王俊雄：〈《心鎖》事件的來龍去脈〉，《亞洲畫報》第一二四期（一九六三年八月）。

三二　參看孫旗、王俊雄：〈《心鎖》事件的來龍去脈〉，《亞洲畫報》第一二四期（一九六三年八月）。

三三　臺北市：《自由青年》總第三三五期。

三四　臺北市：《中央日報》，一九六三年十一月五日。

三五　參看孫旗、王俊雄：〈《心鎖》事件的來龍去脈〉，《亞洲畫報》第一二四期（一九六三年八月）。

三六　穆中南：〈一個反常現象——《心鎖》事件〉，臺北市：《文壇》第四十一期（一九六三年十一月）。

三七　劉心皇：〈關於〈心鎖〉的六問題〉，臺北市：《文壇》第四十一期（一九六三年十一月）。

三八　參看孫旗、王俊雄：〈《心鎖》事件的來龍去脈〉，《亞洲畫報》第一二四期（一九六三年八月）。

三九　李　敖：《傳統下的獨白》（香港：文藝書屋，一九七三年），頁二一七、二二五、二三四。

四〇　李　敖：《傳統下的獨白》（香港：文藝書屋，一九七三年），頁二一七、二二五、二三四。

四一　〈編輯後記〉，臺北市：《獨立評論》第一四二期，。
四二　李　敖：〈播種者胡適〉，臺北市：《文星》第五十一期（一九六二年元月）。
四三　李　敖：〈胡適先生走進了地獄〉，臺北市：《文星》一九六二年三月號。
四四　李　敖：〈給談中西文化的人看病〉，臺北市：《文星》一九六二年十一月號。
四五　李　敖：〈給談中西文化的人看病〉，載《爲中國思想趨向求答案》（臺北市：文星書店，一九六四年），頁三～十四、三十五～三十六。
四六　參看茅家琦主編：《臺灣三十年（一九四九～一九七九）》（鄭州市：河南人民出版社，一九八八年一月），頁一五一。
四七　李　敖：《傳統下的獨白》（香港：文藝書屋，一九七三年），頁二一七、二二五、二三四。
四八　臺北市：《文星》一九六二年元月號。
四九　李　敖：《爲中國思想趨向求答案》，頁十四～十五。
五〇　李　敖：《閩變研究與文星訟案》（香港：文星書屋，一九七二年十月），頁一八〇。
五一　張漱菡：《胡秋原傳》（下）（臺北市：皇冠出版社，一九八八年），頁一一四六～一一四七。
五二　史墨卿、鮑霖：《蘇雪林卷（一）》，臺北市：《文訊》第八期（一九八八年）。
五三　〈胡適致蘇雪林〉（一九三六年十二月十四日）。見《胡適往來書信選》（中冊）（香港：中華書局，一九八三年），頁三三九。

五四　柳　浪：〈論文壇蘇劉韓交惡事件〉，臺北市：《醒獅》第一卷第八期。

五五　胡秋原：〈論杜甫與韓愈〉，臺北市：《中華雜誌》一九六八年二月號。

五六　司馬文偵：《文化漢奸罪惡史》（上海市：曙光書局，一九四五年）。

五七　張義軍：〈中國文化與漢奸〉，臺北市：《中華雜誌》第五卷第十一號（一九六七年十一月二十日）。

五八　劉正忠：〈藝術自主與民族大義——「紀弦為文化漢奸說」新探〉，臺北市：《政大中文學報》第十一期（二〇〇九年六月），頁一六六。

五九　李　敖：〈沒有窗，哪有《窗外》？〉，臺北市：《文星》雜誌，總第九十三期（一九六五年七月一日）。

六〇　臺北市：《文星》雜誌，總第九十七期（一九六五年十一月一日）。

六一　劉金田：〈閨秀派吶喊了〉，臺北市：《文星》雜誌，總第九十七期（一九六五年十一月一日）。

六二　張潤冬：〈從《窗外》到《象牙塔外》〉，臺北市：《文星》雜誌，總第九十七期（一九六五年十一月一日）。

六三　劉金田：〈把眼淚和血汗分開〉，臺北市：《青年戰士報》，一九六七年五月十九日。

六四　華　夏：〈致評論家們〉，臺北市：《青年戰士報》，一九六七年五月四日。

六五　沙　穗：〈吃不到葡萄說葡萄酸〉，臺北市：《青年戰士報》，一九六七年六月十二日。

六六　疏　雨：〈我對當前文藝作品的看法〉，臺北市：《青年戰士報》，一九六七年六月十四日。

六七　華　慕：〈激起良知和自覺〉，臺北市：《青年戰士報》，一九六七年六月十五日。

六八　夏鳳濤：〈可憐的掌聲〉，臺北市：《青年戰士報》，一九六七年六月十七日。

六九　壺中天：〈吃不到的酸葡萄〉，臺北市：《青年戰士報》，一九六七年六月二十二日。

七〇　鑠　金：〈請勿混扯〉，臺北市：《青年戰士報》，一九六七年六月二十日。

七一　金　蕾：〈盲目的正義感〉，臺北市：《青年戰士報》，一九六七年六月二十一日。

七二　子　文：〈三思而動筆〉，臺北市：《青年戰士報》，一九六七年六月二十四日。

七三　東郭牙：〈爲何不聞不問〉，臺北市：《青年戰士報》，一九六七年六月二十七日。

七四　劉金田：〈拿出證據來了——兼答沙穗先生〉，臺北市：《青年戰士報》，一九六七年六月二十九日。

七五　淩雲飛：〈風來水面紋〉，臺北市：《青年戰士報》，一九六七年八月二十八日。

七六　劉金田：〈爲何而批評〉，臺北市：《青年戰士報》，一九六七年九月十六日。

七七　臺北市：《青年戰士報》，一九六七年。

七八　曾心儀：〈錯誤的美學觀點築起的文學危樓〉，臺北市：《書評書目》，總第六十二期，一九七八年六月版。

七九　曾心儀：〈錯誤的美學觀點築起的文學危樓〉，臺北市：《書評書目》，總第六十二期，一九七八年六月版。

八〇　洛　夫、張默、瘂弦主編：《七十年代詩選》（高雄市：大業書店，一九六七年九月）。

八一　尉天驄，臺北市：《文學季刊》第六期（一九六八年二月）。

八二　余光中：〈靈魂的富貴病〉，臺北市：《大學雜誌》，一九六八年七月。

八三　洛　夫：〈靈魂蒼白症〉，臺北市：《青年戰士報》，一九六八年七月。

八四　高　準：〈《七十年代詩選》批判〉，臺北市：《大學雜誌》第六十八期（一九七三年九月）。

八五　古蒼梧：〈請走出文字的迷宮——評《七十年代詩選》〉香港：《盤古》第十一期（一九六八年二月二八日）。

八六　《創世紀》詩社籌劃，由紀弦、洛夫、羅門、瘂弦、張默等十二人編輯；《八十年代詩選》（臺北市：濂美出版社，一九七六年）。

八七　觀　哲（高準）：〈《八十年代詩選》的「奧秘」〉，臺北市：《詩潮》，一九七七年五月，第一集。

八八　唐　捐：〈一個人的石室，一代人的詩〉，《臺港文學選刊》第四期（二〇一八年）。

八九　余光中：《井然有序》（臺北市：九歌出版社，一九九六年版），頁九十二。

九〇　余光中：《白玉苦瓜》（臺北市：大地出版社，一九七四年版），頁二十七。

九一　黃維樑編著：《璀璨的五采筆》（臺北市：九歌出版社，一九九四年版），頁二四一。

九二　錢學武：〈余光中傳播色情主義？〉，香港：《潮流》，一九九一年九月。

九三　陳鼓應：〈評余光中的頹廢意識與色情主義〉，臺北市：《中華雜誌》總一七二期（一九七七年十一月）。

九四　錢學武：〈余光中傳播色情主義？〉，香港：《潮流》，一九九一年九月。

九五　奚　密：〈《雙人床》與現代詩的挑戰〉，臺北市：《聯合文學》一九九八年十月號。

九六　顏元叔：〈余光中的現代意識〉，臺北市：《純文學》總第四十一期（一九七〇年五月）。

九七　余光中：《在冷戰的年代》（臺北市：純文學出版社，一九六九年），頁三十八。

九八　郭　楓：《美麗島文學評論集》（臺北縣：政府文化局，二〇〇一年），頁二一七。

九九　顏元叔：〈余光中的現代意識〉（臺北市：《純文學》總第四十一期（一九七〇年五月）。

一〇〇　陳鼓應：〈評余光中的頹廢意識與色情主義〉，臺北市：《中華雜誌》總一七二期（一九七七年十一月）。

一〇一　姚立民：〈找出余光中的病根〉，香港：《南北極》第九十六期（一九七八年五月十六日），頁八十九。

一〇二　郭亦洞：〈替余光中講幾句話〉，香港：《南北極》第九十九期（一九七八年八月十六日），頁四十四。

第五章　七十年代的文學紛爭（一）

第一節　紀弦的歷史問題

紀弦本是一棵樹，一位怪客，一匹獨往獨來的「狼」。他唇邊留的一小撮鬍子，嘴含煙斗6，手拿拐杖7，加起來就是一個大不吉利的數字13。

這裏不妨舉個例子：一九七〇年，他由中華民國有關單位提名爲中國作家代表，派往韓國出席國際筆會。在他出國前夕，即五月二十二日，臺灣出版的《大眾日報》發表題爲〈中國筆會究竟做了什麼〉的社論，對紀弦出國的團體中國筆會痛加針砭。同月二十三日該報第三版頭條在「讀者投書」欄目內則發表了「鍾國仁」（「中國人」之諧音）的文章，除指出「中國筆會始終維持小圈子主義，緊閉會門，飄裙帶風，不能開誠布公，難免有不可告人之事」外，還檢舉紀弦是當年的「文化漢奸路易斯」，無資格代表中國作家出席國際會議：

> 紀弦其人者，此人名叫路逾，平時以詩人自命，到處吹噓。在抗戰前，以路易斯之名，撰寫新詩。在抗戰期間，竟背棄祖國，靦顏投敵，落水爲漢奸，出席日本召集的大東亞文化更生會，大放厥辭，賣身求榮。當中國抗戰時期的陪都重慶被炸，傷亡慘重之時，他在上海撰詩歌頌，其辭有曰：「炸吧，炸吧，把這個古老的中國毀滅吧……」，這是盡人皆知的事實，且有上海淪陷期

> 間出版物爲證。似此出賣國家民族文化的人，怎麼可以代表中國人到韓國去出席國際筆會？應請該會迅速將其除名，不要把（中國）人（的臉）丟到國外去……

此文末尾由於有批評中國筆會不「吸收有成就的作家和報社主筆入會」的內容，因而有人猜測「鍾國仁」係此家「報社主筆」的化名。他因未被吸收入會轉而對中國筆會進行攻訐，而有歷史問題的紀弦便成了「替罪的羔羊」。但這只是猜測而已。紀弦不少摯友都知道「鍾國仁」是誰，卻始終不願意告訴他。紀弦直至二十世紀末還未弄清楚事實眞相，臨終前仍念念不忘要報這一箭之仇：除了一再罵其爲「文醜文妖文棍文渣」外，聲稱「如果我有一把手槍，一定要把這畜牲打死！」（註一）這充分體現了紀弦愛激動的神經質性格。他當年的同窗王綠堡在爲其詩作寫序時就說：「易士是個感情脆弱而個性又很強的人。因了前者，他是比誰都容易傷感；因了後者，『恨』在他的心中又特別容易產生。」（註二）

正因爲「讀者投書」是匿名寫作，有關單位無法向其核實一些具體事實，如「炸吧，炸吧」這首詩題目叫什麼，署的是筆名還是眞名，在什麼地方發表。出席大東亞文化更生會見諸於何種報刊記載，他「大放厥詞」的具體內容是什麼，有哪位當事人或目擊證人可作證，因而對紀弦是所謂「文化漢奸」一事，未進一步深究。紀弦本人則想控告《大眾日報》「主筆」犯有誹謗罪，並請了羅行律師在七月二十五日的《青年戰士報》上發表聲明。另方面，紀弦本人還油印了一百多份致文壇詩友說明眞相的公開信廣爲散發。眼看一場文壇官司就要爆發，但由於找不準被告對象即「鍾國仁」是誰，朋友們便勸紀弦不要感情用事，紀弦本人也可能因心虛不敢眞正訴諸法律，因而這場「文化漢奸出席國際會議案」，不似另一位臺灣作家梁容若於一九六七年十一月十一日獲中山學術文化基金會的文學史獎後，被人檢舉爲梁容若即當年的文化漢奸梁盛志，爲此鬧得沸沸揚揚，還編了一本《文化漢奸得獎案》的小冊子；更重要的是，官方有可能認爲紀弦來臺後政治立場堅定，寫了大量的「乒乒劈拍達達達轟隆隆地打回來」配合「反攻大陸」的「戰鬥詩」，他確是「愛國反共」的。還可能認爲這個揭發者夾雜有洩私憤的因素在內，因而未加理睬，使紀弦順利地於一九七〇年六月二十九日隨團長陳紀瀅以觀察員身分出席了在韓國召開的第三十七屆國際筆會。

這裏不妨讀《紀弦回憶錄》第十六章〈抗戰勝利後離滬赴臺前〉的一段：

我記得很清楚，就在勝利後不久，一九四五年八、九月裏，上海各家小報和黃黑刊物，就開始對文藝界的名家大罵特罵起來了。北京的周作人、上海的胡蘭成，被罵得最厲害。除了南胡北周，他如沈啓無、楊之華、柳雨生、陶亢德、張愛玲、蘇青等，皆被加上一頂「文化漢奸」的大帽子，瞎罵亂罵一陣。

這裏說張愛玲、蘇青是漢奸，誠然屬「瞎罵」。因這兩位女作家只是與漢奸來往密切，但沒有寫過歌頌大東亞戰爭的作品，也沒有在汪僞政權中擔任過要職，因而還未成爲貨眞價實的漢奸。但「大罵」周作人、胡蘭成，還有「罵」當時以「文化漢奸」名義被正式逮捕的柳雨生、陶亢德，有什麼錯？像「南胡北周」所戴的「文化漢奸」帽子，難道是憑空加上去的嗎？他們是吃政治飯的，像胡蘭成前後任過汪僞政權中央委員、宣傳部次長、行政院法治局局長、汪精衛機要秘書，他亦用文藝做武器協助日本人征服中國人心，怎麼能說他們僅僅是「文藝界的名家」？他們罪大惡極，難道不該口誅筆伐？這裏不妨再補充一個例子：由於爲汪精衛擔任社論委員會主席，爲胡蘭成任總主筆的《中華日報》副刊寫稿的關係，路易斯和其他名家一樣於一九四三年被聘爲編纂，按月支付車馬費而不用上班。有汪派提供的固定薪水做後盾，路易斯這時的生活大有改善，不再三餐不繼，並還有積蓄於一九四四年三月獨資創辦《詩領土》月刊，還用「詩領土」名義於一九四五年二月、四月出版了個人詩集《夏天》和《三十年集》。另一部於一九四四年五月出版的詩集《出發》，則由漢奸文人柳雨生、陶亢德主持的太平書局出版。當然，不能像劉心皇說的那樣凡是在漢奸文人主持的出版社出過書的人就是漢奸，但至少說明紀弦敵我不分，他們之間的關係非同一般，含有政治內容。

路易斯在上海淪陷期間與漢奸胡蘭成的親密關係，以及拿汪派薪水，積極爲汪派副刊寫稿，這使他思想和行動上頻頻失足。這就難怪「史方平」於一九七〇年八月十日寫了〈紀弦、路逾與路易斯的漢奸活動〉，文中稱：

> 路易斯在一九四三年抗戰游擊隊出沒的蘇北，主要任僞「軍事委員會委員長蘇北行營上校聯絡科科長」，代表敵僞對蘇北進行「文化宣撫」。曾有大規模的兩次對青年的演講，一次是在泰興縣講「和平文學與和平運動」，另一次在泰縣講「大東亞共榮圈與和平文學」。聽他演講的人，還有人在臺灣。……他在蘇北一或二年之後，由於胡蘭成的關係，把他調到宣傳部，擔任專門委員會的僞職，在上海從事文藝活動。

此文係打印稿，未公開發表。劉心皇爲撰寫《抗戰時期淪陷區文學史》（註三），曾從臺灣《文化旗》雜誌社取得一份。此文並不是如紀弦在新出的回憶錄中說的該槍斃的「忘八旦」捏造或「死鬼劉某（指去世的劉心皇）胡說八道」虛構的，如文中說：

關於出席日本所召集的會議問題：據當時在蘇北泰縣從事抗日工作的某君說：路易斯在抗戰期間投敵之後，出席日本所召集的會議，是東亞文學者大會，不是大東亞文化更生會。大東亞文化更生會中國出席的漢奸有柳雨生（存仁）、周作人、丁丁等人，路易斯並不在內。

這裏講的「東亞文學者大會」，即一九四四年十一月在東京召開的「第三次大東亞文學者大會」，出席的有周作人、馬午、關露、周黎庵、路易斯（士）等人。「路易斯即紀弦，在此次大會上大放厥詞。」所謂「大放厥詞」，除指路易斯乞求日本侵略者應「保障作家生活」外，還指紀弦在大會上得知汪精衛剛死去時，一方面參與用中文和日文爲汪逆致悼詞的寫作，另方面還自告奮勇即席賦詩〈巨星隕了〉。這種漢奸詩的寫作，眞應了他自己的那句詩：「何其臭的襪子何其臭的腳。」

另外指控路易斯參與漢奸文化活動的重要依據還有：司馬文偵在《文化漢奸罪惡史》提到的紀弦：

與蘇青齊名的「男作家」，要算路易士了吧，天天揮著手杖，吸著板菸，在馬路上散步，一副高傲的樣子，自以爲是了不起的大詩人，寫寫「魚」詩，倒也罷了，有時神經發作，要寫幾首政治詩，反英美，反「重慶」，反共，擁護「大東亞」、「僞政府」的口號，都在他的詩裏出現。有人勸告他，他竟說：「抗戰如果成功，他等著殺頭！」可是近來，有人看見他露著一付可憐相，頗有想念幾首勝利詩的樣子（註四）。

這裏披露了路易斯的漢奸言論，但證據不夠過硬，有些可能還是道聽途說。但無風不起浪，路易斯的確寫過歌頌僞政府的詩。至少紀弦主辦的《詩領土》第四期，刊登過日本詩人朝島雨之助歌頌「汪先生」的媚日詩作。該詩作對大漢奸汪精衛客氣地稱爲「汪先生」，並肯定所謂「新國民運動」，又多處出現「拔刀」、「灑血」、「斬之」、「血之肅清」等侵略性意象，這可理解爲代表了紀弦的政治立場。凡是有愛國心的人，都不會刊登和不讚同詩中所說的「大東亞道義」。

正因爲路易斯有這些劣跡，戰後被國民黨中央宣傳部對日工作委員會留用的作家堀田善衛，於一九五一年發表了短篇小說〈漢奸〉，其中心人物就是以路易斯和柳雨生爲原型而塑造的「安德雷」。

從上述紀弦的抗戰經歷中，他無疑參加過一些漢奸文化活動，還寫過歌頌漢奸的作品，與那些恪守民族氣節，敵我界限分明，潔身自好的愛國作家有本質不同。他屬民族立場歪斜、民族氣節虧敗、正義觀念淪喪的大節有虧的作家。對紀弦來說，不能認爲當年置身於淪陷的國土，是迷惘、惆悵的陰影籠罩著自己而迷路，更不能因當時國民政府沒有追究、到臺灣後情治單位也沒過問，便罵批評過他的人爲「文醜文妖」。另方面，對文學史家來說，要嚴格區分「文化漢奸」與不分敵我是非、親近日僞、參加過漢奸文學活動的作家的界限。退一步來說，紀弦寫過漢奸文學作品屬實，但在他詩作中不構成主流，作品數量也極少，他亦非漢奸政權要角或汪僞文壇的頭面人物，再加上「史方平」的文章缺乏人證、物證，因而不應再去「補劃」他爲文化漢奸。（註五）從這個角度看，紀弦在新出的回憶錄中說「我絕非漢奸！絕非漢奸！」（註六）倒是對的。

紀弦的歷史問題，不影響他後來爲臺灣詩壇開啓一代詩風的貢獻，更不能因爲他在抗戰期間一度親近「大東亞文學」，而否定他在這一時期創作別的題材的作品，和對現代詩的探索，乃至對整個中國詩壇的貢獻。

第二節　不堅固的〈麥堅利堡〉

散文家張曉風曾談到：在詩的國土裏，「不免時時有殺伐之氣。而一次論戰，每每要牽涉許多人馬。戰場的腹地亦極廣大，每從這個報紙戰到那個報紙，從這個雜誌戰到那個雜誌，戰期亦從一年二年戰至三年五載。因此殺人成冢，流血成河的事當然不免。有時眞令觀者扼腕，如此戰國風雲爲的是什麼？爲的無非是找到一種較爲正確的指揮法來奏音樂。」（註七）張曉風這番話絕不是誇張，請看下面提到的圍繞羅門〈麥堅利堡〉令觀者扼腕的論爭。

麥堅利堡（Fare Mekinly）是紀念第二次大戰期間七萬美軍在太平洋地區戰亡：美國人在馬尼拉城郊，以七萬座大理石十字架，分別刻著死者的出生地與名字，非常壯觀也非常凄慘地排列在空曠的綠坡上，展覽著太平洋悲壯的戰況，以及人類悲慘的命運。在羅門筆下七萬個彩色的故事，是被死亡永遠埋住了：

麥堅利堡　鳥都不叫了　樹葉也怕動

凡是聲音都會使這裏的靜默受擊出血
空間與空間絕緣　時間逃離鐘錶
這裏比灰暗的天地線還少說話　永恆無聲
……
靜止如取下擺心的錶面，看不清歲月的臉
在日光的夜裏　星滅的晚上
你們的盲睛不分季節地睡著
睡醒了一個死不透的世界
睡熟了麥堅利堡綠得格外憂鬱的草場
……

這是一首現代悼亡詩，曾獲菲律賓前總統馬科斯金牌獎。作者在悼念七萬美國官兵時，情感哀傷悲切，情調低沉，語句淒婉。一開始作者就用擬人化的手法，寫戰爭坐在麥堅利堡哭七萬個亡靈。作者同情他們的不幸遭遇，憐憫他們的「名字運回家鄉，比入冬的海水還冷」。詩中不寫他們的英勇搏鬥、為人類浴血的事跡，也不像大陸的悼亡詩，結尾總要來個「化悲痛為力量」。全詩調子低沉、陰冷，陰冷得「凡是聲音都會使這裏的靜默受擊出血」。此詩想像力豐富，有些警句叫人一讀難忘。如詩人不寫當年炮火連天，戰鬥激烈，而寫「太平洋的泡沫被炮火煮開」，意象頗為奇特新鮮。用「時間逃離鐘錶」

形容時間凝固，可謂奇妙警動，同樣引起人們的驚讚和快樂感。「死者的花園/活人的風景區」，雖然語帶揶揄，但這種描寫是眞實的。死者與活人的反差，更說明陣亡者命運的悲慘。但也有缺失，如一九七〇年秋天，《笠》詩刊召開了對羅門〈麥堅利堡〉一詩的綜合評論，由白萩主持，詹冰、岩上等清一色的本土詩人參加。論者認爲〈麥堅利堡〉（以下簡稱〈麥〉詩）「築」得並不牢固，其技巧並非無懈可擊，因而對「麥」詩多持否定態度，認爲此詩是「語言積木遊戲」。

《笠》派詩評家趙天儀曾三次評過「麥」詩。他對此詩持基本肯定態度，同時也有批評。第一次在〈談方思的《仙人掌》〉（註八）中，他指出「有了余光中的〈馬金利堡〉，而後才有覃子豪的〈麥堅利堡〉，最後才有羅門的〈麥堅利堡〉」，並肯定「羅門有青出於藍更勝於藍的趨勢」。第二次以柳文哲筆名，在「詩壇散步」專欄中評介《死亡之塔》詩集時提到「麥」詩：「說羅門的〈麥堅利堡〉一詩，是如何的糟，跟說該詩是如何的棒，未免都過甚其詞。我認爲該詩還是在羅門的作品中較爲出色的一首。不過，把該詩比擬爲跟艾略特的〈荒地〉一樣地偉大，則容易使羅門先生因沾沾自喜而不自覺，我們不願以不倫不類的比擬來說明該詩。」（註九）這段評論引來羅門的不滿，認爲趙天儀「至爲嚴肅性的對「麥」詩的評介工作，只有短短的幾句話，便草草了事，大意是說這首詩既不好也不壞。既是不好也不壞，當然是普通之作，而又怎能列入詩壇少數具有份量的佳作來向讀者介紹呢？」

第三次是在《笠》第四十一期「名詩選評」批評「〈麥堅利堡〉那樣龐大的詩，給人有如黃河夾泥沙以俱下的混濁感覺」。不過，趙天儀還同時肯定「麥」詩一開始「就給人有戰爭的感受，這是羅門功力所見的地方。」由於趙天儀是將「麥」詩與紀弦的詩比較而言的，這便引起把詩當作生命、當作信仰終生熱誠擁抱它的羅門的嚴重不滿：「說「麥」詩沒有△△的意境高，這種批評方法使用在目前已形成社會化的詩壇上是很有效的，『投好』與『抨擊』都做到了，一槍二鳥。」並把趙天儀的批評稱爲「機會性的批評現象」。

羅門是一個狂熱的夢想家。詩的確是他的信仰，也是他的宗教。當他精心構製的詩作被人放在爐火上「烤」時，他當然無法冷靜，寫的反批評文章非常長，題名〈從批評過程中看讀者、批評者與作者〉（註一〇）。全文分兩大部分：（一）關於羅門的〈麥堅利堡〉；（二）關於羅門從散文與論文中架起的批判世界。前一部分係針對《笠》的合評，後一部分則是對趙天儀的反彈。鑒於羅門的文章涉及了「社會化」問題，因而趙天儀也寫了長文〈裸體的國王〉（註一一）作爲回應。此文共分四部分：

一、泥沼中呼救的聲音。

二、關於羅門的〈麥堅利堡〉。

三、羅門的架構何在呢？這部分又分爲七小點：

（一）知識貧乏，愛好談哲學，可對哲學只一知半解，偏又要引用哲學名家的理論，使人對其到底瞭解多少持懷疑態度。

（二）缺乏有效的推論。羅門的一些比擬不準確、不深刻，有如棒球賽之打擊者，揮棒雖有力，選球卻不夠精確，難免遭遇到三振出局。

（三）訴諸權威的濫用。羅門開口「里爾克」，閉口「貝多芬」，站起來「梵樂希」，坐下去「海明威」，這是借權威唬人。

（四）生造詞語特多，如「迫現」、「信望」、「花果園」、「任放」、「翼膀」、「升力」、「心感」、「挖拔」、「心勢」、「挖發」等等。在錘鍊語言上欠火候。

（五）互相標榜的空虛。羅門說：「從李杜到中國現代詩的傑出詩人群，從荷馬到艾略特，從沙乎到雪脱維爾，從李清照到蓉子與敻虹」。這樣的互相標榜，趙天儀認爲是羅門自信心的失落，以致處處要假借外在的力量來抬高自己的身價。

（六）名利觀念的中毒。羅門言行不一：「當羅門先生一臉笑容辭退了名利，而骨子裏對名利卻不斷地展開笑臉攻勢……理論與實踐的矛盾，正是名利觀念中毒的結果……」。

（七）自我中心的幻覺：趙天儀引用安徒生〈國王的新衣〉故事，將羅門比成遊街示眾的裸體的國王，認爲羅門只喜歡聽好話，只喜歡合乎他自我中心的幻覺就行。最後，趙天儀仍認爲〈麥堅利堡〉一詩在羅門作品中還是較出色的。「羅門先生的兩本詩論集，是『三明治散文』加上缺乏論證有效性的論文」，「是屬『可愛者不可信』的一類」。（註一二）

客觀地說，「羅門的詩風風火火，佳者爐火純青，次者亦不失洶洶湧湧。他的早期詩有意象過於擁擠的毛病。」（註一三）這次圍繞並不牢靠的〈麥堅利堡〉的論戰，雙方都夾雜有「鬥氣」成分，其中〈裸體的國王〉一文有不少地方確實指出了羅門詩作及其詩論的短處，但用詞過於嚴苛，顯得咄咄逼人，而不似寫「散步」時那樣委婉，因而使對方無法接受。「羅門威猛如雄獅，聒噪如烏鴉；睿智如哲人，幼稚如孩童。」（註一四）如今羅門走了，「很多人會不捨，爲了他的熱情和詩篇；也有不少人會高興，爲了他的粗獷和自我中心，但，高興一兩天也就夠了。」畢竟「他的高爽直率是他的優點，也是他

的缺點，使他得罪了很多人，很多詩人文友。」（註一五）

第三節　傅敏單挑洛夫

繼《七十年代詩選》後，洛夫於一九七一年三月出版了《一九七〇詩選》，這是臺灣地區年度詩選的創舉。洛夫在該書的序中說：「這本詩選不僅能爲現代詩的讀者提供一個年度性的展覽櫥窗，同時也爲今後編輯更長時間的詩選時（比如《八十年代詩選》之類）事先作了一番熟悉數據的工作。因此，我自信這番辛勞並非浪費。」這本詩選收入三十六位詩人作品，有老一輩的也有新生代的，其中選入最多的是中生代詩人作品。洛夫聲稱：「由於編選人不以任何派別或詩社和立場，而僅以精煉、純粹，具獨特風格者爲準則，故這個選集的作品乃選自全國各大文學雜誌及詩刊，計《文學季刊》、《現代文學》、《幼獅文藝》、《文藝月刊》、《青溪雜誌》、《笠》詩雙月刊以及「詩宗社」主編的《雪之臉》、《花之聲》、《風之流》等。」入選時間上至一九六九年九月下至一九七〇年九月爲止。」鑒於這是第一本年度詩選，爲使內容更充實更豐富，另選了一九六九年六月出版的《幼獅文藝》「詩專號」的部分作品。

編詩歌選集是一種嚴肅工作，選什麼樣的作品就包含了評價標準在內。選者離不開主觀的嗜好，可又不能完全違背一定的客觀標準，完全受小團體乃至爲人情所左右。編詩選不難做到，可如果獨沾一味就會招來眾多批評。洛夫深知這一點，故他聲言自己的編選標準是從詩的語言出發，而不是從友情出發。關於詩的語言，他主要有三點看法：

一、語言的有機性。
二、散文基礎的重要。
三、語言的彈性。

總之，他認爲：「調整語言，亦如調整觀察事物的角度同樣重要。作詩精神的奴隸，但必須作語言的主人。結構龐大的詩不一定就是偉大的詩，與其寫失敗的長詩，不如寫精煉的短詩。熱情激越的詩或許能感人於一時，但冷凝的詩經得起恆久的考驗。」

洛夫言行不一，他說「不以任何派別或詩社和立場」選詩，有點似此地無銀三百兩。他選的作品，均是以「創世紀」詩社社員的詩作爲主，別的詩社的作品只是叨陪末座，因而遭到青年作家傅敏（李敏勇）的批評（註一六）。他認爲：詩人的「名字能否進入文學史，不是自己能決定」，可他「卻把自己當成『詩史列車』的列車長，去招搖撞騙。這是洛夫的一貫伎倆。」至於洛夫有關詩歌語言的三種看法，是洛夫本人過去所反對的，但現在的洛夫卻反過來認同這種看法。其實，這些看法「笠」詩社早就主張過。詩壇風向轉變以後，洛夫隨大流同意這種看法，卻不對自己過去的主張進行檢討。

鑒於傅敏批評「洛夫單槍匹馬編選的年代詩選《一九七〇詩選》，卻暴露了嚴重的詩之無知和人格缺陷。」（註一七）洛夫在同屬《創世紀》譜系的《水星》，於一九七一年八月出版的第四期發表〈致張默、管管〉作出回應。對傅敏提出洛夫前後主張不一致的看法他避而不談，轉而強調詩壇倫理，認爲自己寫詩資深，傅敏應該對老一輩尊重，不應亂加批評，並認爲傅敏批評他，是因爲《一九七〇詩選》沒有選他的作品。傅敏和陳鴻森在一九七一年八月出版的《笠》詩刊第四十四期反駁洛夫顧左右而言他的做法。傅敏認爲自己只是就事論事，談不上報復對方。陳鴻森說：「如果說二十年算一代，這正是時間嚴酷的裁決所賦予年輕這代的使命，對上代追求的認眞及既有的成就，我們有著『當然』的敬重，但在探討的過程裏，就必須站在水平的表面。沒有給予教益的力量，而空談著輩分，這是一種衰竭。」這裏用「衰竭」一詞，擊中了對方的要害。

「創世紀」爲捍衛自己的主張，歷來勇於反駁他人。宋志揚在一九七一年九月出版的《水星》第五期「戰鬥版」中發表〈溫柔的感嘆〉，感嘆「笠」詩社不照照鏡子，自己編的詩選同樣是以自己詩社社員作品爲主，並批評「笠」詩社大量刊登日本詩壇的作品，而所編的《美麗島詩集》不在臺灣而到異國他鄉由日本若樹房出版，其名單不止有問題，而且還丟盡了中國人的臉，並進一步指出「笠」詩社極似日本詩壇的臺灣版。「笠」詩社迴避「臺灣版」一說辯解道：先有了「創世紀」編詩選的不公正，所以才有以其人之道還治其人之身的做法。「笠」詩社在四十五期後將這場論戰打上句號，但對方窮追不捨。夏萬洲在《水星》第六期不但認爲「笠」詩社的人才遠遠比不上「創世紀」，還說「笠詩社除了當日本詩壇的殖民地之外，是永遠成不了大器的。」這種激烈的言論使論戰升溫，導致「笠」詩社把相關人士的信件曝光。在傅敏致白萩的信中，有云：「我看你應當公布因文學大系而和他往來的書簡，甚至把他們要和笠談什麼合作，更且要求笠在同一步驟退出中國新詩學會的信，全部公布。」

一九七一年十二月十五日，《笠》詩刊在第十六期發表〈本刊嚴正聲明〉：

……不錯，中國的臺灣省曾有淪於日本殖民地的事實，可是這個責任這個恥辱，卻不是我們生於臺灣省的中國人所應負擔，那是滿清政府的責任，將臺灣送給異族踐踏，而造成了中國歷史上奇恥大辱的一頁！生於臺灣省的中國人的我們，仍然懷有中國人的傲骨，堅忍不屈的胸志，在日本統治的五十年之間，完全塗滿了臺灣省的中國人反抗異族統治的血淚痕跡！在臺灣省歸復祖國之後，我們所受的歷史創傷，本已漸淡忘，不意在二十六年後的今天，尚有中國人對中國人，以「殖民地」的惡語加身。這個名詞，在我們生於臺灣省的中國人來說，是惡毒的污辱。我們要求說此話的夏萬洲，刊登此封信的《水星》編者，必須登報公開地向我們道歉！公開地向生於臺灣省的中國人道歉！否則我們絕不甘休地周旋到底！

這裏至少有五處說「笠」詩人是「生於臺灣省的中國人」，還驕傲地以「中國人」自居反駁對手，讀來眞是恍如隔世！「笠」詩社當年竟有這樣強烈的中國性，眞令人感動。至於最後講的「到底」，火藥味甚濃，含有對簿公堂的意思。

眼看這場論戰要通過法律途徑解決，後來在態度比較溫和的瘂弦和不主張打官司的白萩、葉泥的調解下，雙方按照退一步海闊天空的原則，《笠》詩刊在四十六期以後不再咄咄逼人，由論爭轉爲正面闡述自己的立場。尤其是葉笛在《笠》詩刊發表的〈文化是絕種馬嗎〉，寫得十分客觀，做到以理服人，爲這場論爭劃上了句號。

洛夫與傅敏之爭，也是「創世紀」與「笠」詩社之爭，甚至可以認爲是外省詩人與本省詩人之爭。他們之間的爭論，不是因爲自己的作品有無入選或自己所在詩社社員的作品入選有多少的問題，而是關係到誰最有權力編詩選，誰最有資格進行詩壇的權力再分配問題。「創世紀」一直想獨霸詩壇，「笠」

當然不服。那時本土化還未全面開始，但這場論爭爲詩壇的本土化鋪平了道路。

臺灣文壇關於詩選的爭議，絕不止《一九七〇詩選》。對於「詩選」，人們總抱著各自不同的審美標準來對待，尤其是詩壇處在群雄割據的時代，從未見過「詩選」的出版如此活躍。但令人側目的是，「詩選」的出版有多麼熱火朝天和百花齊放，它的局限與困境也就暴露得多麼明顯和醒目。有一位詩人坦率地說：「如果能當詩人，誰會去做詩選家？如果能寫出傳唱不衰的詩作，誰會選擇做爲人作嫁衣的選家？」選家和詩人的關係，還眞有點像木耳和大樹的關係，也就是說選家靠詩人尤其是靠圈內的文友提供作品給自己選擇。沒有詩人詩作源源不斷的供應，選家也就無法存在。儘管憑藉出版人的條件和媒體的幫助，選家也可以成爲文學家之一種，但成功者並不多。即使臺灣詩壇公認的詩人兼選家的洛夫及其「死黨」張默，也因爲一碗水端不平而受到各方面的攻訐。這種工作最好由「學院派」的人士來做，但「學院派」也不可能脫離紅塵，一旦與詩人「有染」甚至參加某一詩社，這種公正性就要大大地打折扣。

第四節　有問題的《中國現代文學大系》

文學大系，不等於一種文體的選本，也有異於一位作家的文集，而是包括詩、小說、散文、戲劇、評論、史料各種文類，所反映的是一個時代文學發展的面貌。研究臺灣文學，很需要文學大系的支撐，可臺灣不但缺乏從日據時期到當下的文學大系，而且沒有從光復以來至當下的文學大系，但零星出現過斷代的文學大系，如一九七二年一月，巨人出版社出版了一套《中國現代文學大系》，其中短篇小說四冊，散文與詩各二冊。出版後，散文的銷路最好，爭議最多的則是詩歌部分。此大系編輯委員會爲：白萩、朱西寧、余光中、洛夫、梅新、瘂弦、葉維廉、曉風、聶華苓。這個「編委會」，是出版者忽悠讀者的官樣文章，眞正負責小說集的是朱西寧，負責散文集的是張曉風，負責詩集的是洛夫，梅新則爲各卷的聯絡人，余光中負責寫大系「總序」：〈向歷史交卷——寫在《中國現代文學大系》前面〉，《聯合報》爲此不惜篇幅連載三天。

余光中很認眞寫這篇「總序」，對光復後二十年間的臺灣文學的總體發展，發表了富於獨創性的見解。他在此文中從社會背景來分析作家的成分，認爲戰後現代文學發展中，軍中作家、女作家、本省作家、學府作家的成就最引人矚目。他所說的「本省作家」包括葉珊、黃春明、鍾肇政、林懷民等人。余光中說「本省作家的題材，相對之下，比較屬鄉土，呈地域性，而風格比較傾向樸拙。」這裏用「鄉土」和「地域性」這兩個概念，正面肯定省籍作家的藝術特色，而非鄉土文學論戰期間，「地域性」成了負面的名詞，被用來攻擊鄉土文學。余光中還說：「外省小說家，尤其是軍中的一些，常常要依賴對大陸的回憶來創作，久而久之，似乎有體裁難於爲繼的現象。」這說得完全符合當年流行的「反共懷鄉文學」走入困境的情況。

對余光中的描述尤其是「總序」中的某些觀點，一些作家並不以爲然。這裏要特別提到：不少香港著名作家對余光中寫的「總序」，提出過嚴肅的批評。司馬長風在〈臺版《中國現代文學大系》〉中，批評詩選部分西化色彩太濃，入選地區和作家均欠公允。董橋認爲余光中奢言「向歷史交卷」，不過是「美麗的空談」。與其說他在「向歷史交卷」，不如說是「向自己交卷」，「大家說他們偏見不公」，是預料中的事。批評得最多則是《中國現代文學大系》的編輯宗旨和構想。一九七二年底，有位「天問」的讀者在《書評書目》上說：「所謂《中國現代文學大系》於年初出版面世以來，我們的讀書界和文壇迴響連綿不絕：大體說來是掌聲錯落可數，低嘆和怒斥如濤，這眞是咱們作家多於作品，開會多於寫稿——文壇的第一大怪現象。」他一針見血地指出：這套書名不副實，它不應該稱「大系」，而只能算是「選集」。此外，「現代」一詞的定義也過於寬泛和模糊。對洛夫編的詩集部分，劉漢初在《中外文學》二卷二期中批評說：「有人說，《中國現代文學大系》詩一輯二四二頁所收羅行〈贈歌之三〉一詩是個荒謬的笑話。原來，作者本人曾經出面澄清說這『首』詩最後一節原屬另一篇詩，當初發表在《笠》詩刊的時候就誤排了。大系編者不乏當今祭酒級的詩人，居然也患上這般嚴重的青光眼，則編者於詩無意求解的態度，豈只是一句笑話所能交代過去？詩壇領袖『不涉理路』至此，更遑論其餘了。」

洛夫一直認爲他領導的「創世紀」代表著中國詩壇的主流，而別的詩社他總是橫加指責，如認爲「笠」詩社「除經常介紹日本現代詩及整理詩壇資料外，另一特色乃在『集體批評』制度的實施。他們的批評頗爲坦率，但深入而嚴格的批評係受過訓練的專業工作，一般人只能作泛泛之讀後感。一個創作者任由一群人作皮毛的挑剔抽剝，時難免有被輪奸之憾。」這裏用「輪奸」一詞，不但不文雅，而且還傷害了對方，這就難怪「笠」詩社的成員杜國清回應他說：「洛夫這篇序，在我看來，既沒有總序那麼認識大體，頭頭是道，也沒有當年《中國新文學大系》（詩集）中，朱自清所寫的〈導言〉那麼客觀、親切。」洛夫在序言中說：「笠詩社同仁從存在現象中，和從事物的直接反應中去求取詩的題材，以圖創造更具人性的作品，本是一條廣闊的道路，但表現較爲成功者，僅有白萩等一、二人，其他多因未能有效控制語言，表現過於直接，而使詩落入言詮。」這段話過於主觀，尤其是過後再來觀察「笠」的語言應用問題時，杜國清認爲洛夫的言論必須加以修正。因爲「笠」詩人一直在進步，他們運用語言的能力已今非昔比。

「巨人版」《中國現代文學大系》係受趙家璧主編、一九三五年由上海良友圖書公司發行的十卷本《中國新文學大系》的影響，因而批評者常常將這兩個「大系」進行對比，劉紹銘認爲「巨人版」的「大系」不但沒有「良友」的規模和氣派，而且選文也缺乏經典性，充其量只能叫「文選」。尤其是洛夫故意以選至一九四五年出生的詩人爲理由，取消原已票選入圍一九四九年出生的李敏勇、一九四八年出生的鄭炯明和羅青，以致釀成「詩壇的『慕尼黑事件』。」（註一八）

人們之所以批評洛夫爲這套「大系」詩輯寫的序，還因爲他激烈地反叛傳統。洛夫在序中說：「中國現代詩不僅與古詩發生連鎖關係，甚至與「五·四」時代的白話詩也是貌合神離。」這說明他們希望將傳統拋棄，然後用「虛無、悲觀、反理性或無道德感」取而代之。他們甚至連詩本身的文學性也大加撻伐：「純粹的詩已非文學。」這顯然說得太絕對了，另外洛夫還輕率地否定新世代詩人的創作成績：「今天我們詩壇上青年詩人輩出，新的詩社詩刊紛紛出現，但這不足以證明在觀念上與技巧上與前一輩詩人處於對立的地位，他們的努力仍然只是前輩詩人事功的延續，他們的創作無疑的將使我們詩壇既有的成就更爲充實……然而，除非社會性質與形態起了劇變（例如由今天的半農業社會進入全面的工業社會），想即使再過二、三十年，我們詩壇恐怕仍難有『新一代』出現。」洛夫之所以不相信有新一代的詩人接班，是因爲他深受過比自己年輕詩人的傷害，如本書上一節敘述的李敏勇批評洛夫主編的詩選所引發的「招魂祭」事件。孫震對洛夫倚老賣老的做法也很不以爲然：「如果上一代眞的勝過下一代，還有什麼進步可言?上一代總覺得下一代長不大，下一代總是沒有信心，可能是近代我國積弱不振的一個重要原因。」「主流」詩社則這樣反擊洛夫的序文：「我們不承認前輩詩人給了我們什麼，正如同他們拒絕承認上一代給了他們什麼一樣，這乃是歷史的循環！」這種「循環論」，同樣顯得不科學，態度不冷靜。比較起來，「龍族」詩社的陳芳明，還有在海外的李國偉，態度比較客觀。「星座」詩社同仁林綠則認爲問題的癥結出在編選者的「史識」上：「臺灣文壇也許缺乏夠水平的批評家，夠水平的編選家尤其缺乏。『大系』的出版，暴露了所謂『選集』慣有的現象：草率、偏激、不負責任、沒有批評家的修養、情感用事與意氣用事。《中國現代文學大系》雖然外表衣著豪華炫目，其內裏所呈現的景色，卻是令人失望的。」當時「不令人失望」是比「大系」規模小的現代文學「選集」。這套《中國現代文學選集》，由「國立編譯館」齊邦媛主編、一九七六年春以中英文版發行。其中新詩部分由余光中和楊牧等人翻譯，這套書的主編者沒有加入任何詩社，當然不可能站在「創世紀」或別的詩社立場，因而比「大系」獲得更多人的讚同。

這場對《中國現代文學大系》（詩輯）序言的爭論，那時唐文標還未出場，關傑明旋風也還未掀起，但這次批判引發了關傑明寫作〈中國現代詩的幻境〉的欲望，而另一位大將正如蔡明諺所說「顏元叔已經蓄勢待發，揮戈向前了。」（註一九）

第五節　出現「關三篇」

從一九七〇年代初起，在反帝、反西化、有中國傾向的左翼保釣運動的思想衝擊和新世代詩人推動下，現代詩壇開始了內部反省。正是在這種氛圍中，在新加坡大學英文系執教並爲《中國時報》「海外專欄」撰稿的關傑明，先後發表了〈中國現代詩人的困境〉（註二〇）、〈中國現代詩人的幻境〉（註二一）、〈再談中國現代詩〉（註二二），颳起了一股導致現代詩人創作路線的論戰與反省的旋風。

關傑明讀過三本均冠以「中國」名，而實際上很少中國性，卻有濃厚的「國際性」、「世界性」的三本有關詩集即葉維廉編譯的《中國現代詩選（一九五五～一九六五）》，張默、瘂弦、洛夫主編的《中國現代詩論選》（註二三），洛夫主編的《中國現代文學大系（一九五〇～一九七〇）》詩一、二輯，他沉痛地指出：

> 最近出版的一本題名《中國現代詩論選》的評論集，不論其成績如何，至少記錄了一些今日中國現代詩人的態度：由社會批評的觀點來看，這本書是「文學殖民地主義」的產品；由美學的觀點來看，那只是一批人事先商量好一起玩的一套文學上的障眼法。而由這兩個觀點同時看來，那些評論只在中國讀者和這些詩人兼評論家之間建立一種形同威脅的關係。

被關傑明點名批評的作家有洛夫、白萩、葉維廉、商禽、鄭愁予、葉珊、紀弦，認爲他們的詩作蒼白無力，「極端缺乏大眾化明確的內涵」。

關傑明又說：

> 中國作家們以忽視他們傳統的文學來達到西方的標準，雖然避免了因襲傳統技法的危險，但所得到的不過是生吞活剝地將由歐美各地進口的新的東西拼湊一番而已。所謂的「新」詩，往往顯示出一種不是土長土長、都是來自新大陸的任性；他們漫不經心地指責傳統文化時文字運用束縛太

深，但又自己不能深刻發展出一套控制語文結構及語文使用的理論。

關傑明的頭篇文章，並沒有在臺灣社會引起震動。此時大家的注意力都在尼克森訪問北京所造成的撼動上。不同於〈中國現代詩人的困境〉，第二篇〈中國現代詩人的幻境〉由於向眾多第一線的詩人開炮，故引發出詩壇地震。唐文標發表支持關傑明的文章〈先檢討我們自己吧〉，李國偉也有〈詩的意味〉發表。李國偉說：「雖然關先生省略了社會性理由的討論，但是他很嚴肅地要求詩人尊重群眾，要勇敢地站出來，接受那些未曾收過文學偏見或知識獨斷所左右的大眾的常識判斷。」

關傑明批判臺灣現代詩，其深刻之處在於披示出這一層「文化殖民」的處境。他以銳利的眼光，深刻揭露了美國文化在戰後臺灣社會推行的新殖民主義。

一九六六～一九七〇年的《文學季刊》時代，許南邨（陳映眞）、尉天驄等人都曾批評新詩西化的傾向，但由於他們的文章遠非像關傑明發表在「光亮度」極大的《中國時報》上，因而未引起重視。據陳芳明分析，關傑明的批評具有下列優勢：他身在海外，可以不受國內各種人情關係的羈絆，論事較爲客觀；他受過系統的文學訓練，特別是對西方文學的發展非常熟悉，能夠清楚認識西方文學的優劣；他進一步以西方的文學來印證中國現代詩的西化部分，精確地找到了中國現代詩的弊端（註二四）。

由於關傑明的文章有強烈的針對性，尤其是他淩厲而嚴苛的措辭和指名道姓的批評，故立即引起三本「選集」的主持者即《創世紀》負責人的緊張。他們準備以出版「中國現代詩總檢討」專輯的形式來反駁關傑明的觀點。一九七二年十一月出版的《幼獅文藝》，也在徵求對關文不同意見的稿件，並登出端木鼎的〈現代詩與現代詩的批評〉。此文沒有正面批駁關文，卻以「關傑明本人粗通中文（他的文章是以英文寫成即可證明），對中國的現代詩缺乏直接而深刻的瞭解」爲由，抹殺關文的理論價值。《創世紀》在發布取消反駁關傑明啓事（註二五）時，也說明關傑明「以異國文字來寫批評，更知他對中國傳統與現代文學均極隔膜」。這種「駝鳥式的逃避」（註二六），足以讓人以爲三「選」主持者心虛、不敢正面回答關文提出的要害問題。

在關傑明一口氣射出三大炮後，趁文壇還沒有甦醒過來，比關傑明來勢更凶悍的唐文標又補上三槍。唐文標一九六〇年代曾寫過詩，他以史君美的筆名發表過〈先檢討我們自己吧〉（註二七）。他針對有些人提出關傑明應以中文寫作的離題要求，說了句十分精闢的話：「臭蛋外國鼻子也可以嗅出來，不一定需要跳樓才能證實可以跌死。」這種幽默和機智，說明這位批評者出手不凡，這正好爲即將到來的「唐文標事件」作了預告。

關傑明旋風只颳到一九七二年底，從此關氏退出文壇，不再有文章回應。按蔡明諺的說法：「從文學史的角度回顧起來，關傑明『震撼』最大的意義在於，他提出了以『文化殖民』，而且是『美國文化殖民』來重新思考臺灣現代詩，以及戰後整個臺灣社會的『現代化』進程。」儘管關傑明不是「文化殖民」一詞在臺灣的首創者，也不是頭一個提出引起人們注意的「美利堅化」（註二八）的學者，但他比余光中、顏元叔說得更透澈，其姿態也更勇敢。

第六節　洛夫和顏元叔的爭辯

以眞誠坦率著稱的顏元叔，其批評文字常常鋒芒畢露。不管對方名氣有多大，他均毫不留情地舉起自己的手術刀進行解剖，提出建設性的批評。〈文學類型的觀念〉係首次評及洛夫的作品。後來又寫了〈細讀洛夫的兩首詩〉（註二九），他對洛夫的作品沒有低估，他認爲「二十年來的自由中國現代詩壇上，洛夫是最有成就的詩人之一。洛夫的詩有才氣，有魅力；語言的運籌顯得大膽，刻意創新。」他這樣分析洛夫〈太陽手札〉寫得好的原因：「美國新批評家布魯克斯曾說，詩是矛盾語言。洛夫在這裏使用的矛盾語極多。如上引之『樹都要雕塑成灰』，『鐵器都駭然於揮斧人的緘默』，『唯灰燼才是開始』等。矛盾語絕非晦澀語，亦非互相抵銷之語言。布魯克斯認爲矛盾語把握了詩的眞精神，甚至生命之奧義。」對洛夫另一首詩〈手術台上的男子〉，則評價不高。他用新批評的方法，指出洛夫雖有狂野的才氣，但判斷力尚待修煉，認爲該詩最大的缺陷是結構欠完整甚至「結構崩潰」。所謂「結構」，顏元叔的解釋「是指字與字的關係，詞組與詞組的關係，意象語與意象語的關係，行與行的關係，段節與段節的關係，更包括語言與對象的關係。」他用這一結構定義，另批評羅門和葉維廉的作品。至於〈手術台上的男子〉，顏元叔認爲另一失敗原因是意象關聯性很低，無法讓人理解意象之間的關係。如詩中有這樣的句子：「手掌推向下午三點的位置。」顏氏批評說：「有沒有任何必要的理由，說『下午三點』就是暗示死亡?下午四點、五點又如何?如果缺乏必然性，也就是說，這個意象語與對象本身（那個傷者），缺乏必然的聯繫。」

儘管顏元叔是以嚴肅的學術態度探討洛夫詩作的得失，但洛夫的朋友和粉絲很不滿意顏元叔的批評。一九七四年七月，《創世紀》第三十七期「詩論專號」出版前，在報紙上刊登預約廣告稱：「……針對詩壇現況詳加檢討，特別揭穿有些不事創作的學院派人士之詭計，使他們自慚形穢。」按洛夫的說法，這裏的「學院派」，是指「唐文標、高準、陳芳明等人」，他們「正是一小撮的代表人物」；至於

「詭計」，是指「唯物論與社會主義」、「普羅文學思想的毒粉」，再加上「赤色先鋒」、「共黨的應聲蟲與打手」，使這場論戰不再是詩學觀之爭，而成了意識形態的前哨戰。洛夫在他的文中引用蔣介石爲「國軍新文藝運動」新頒布的「十二條幾乎涵蓋了世界性的文學準則」，點名批判唐文標及其辯護者高準、陳芳明，又譏諷了顏元叔、余光中和高信疆（高上秦），這就是霸氣十足的詩壇重鎮洛夫對現代詩論戰的「總檢討」。

「學院派」本是中性名詞，但洛夫主持的《創世紀》所講的「學院派」，卻是貶義詞，如阮德章就認爲顏元叔「以學院派眼光及方法來批評現代詩是否允當？用美國之新批評方法，逐字逐句解釋詩，勢必把一首詩割得支離破碎，面目全非。洛夫之詩本有結構，顏先生這麼一抽筋剝皮，不破碎也破碎了。希望顏先生少寫批評。」這簡直要顏元叔封嘴封筆，顏氏讀後感到十分「憤慨與睥睨」，盛怒之下發表了用「坦蕩胸襟以迎抗之」、充滿情緒語的〈颱風季〉（註三〇）：「反對我的人應以詩篇爲始終，以文評爲極限，何至於筆尖醮著情感，用『愛之深責之切』這類鄉願套語把文學評論納入社交活動！最令人哭笑不得，莫過於某某君壓我『學院派』的高帽子。何謂『學院派』？我實在不甚了了。假如說『學院派』意味著一種嚴肅清明的分析與求知，則我寧願留於學院之內，而不願掉落在學院之外渾沌無知的泥沼中。」這裏暗諷《創世紀》的詩人「渾沌無知」，故洛夫讀了後頗爲不快，寫了〈與顏元叔談詩的結構與批評〉，認爲顏元叔經常用假設作爲根據：「由於『細』文中使用很多假設，以致看出批評者稍嫌主觀與武斷。例如他說我請人把『手』詩譯成英文，就假定我自認爲傑作之一。」對詩的藝術規律，顏元叔也不夠瞭解，竟然用小說的結構要求現代詩。顏元叔認爲洛夫「結構崩潰」是受了超現實主義影響，其實，洛夫認爲自己對超現實主義有充分的瞭解。最後，洛夫也以細緻解讀的方法反彈顏元叔——

誤解來自於顏元叔以「不合常理，無法想像及技巧低劣這三者來批評」。爲此，洛夫分別以「用抽象語表示普遍狀況，以誇張語強調藝術效果以及當時創作的心理狀態」來回應顏氏說的缺陷。例如顏元叔批評〈手術台上的男子〉的結尾「十九級上升的梯子……十九個窟窿」道：「第一句大概表示他是十九歲，每一階梯算一歲；階梯互有連貫，形容連貫的十九歲生命，也許還說得通。『十九隻奮飛的翅膀』呢？『十九歲怒目』呢？難道說他每一歲的生命，可視爲一隻憤怒的『眼睛』，那麼一隻憤怒的『腳板』或『耳朵』又如何？『奮飛的翅膀』，也是一樣。『十九個窟窿』完全是湊合上去的。他果眞身上有十九個傷口？恰巧配合他十九個生日不成？我覺得這是不誠懇的命意措詞。」顏元叔這種批評法，與吹毛求疵相差不遠。在洛夫看來，從事文學評論工作的人都缺乏詩人應有的想像力：「前四個『十九』以及最後的『十九個窟窿』都不能根據我們的實際經驗去瞭解，我只能視爲一連串的暗示，這些『十九』的數目本與他的年齡無直接的關係，乃強調他生前強盛的生命力和憤慨的情感，『十九個窟窿』也只不過在強調其傷勢之重，必死無疑。全部使用『十九』，旨在求得氣勢的一貫，絕不是可以亂『湊合的』。詩，但求想像之眞不重視實際的眞，是否有『十九個窟窿』又何妨？李白〈蜀道難〉有句『爾來四萬八千歲』……而顏先生是不是也要說李白這些詩句都是『不誠懇的命意措詞』？」對顏元叔的批評態度，洛夫更不以爲然：顏氏的文章「劍光閃爍，語威逼人」，不是與人爲善，而類似判官詰難他人（註三一）。蕭蕭則認爲顏元叔缺乏諒解和同情心，對洛夫的詩作未曾仔細研究率而執筆，「忽略中國詩情，迷信西洋學理，有以致之。」顏元叔讀了後，寫了反駁文章〈陋巷雜談〉，洛夫便接過他文章的標題，用颱颱風的方式送給對方「陋巷中的批評家」的「雅號」（註三二），並與此作爲文章的題目大肆反駁、挖苦他，比對手的文章更充滿了情緒語。

這不是一場論戰而簡直是一場混戰。支持顏元叔的人認爲，要改變讀後感式的批評，必須倡導顏元叔那種有理論性學術水平高的評論方式，如溫任平、戴成義就持這種看法，尤其是戴成義認爲：「元叔兄的批評文章和路向，值得大力推薦。這是一個推陳出新的時代，繼承傳統，不若放眼後代，因爲前者往往成了『懶蟲』的藉口。」（註三三）還有一些人讚成顏元叔觀點的同時，對其批評的細節有所保留，如劉菲認爲顏元叔「愛之深責之切」，但無法接受顏氏對洛夫逐字逐句的解剖和批評（註三四），詩人吳晟也持這種看法。和這種看法相反，郭楓對現代詩的批評異常激烈，還帶有人身攻擊的成分：「詩壇作僞成風，令人氣結！如碧果之流，應有大筆以撻伐之。」郭楓還認爲楊牧的〈十二星象練習曲〉，讓人像丈二和尚摸不著頭腦，這種讀不懂的詩就不是好詩（註三五）。大荒認爲郭楓用粗野的語言攻擊詩人，這才「令人氣結」。郭楓、李揚、大荒在《中外文學》所開設的「中外信箱」還互相投書批評對方，形成混戰局面，這又引來管管（註三六）、吳晟（註三七）等人的嚴重不滿，覺得這種「投書」不是學術批評，而是發洩私憤，不應該再登下去。鑒於討論已經失去學術意義，《中外文學》只好發表「編者按」：「一、擂臺能夠不擺就不擺。二、除非強調我們的信念，『編後』不忍心多占篇幅。」這是委婉地勸告論戰雙方不要再來稿了，「颱風季」論爭也由此打上句號。

不僅「中外信箱」發表的文章離學術之旨太遠，而且洛夫這次所作的反批評〈陋巷雜談〉，在一定程度上也帶有「報復」情緒在內。其實，顏元叔批評洛夫雖然有不周全的地方，但也不是句句在講外行話。當然，人是有自尊心的，何況詩人最容易衝動，洛夫的「秉性就不是一個深具城府，很有修養的人」，因而當蕭蕭〈現代詩批評小史〉（註三八）引發顏元叔的反批評後，洛夫也很不冷靜地捲入了這場論爭。

在〈細讀洛夫的兩首詩〉引起軒然大波後，顏元叔不但沒有收斂自己的鋒芒，反而乘勢追擊發表了〈羅門的死亡詩〉，用新批評的方法毫不留情地批評羅門的自以為是的作品。而好戰的羅門立即寫了〈一個作者自我世界的開放——與顏元叔教授談我的三首死亡詩〉回應。對出自同門的葉維廉，顏元叔則一反「劍光閃爍，語威逼人」作風，大力稱頌葉氏「定向迭景」的特色。蕭蕭卻認為：「可惜題目定為〈定向迭景〉，卻不曾指出葉維廉的『向』定在哪方？『景』如何迭成……前述幾篇評論的失敗，則是因為（顏元叔）缺乏諒解的同情心，未曾仔細深究，率而執筆。」（註三九）

蕭蕭的評論，可謂直言不諱，表現了向權威挑戰的勇氣。顏元叔讀了後，在一九七七年六、七月間的《中國時報》副刊「陋巷雜說」專欄中，連續發表了三篇雜文進行反批評。他除堅持原來的觀點（如批評現代詩人語法怪異，不使用日常語，詩寫得讓人讀不懂）外，還對一些現代詩人進行冷嘲熱諷。當然，其中也有不少善意的忠告：「你們應該看到一個事實，那就是你們與讀者間的鴻溝，十幾年來不僅沒有縮小，而且越來越大。廣大的讀者群，包括你們原先寄予希望的年輕學生，把你們全忘了。」這便刺痛了那些反對大眾化而主張化大眾的詩人。

多年來，臺灣詩壇由於缺乏一位有說服力的批評者來做諍諫工作，致使現代詩壇「吵架」風氣日甚。顏元叔從「陋巷」中走出，正好給現代詩論壇帶來了制衡力量。客觀地說，顏元叔對現代詩的許多弊端比洛夫這類詩壇內部的人看得清楚。以他的學識和不講情面的勇氣，應該可以為現代詩的發展盡更大的力量，可金無足赤，人無完人。顏元叔求新過切，過分迷信新批評的作用，再加上他批評態度時有武斷之處，有時還擺出一副權威架勢唬人，有個性、有自尊的洛夫等詩人自然不會「俯首就擒」，這樣便有一系列論爭文章的出現。

現代詩壇的公案自然不止洛夫與顏元叔之爭，但從上面舉的論爭事件已可看出：詩壇多「戰事」的好處是空氣活躍，眞理愈辯愈明；壞處是影響團結，不利於詩歌理論的發展。尤其是泛政治化的批評、人身攻擊式的批評，最不可取。

第七節　大俠唐文標

在五十年代末和六十年代初，言曦就詩的可讀性問題挑起論戰。在這次論戰中，詩人們幾乎是一字排開，站在保衛現代詩的「難讀」、維護現代詩不是清湯掛麵式的不可解這一邊。

自從唐文標出現後，論戰的範圍不再局限於用詞造句和藝術形式上，而集中在「爲什麼寫詩？」、「爲什麼人寫詩」這些問題上。

顏元叔在《中外文學》上發表〈唐文標事件〉（註四〇），其「事件」指的是唐文標結束客座教授的職位，回臺灣前夕同時發表的三篇文章。這三篇文章的共同之處是強調文學的社會功能，批判「藝術至上論」。唐文標把「逃避現實」者視爲「新一代的有閒階級」，認爲「他們的文學，是嗜好的，而非需要的；是賞玩的，而非合成一體的；是小擺設的，而非可運用的；是裝飾的，而非生活的。」在第一篇文章〈什麼時代什麼地方什麼人〉裏，他列舉了新詩中的三種錯誤傾向：一是以周夢蝶爲代表的「傳統詩的固體化」；二是以葉珊爲代表的「傳統詩的氣體化」；三是以余光中爲代表的「傳統詩的液體化」。對這「三化」，唐文標並未作具體解釋，但他批評現代詩未爲社會、現實服務的意圖仍可體現出來。分上、下篇的〈詩的沒落〉，副標題爲〈香港臺灣新詩的歷史批判〉。上篇〈腐爛的藝術至上論〉，主要以夏濟安主編的《文學雜誌》作批評的靶子，批評其「助紂爲虐，鼓勵青年寫逃避文學」。主張作家不應逃避現實是對的，但作者對《文學雜誌》爲什麼要「逃避現實」缺乏具體分析，對這個雜誌在抑制反共文學中所起的作用更沒有肯定。下篇〈都是在「逃避現實」中〉，批評現代詩人不該搞個人逃避、非作用的逃避、思想的逃避、文字的逃避、抒情的逃避以及集體的逃避。這種逃避貽誤青年，使「他們也學習這些，在其中三分之一瘂弦，加一點葉珊，調余光中之味，配洛夫之色，燒烤之下，又一首新詩了。」唐文標的文字寫得十分富於感情色彩和諷刺意味，感嘆「他們生於斯，長於斯，而所表現的文學竟全沒有社會意識、歷史方向，沒有表現出人的絕望和希望」。〈僵斃的現代詩〉火藥味更濃，作者特別強調「今日的新詩，已遺毒太多了，它傳染到文學的各種形式，甚至將臭氣閉塞青年作家的毛孔。我們一定戳破其僞善的面目，宣稱它的死亡。」

唐文標居高臨下，危言聳聽，以法官判決式的口吻宣判現代詩死刑，致使整個詩壇喧嘩騷動起來。比起過去詩社與詩社之間、詩人與詩人之間的爭辯，唐文標以一人的激揚文字、糞土當年現代詩的氣魄向整個詩壇挑戰，自然犯了眾怒，怪不得受到眾多詩人、作家的抵抗。顏元叔本來也是提倡社會寫實主義的，唐文標與他有許多相似之處，但顏元叔看不慣唐文標的霸道和以「救世主」面貌出現在文壇，他指出：「唐文標用大掃除的手法，把整個現代詩都說成脫離時空」，這不符合詩壇實際。「大量的現代詩正是時代之反映，甚且批評。」至於詩的幅度，應越寬越好，以表現人生境遇的各種情態。「文學那能夠天天『車轔轔馬蕭蕭』，有時也當『香霧雲鬟薄，清輝玉臂寒』一番吧。……當代的詩應該著重當代人生的描繪，甚至要求它有社會意識；然而這只是重心，這只是強調，而不應斷言只有社會意識的文學才有價值，其他的文學作品都是廢料。唐文標的偏狹的文學見解，只是從望遠鏡裏看到人生的一小塊，以為只有社會，沒有家庭；只有群眾，沒有個人；只有上意識，沒有下意識；只有述眾人之事，沒有抒個人之情；只有『怒髮衝冠』，沒有『淚濕青衫』。」

余光中是臺灣新詩的一面旗幟，他的創作從未歇息過。在言曦引發的論戰中，余光中充當了主角。對唐文標向現代詩的討伐，余光中也不可能靜觀，他發表了〈詩人何罪？〉（註四一），可惜其意氣多於客觀冷靜分析。他說：「要詩人去改造社會，正如責成獸醫去維持交通秩序，是不公平的。」他認為唐文標的文學觀是「幼稚而武斷的左傾文學觀……這種半生不熟的幼稚口號，早在三十年代已經喊濫，現在竟勞數學專家、客座教授從美國像轉運鴉片那樣批來臺灣，當作時鮮補品一樣到處叫賣，眞令人有點『惠帖』之感」。這裏給唐文標加上「左傾」的紅帽子，又把其理論比作「鴉片」，這均是把學術討論往政治上靠攏，引起對方的嚴重不滿。周鼎的〈為人的精神價值立證〉，（註四二）反對唐文標的偏激態度，所用的也是上綱上線的手法，認為唐文標的理論是三、四十年代的普羅文學觀，因此唐文標倡導社會文學是「居心叵測」，有的人甚至罵唐文標是和「大陸共匪互相唱和」，洛夫亦稱唐文標為「赤色先鋒」。被關傑明窮追猛打的葉珊，在〈致余光中書〉（註四三）中，則首次將關、唐並稱，並罵他們為「暴民」，這引來劉紹銘的不滿。他在〈漢魂唐魄——為「關傑明事件」致葉珊書〉中（註四四），認為關傑明為文的動機是出於對中華文化的無限熱愛，而非葉珊所講的自大傲慢，況且關傑明與唐文標不能相提並論：「萬一臺灣出了一文化局長，只要顯出三分唐文標的霸氣，那麼全臺灣搖筆桿的人，除了寫『為人民服務』的兵工農文藝外，再無其他出路。」

這場論戰從臺灣最大的日報打到最小眾的詩刊。在反對唐文標的所有文章中，除了顏元叔的文章較有影響，陳芳明發表在余光中主編的《中外文學》詩專號上的〈檢討民國六十二年的詩評〉（註四五），也有較強的說服力。該文從下列方面考察了唐文標立場的幾個偏失，第一，對「傳統」假設的錯誤：唐文標心裏的「傳統」最多只延伸到唐代，而這些又是停滯不變的。第二，對「現實社會」假設的錯誤：唐文標心裏的「現實社會」只有洪水猛獸的世界而忽略了其他。第三，對「詩人」假設的錯誤：唐文標只看到「逃避現實」的詩人，未看到另一種積極對抗現實的詩人。在還沒有轉變爲臺獨的陳芳明，他年輕時寫的文章就如此深刻和有說服力。

關傑明和唐文標的文章儘管討伐對象相同，但仔細考察兩人的文章有差別：關傑明的火藥目標是周夢蝶、余光中，而唐文標多了個葉珊。關傑明批評現代詩，多集中在語言文字的共通性問題上，而唐文標著重在思想。在保衛傳統方面，關傑明多站在人文立場，而唐文標則站在民間立場。兩人的共同毛病是不夠客觀科學和盛氣淩人，但它畢竟是一九五〇年代左翼政治、文化思想全面遭受鎭壓後首次衝破冷戰思想體系而得到的一次勃發，在光復後的文藝運動史乃至思想史上具有重要意義。在文學上，關、唐不無偏頗的文章，也引起了人們思考現代詩向何處去的問題。關傑明這股旋風披靡所及，首先被傷了元氣的便是「創世紀」在一九六〇年代所倡導的超現實主義。關、唐文章衝擊詩壇的客觀效果表現在：「以『笠』詩社爲主的寫實派線路和『葡萄園』的明朗風格，彷彿贏得了勝利，七十年代開始，配合現實政治及社會情勢的訴求，明朗穩健的寫實詩風取代了一九六〇年代現代主義的詩風而成爲詩壇的主流。」（註四六）總之，「爲人生而藝術」路線獲得越來越多作家的認同，「回歸民族，反映時代」的創作路線深入人心。連關、唐的論敵余光中也不能不承認：「唐文標的幾篇文章衝擊和影響力相當大，逼得詩人們不得不做一些反省，而逐漸地擺脫病態的現代主義束縛，另闢蹊徑，重返傳統——不是形式，而是一種自覺的認知。於是討論文學裏的時代社會意識的文章便多起來了，不染人間煙火的作品開始受到嚴厲批判。詩人們也喊出：唯有眞正屬民族的，才能成爲國際的了。」

在臺灣當代文學史上，發生的這場超越由二十年來現代主義與反共文學所構築的思想防線的論戰，蕭蕭、張漢良於一九七九年十一月出版的《現代詩導讀．史料篇》有意遺漏，這自然不是一種疏忽，而是表明他們不讚成關、唐的觀點。而尉天驄等人化名「趙知悌」編的《現代文學的考察》（註四七），則對唐文標等人的重要文章全予收錄，這也表明了編者的另一種態度和立場。

詩人本不該不食人間煙火。在民族存亡的關鍵時刻，是應成爲時代的號角，應與現實保持密切的聯繫。在這種新的美學原則下，陳芳明、古添洪、陳慧樺、羅青、李弦、掌杉、高準在論爭中脫穎而出。在對現代派的批判中，《詩潮》主編高準的〈論中國新詩的風格發展與前途方向〉（註四八），一文也很有影響。此文歸納了現代派詩的八種弊病：一、拖沓堆砌，結構散漫；二、叫囂吶喊，流爲口號；三、摧毀韻律，詰屈聱牙；四、排斥抒情，毀棄性靈；五、蹂躪漢語，曖昧晦澀；六、割絕傳統，喪心病狂；七、矯揉造作，頹廢虛無；八、摒絕社會，痲木不仁。與此同時，高準針對以上弊端提出寫詩八點主張：一、詞義清新，不作漢語之罪人；二、情意眞摯，不作浮濫之吶喊；三、結構精粹，不以散漫爲自由；四、韻律諧調，不失聽覺之優美；五、境界高遠，不作頹廢之虛無；六、加強吸收傳統精華，繼承光大民族的歷史命脈；七、深切地關注社會現實，堅決在中國的土地裏扎根；八、熱烈的發揮抒情精神，澈底清除「超現實」之迷妄。高準的論文援引了在臺灣一般人難於使用的資料，把臺灣現代詩放在整個中國詩壇加以說明和批評，表現了這位「不怕寂寞的獨行者」（註四九）獨到的立場與見解。但高準批判別人時也有過激之處，由此引起被批評者乃有關部門的懷疑、排斥和誣陷、打擊。懷疑、排斥均可以理解，誣陷和打擊就不應該了。

關傑明、唐文標這種橫掃一切的淩厲之風，在七十年代後期陳鼓應身上得到薪傳。哲學系出身的陳鼓應在鄉土文學論戰中看了余光中的〈狼來了〉之後，一口氣連寫了三篇激烈地抨擊現代詩的重要代表人物的檄文，結集為《這樣的「詩人」余光中》，由大漢出版社一九七七年十二月出版。後來又增訂了郭楓等人批評文章，由台笠出版社一九八九年九月再版。這些文章，是從讀者的角度去批評的。這對改變臺灣的文學評論文字文友間互相捧揚或互相應酬狀況，有所幫助。文中指出現代詩（以余氏作品為例）的語言「流入怪誕費解地步」也有見地。但這些文章和以淩厲的架勢出征的唐文標一樣，存在著說理不足、判斷多於論證的毛病，不少地方還顯得簡單粗暴。而對方的反批評手法也和當年一些人反唐文標的手法極為相似，即將其扣上一頂「紅帽子」，所不同的是說得更為露骨。如吳望堯攻擊陳鼓應批評余光中「頹廢意識」是「一套共產黨的專用名詞」（註五〇），又說陳鼓應這種批評是「共產黨的『口頭禪』」，（註五一）他認為對付不同的意見，「木棍不夠，就用鐵棍」（註五二）。這種用恐嚇乃至誣陷手段對付偏頗意見的做法，是一種心虛和無能的表現。

不管是大俠唐文標還是為現代詩擊鼓的陳鼓應，他們所參與的論戰，焦點不再是形式的新舊、詩的可解與不可解，或詩人詩社分家的吵鬧，而是超越現代詩，對文學是朝大眾還是小眾方向發展，其創作對社會有無貢獻這類問題進行反思。紛爭的雙方，不在於是詩人還是詩評家，是島內學者還是海外教授，而在於雙方世界觀、文學觀的不同。這不同，便是引發紛爭的重要原因。

第八節 《白玉苦瓜》在香港

大陸一個習慣用語是「臺港文學」，這是因爲臺灣與香港文學聯繫緊密。一九七四年八月底，余光中到香港中文大學任教，前後十一年。他是一位極富爭議的作家。一九七二年二月，他的新詩〈白玉苦瓜〉，所詠的是臺北故宮博物院珍藏的玉品，它「滑不留指的瑩白玉肌下，隱隱然透現一片淺綠的光澤」（註五三），爲余氏所十分鍾愛。余氏當然也嘆賞鬼刀神工的翠白菜和青玉蓮藕之類，但作爲詩人，他認爲白玉苦瓜更富象徵意義：「瓜而曰苦，正象徵生命的現實」。現實中的苦瓜必將枯朽，但神匠手下的產品苦瓜，哪怕是假的，必然不朽。「生命的苦瓜成了藝術的正果，這便是詩的意義。」（註五四）余光中就這樣把白玉苦瓜看作是詩的象徵、中國文化的象徵。在寫〈白玉苦瓜〉時，由於藝術上有所創新，便引來一些傳統批評家的非議。

余光中的詩作在港臺有極多的讀者。在香港還出現了一位在臺灣未有的研究余光中專家黃維樑。黃氏是余光中作品的知音，在他寫的〈詩：不朽之盛事——析余光中《白玉苦瓜》並試論詩人之成就〉（註五五）中，認爲白玉苦瓜「所象徵的是詩：是人類寫了幾千年的詩，是中國從詩經時期到現代的詩，也是余光中自己的詩。……首節描寫成熟中的白玉苦瓜，次節回顧它從前孕育成長的歷史，末節則言其永恆不朽，成了詩藝的正果。」黃氏高度評價此詩的技巧，認爲「余詩體式整齊，結構嚴謹，一望而覺深得古典之美」。又說：「余光中對國家和世界的貢獻即在其語言的藝術。」

《快報》專欄作家曾幼川讀了黃維樑的文章所引的余光中詩後，「不禁懷疑起來：以余先生在詩壇上的盛名，竟會寫出這樣不通的詩？」然後他聯想到黃維樑的分析及余光中的另一篇〈評戴望舒的詩〉（註五六），便寫了〈對余光中的期望〉（註五七），批評余光中不守基本上的行文法則，如在「哺出」和「嬰孩」之間插上「不幸呢還是大幸」（原句爲：苦心的悲慈苦苦哺出／不幸呢還是大幸這嬰孩）這種修飾語，不是中文所具有的表達方式。還有：「詩的難懂在意象，在表達方式，那還有討論的餘地，若是由於文字不通，那是毋庸討論，絕不能認可的。」他希望余光中「以後寫詩，務用通順的中文，領導新詩走健康的道路。」

古人說：文似飯，詩如酒（註五八）。不要「迷幻藥」只要「鎭靜劑」，沒有時間欣賞難懂的抽象圖而只要眞實地看一看夢裏的故鄉的曾幼川，不諳詩歌創作常用不合常理卻合藝術之理的語法這一特殊規律，是典型的以「飯」責「酒」的批評。他這篇連載了三天的文章其中有一段說：「天啊，讀余先生的詩句，不過皺眉，看黃先生的解釋，忍不住要噴飯。」其實，眞正使人「噴飯」的是他這一缺乏詩學常識的批評。由於現代詩登上臺港詩壇的歷史不長，不少人還慣用傳統的眼光去挑剔它。當然，不可否認，「現代派」詩歌跟工業化時代發生了衝突。在起重機代替楊柳的時代，人們講究效率，「吸收精神營養也希望快過打針，可是現代詩卻慢過太極拳；這種現象反映在出版上，很少有出版商願意出版現代詩，倒是《唐詩三百首》越銷越旺。」（註五九）這樣便又有曹愗績〈新詩給我的迷惘〉（註六〇）。所不同的是，曹文不像曾幼川那樣挖苦、嘲笑，而是心平氣和地對余光中表示了自己的迷惘與期望。但他的文章立論仍不免守舊，表現了對現代詩所使用的新的技巧不理解。

一九六〇年代末發生過「密碼詩」筆戰的《當代文藝》（註六一），十分注意現代詩發展的動向，於一九七六年二月號特別製作了這一新發生的「詩戰」專輯（註六二），計有以編輯部名義發表的〈現代詩又起論戰〉的短文，並轉載了黃維樑、曾幼川、曹懋績的文章。此外還有該刊專欄作家黃南翔新寫的〈從「不通的詩」說起〉。後一文，不點名批評曾幼川「評詩的觀點似乎陷入了『理性』的泥沼，以一般的語言邏輯來要求於詩，忽略了詩歌的特殊語言結構和修辭手法」，並對〈白玉苦瓜〉的第二節前四行作了富於創造性的詮釋。黃南翔在文中一再強調，評論詩必須掌握詩歌語言藝術特點，「因爲這不僅是語言的通與不通的問題，而是欣賞詩歌的方法問題。」（註六三）

余光中看了《當代文藝》所製作的現代詩論戰專輯後，曾致函徐速云：

> ……香港在現代詩運動上起步較臺灣爲晚，宜乎時至今日仍屢見冷嘲熱諷之文，但在臺灣文壇，此種敵視氣氛早已過去，現代詩集再版三版，亦爲常事，現代詩朗誦會及講演會，亦動輒號召三、五百人，即弟之詩所譜〈中國現代民歌集唱片〉，去年十月問世以來，亦竟三版矣。（註六四）

余光中在這裏講的香港詩壇比臺灣詩壇封閉，確是事實。正因爲如此，在《當代文藝》一九七六年第七期上又出現了「余好問」〈改余（光中）詩二首〉的鬧劇。「余好問」自以爲比余光中高明，將余氏的〈白玉苦瓜〉及另一首〈北望〉擅加修改並對照發表，這種「惡搞」嚴重地損害了原作的風格，徒給文壇增添笑柄而已。

香港文壇爲余光中的〈白玉苦瓜〉產生筆戰，還引起《當代文藝》海外讀者的重視。有一位在馬來西亞某大學任教的「夜半客」便給《當代文藝》寫了暢談詩戰一文（註六五），表示支持余光中的創新，反對用守舊的觀點挑剔現代詩，並以「試解」〈白玉苦瓜〉說明此詩並無不通之處，反倒是一首難得的佳作。

由黃維樑〈詩：不朽之盛事〉一文所引發的現代詩論戰，是藝術上的守舊與革新之爭。余光中的〈白玉苦瓜〉不同於臺灣某些惡性西化詩。它從題目、內容到藝術手法，都打上了鮮明的中國烙印，是新詩現代化的成功之作。通過論爭，有利於「志在役古，不在復古」、「志在現代，不在西化」（註六六）的「中國化的現代詩」的推廣和流傳，同時也利於廣大讀者提高欣賞現代詩的水平。

第九節　誹謗韓愈案

在戒嚴時代，時有干涉學術自由討論的事發生。如在七十年代，有人攻擊高三下第六冊國文最後一課選的是清代孔尚任《桃花扇》續四十齣〈餘韻〉：「眼看他起朱樓，眼看他宴賓客，眼看樓塌了。這青苔碧瓦堆，俺曾睡風流覺，將五十年興亡看飽。」認為這段曲文分明是諷刺國民黨。擔任主編的臺灣師大周何教授是臺灣第一位中國文學博士，他說：「我選的是清代戲劇，並不是我的作品。」攻擊者說：「劇本那麼多，你為什麼偏要選這一課？」周教授差一點進了被人們稱之為「保安大飯店」的警備總部。（註六七）下述的「誹謗韓愈案」，同樣是這荒謬年代發生的荒謬的事件之一。

事情是由「干城」（郭壽華的筆名）一九七五年十二月二十五日所寫的〈韓文公蘇東坡給予潮州後人的觀感〉引起的。此文云：

韓愈爲人尚不脱古文人風流才子的怪習氣，妻妾之外，不免消磨於風花雪月，曾在潮州染風流病，以致體力過度消耗，及後誤信方士硫磺鉛下補劑，離潮州不久，果卒於硫磺中毒。（註六八）

這在一般讀者看來無甚新奇的「觀感」，卻引來了郭壽華的同鄉黃宗識的異議，他甚至以派親關係上訴法院，說郭壽華有意誹謗文學史上的名家韓愈。可黃宗識並不是韓愈後代，無訴訟權，便找到韓愈第三十九代直系血親韓思道提起自訴。臺北地方法院竟受理此案，經過二審宣判郭壽華犯誹謗死人罪，罰金三百元。

此案判決後，引起文壇極大的震驚。一九七七年九月十四日，《聯合報》刊載〈誹謗韓愈二審定讞，郭壽華罰三百銀元〉，同日刊出嚴靈峰寫的〈誹韓的文字獄平議〉。薩孟武亦在九月十五日寫了〈論「誹韓」的文字獄〉，文中說：

韓愈到底得了什麼病，有沒有吃過硫磺，這都是無關重要的。重要的是一千餘年以後，有人寫了文章，考證韓愈的病，而司法機關竟爲一千餘年前的韓愈，判決現在著作人郭壽華犯了誹謗罪罰金三百銀元。我不知道這個判決是根據刑法哪一條，根據刑法第三〇九條麼？此條所謂的「人」是指活生生的人。根據刑法第三一二條麼？本條所謂「已死之人」，必有期間上的限制，否則我們隨便評論一位古人，均將犯了誹謗罪。此風一開，誠如嚴靈峰先生所說，我們不能批評王莽，不能批評曹操，不能批評秦檜，不能批評張邦昌。文人一執筆，一下筆，動輒得咎，哪裏尚有什麼言論自由？

爲古人抱不平，寫文章反駁可也，告到法院，眞是聞所未聞。東漢王充所著的《論衡》，有〈問孔〉、〈刺孟〉兩篇文章，東漢天子固未曾下令列爲禁書。只惟明代李卓吾批評程朱的道學，明神宗萬曆三十年以後，一直至有清一代，才將李之著作禁止刊行。然明代王陽明所說：「道，天下之公道也。學，天下之公學也。非朱子可得而私也，非孔子可得而私也。」以當時孔學及道學之盛，兼以明代天子那樣的專制，我也未見王陽明因此數句，而受免職處分。吾國在明以前，民間言論極其自由。杜甫之〈石壕吏〉是批評賦稅之苛，〈兵車行〉是批評兵役之重。白居易的〈長恨歌〉，且指玄宗「好色思傾國」，而致「漁陽鼙鼓動地來，驚破霓裳羽衣曲」，「六軍不發無奈何，宛轉娥眉馬前死」。其後來天子曾加白居易以「不大敬」的罪名麼？生在千年之後，批評千年以前的人，有人控告誹謗，法院竟予受理，且處被告以罰金之刑，這眞是開司法未有之例。此例一開，任何一本書都要變成禁書。

薩孟武對該案由韓愈「第三十九代孫」韓思道提出訴訟，也提出質疑。因這個受理理由已超出一般的常識之外。在封建專制時代，文人只要寫出三代，而現在竟追溯到三十九代，這自然是一種「進步」。可惜的是，「唐代的譜牒至宋已不可信，難道到了民國，反可信麼？漢唐兩代對於外夷來降者多賜於國姓，漢賜姓爲劉，唐賜姓爲李，則今日姓劉的是同劉邦一族麼？」其理當與今天姓韓的不見得是與韓愈一族同。

嚴靈峰在一九七七年九月十八日發表的〈公是公非，必須判明〉，向受理案件的法院提出如下質問：

第一、我要問：中華民國的刑法哪一條、哪一項規定，指人有「風流病」是犯罪行爲？

第二、韓思道是否韓愈的「直系血親」？

（一）韓思道所提出的證件〈韓氏宗譜〉……係民國二年二月所修。既稱：「家譜無存」，又云：「相傳文公二十四代孫玉珍。」韓玉珍本人乃係從「傳聞」而被認爲是「二十四代孫」。民國二年新修的家譜，距韓愈之死一千餘年，根據什麼資料和何種理由能夠證明：韓玉珍是「韓愈的直系血親」？這難道不是「神話」嗎？

（二）……二十四代的韓玉珍，尚無法確定她是「韓愈的直系血親」，而韓玉珍又過十五代的韓思道，算得上什麼？他具有「告訴權」嗎？同時，此是「家譜」的最後一頁，筆跡與原譜根本不一樣。……法院爲什麼不予追究？

民間倒是有人追究，那就是黃正模告發韓思道僞造文書。經過學術界人士對「誹韓案」的大力撻伐後，楊仁壽於一九七七年九月二十日發表〈再論「誹韓案」〉，說他們判案的依據是刑法第三一二條第二項「誹謗死者罪」，可越解釋漏洞越大，無法平息讀者的憤怒之情。楊仁壽只好在文章的末尾安慰一下學術界說：「想經此番『筆戰』之後，法院同仁（筆者自始至終未參與審理「誹韓」案）已瞭然治史、考據學者『處境』，嗣後處理類此案件，當會予以『考慮』。」由此可見戒嚴期間學者、專家的處境。對千年以前的死人尚不能批評，如批評就上法院訴之於法，那批評活人、批評健在的作家或文化名人，其後果就將更不堪設想。

參加論戰的不僅有嚴靈峰、薩孟武、楊仁壽，還有薛爾毅、羅龍治、張玉法、高陽、錢穆、沈雲龍、陸以正、管國維、彭國棟、楊崇森、何烈、齊濟、謝浩、黃正模、葉慶炳。其文章均收集在《誹韓案論叢》。另一本出版於一九七八年一月二十五日的《誹韓案論戰》，收集的文章更多，計有干城、韓思道、陶希聖、沈野、任卓宣、劉昭晴、馬起華、成貞、杜若、嚴靈峰、薩孟武、羅龍治、楊子、莊練、薛爾毅、高旭輝、子堅、黃宗識、陳祖貽、楊仁壽、行健、高陽、謝浩、彭國棟、王立、葉慶炳、張玉法、勞政武、錢穆、漢客、曾修安、沈雲龍、武陵溪、沈光秀、羅中天、思年、莫名、何烈、峥嶸、陸以正、管國維、崇森、楊崇森、章貢、鄭宗武、齊濟、何繼雄、胡漢君等人。另有《大華晚報》、《聯合報》上的三篇文章。（註六九）

「誹韓案」從發生到結束，前後經歷了兩年多時間。它原屬古典文學批評範疇，但鑒於它和當代文學運動有密切的關係，從中也可窺見文學理論環境和生態，因而特加以專節記載。

第十節　改寫新文學史

余光中不僅在創作上有重大成就，而且在評論上也很有建樹。

在余光中去香港中文大學前，已出版《掌上雨》（註七〇）的評論專集，奠定了他在臺灣文壇的批評家地位。他寫這些評論的六、七十年代，是臺灣文壇混亂而矛盾的時期。那時文壇沸沸揚揚，發生了一系列論戰，尤其是詩歌界的巷戰彼落此起，余光中被捲入大漩渦之中，成了火藥的目標之一。在這種情況下，他只好披掛應戰，寫了許多不無意義的論爭文章。來到香港後，他遠離了臺灣文壇，除寫過〈狼來了〉（註七一）那樣觀點偏激、充滿情緒語的文章外，他再用不著像當年那樣徒耗精力去鞏固「國防」而可安下心來抓「生產」了。特別是轉系改行，在臺灣高校外文系教了十幾年轉到中文大學中文系的崗位後，他利用講授「中國新詩」、「中國現代文學」和中文碩士班的「新文學研究」之機，躲在書齋中潛心研究「五·四」以後三十年間的新文學，他終於有了驚人的發現：「早期的那些名作家，其能當大師之稱的沒有幾位。」（註七二）鑒於一九二〇年代朱自清幾篇頗為青澀的「少作」一再盤踞在教科書、散文選、新文學史的情況，他於一九八三年大膽地提出「散文史也必須改寫」的口號（註七三）。

余光中不僅是言者，也是行者。他在授課的同時，便實踐起自己的「改寫」主張來。在散文方面，他改寫的第一個對象是享譽始終不衰，其名字幾乎成為白話散文代名詞的朱自清。在〈論朱自清的散文〉中，他認為朱自清本質上是散文家，「文筆理路清晰，因果關係往往交代過分明白，略欠詩的含蓄與餘韻。」在意象方面，「除了用明喻而趨於淺顯外，還有一個特點，便是好用女性意象」：如〈荷塘月色〉中「女性意象實在不高明，往往還有反作用，會引起庸俗的聯想」。在余光中看來，朱自清的散文走的是軟性的「純情路線」，屬於農業時代的產物。人們也許會認為余光中不該以今責「古」，但余光中指出朱自清愛用處女、舞女、歌妹、少婦、美人、仙女這些淺俗輕率的女性形象去裝飾他的想像世界，〈綠〉中有傷感濫情的瑕疵，許多散文寫景「近於工筆，欠缺開闔吞吐之勢……他的句法變化少，有的嫌太俚俗繁瑣，且帶點歐化」，卻是不爭的事實。基於此，余光中批評王瑤稱讚朱自清的散文寫得漂亮縝密，「盡了向舊文學示威的任務」，（註七四）未免失之誇張，「也可見新文學一般的論者所見多淺，又多麼容易滿足。就憑〈槳聲燈影裏的秦淮河〉與〈荷塘月色〉一類的散文，能向〈赤壁賦〉、〈醉翁亭記〉、〈歸去來辭〉等古文傑作『示威』嗎？」比起胡適來，「朱自清的藝術成就當然高些，但事過境遷，他的歷史意義已經重於藝術價值了。他的神龕，無論多高多低，都應該設在二、三十年代，且留在那裏。今日的文壇上，仍有不少新文學的老信徒，數十年如一日那樣在追著他的背影，那眞是認廟不認神了。」（註七五）

余光中不滿足於王瑤的評價，對其作出修正，在此基礎上發展前人的見解，有些地方（如「散文大師」的稱號）甚至認爲要推倒重來，作爲學術爭鳴，這是正常的。每一個人在評價前人的著作時，總不滿足於讚美，還力求去發現被評者的局限，對時賢的研究成果總是重新審視，這樣才能寫出新見解來。如果余光中只肯定朱自清的歷史意義而不指出朱自清的作品句法變化少，「譬喻過分明顯，形象的取材過於狹隘，至於感性，則仍停留在農業時代，太軟太舊」等局限，那他就不是「改寫」散文史，而是在抄寫、複述別人的結論了。

余光中儘管「詩文雙絕」，但他最鍾愛的仍是詩，因而他「改寫」新文學史的對象，更多的放在新詩人身上。這方面的文章，主要有：〈評戴望舒的詩〉、〈聞一多的三首詩〉、〈新詩的評價——抽樣評郭沫若的詩〉。對戴望舒，余光中也認爲他夠不上「大詩人」的稱號：

> 他往往失手，以致柔婉變成柔弱，沉潛變成了低沉。往往，他的境界是空虛而非空靈，病在朦朧與抽象……在早期的新詩人中，戴望舒的成就介乎於一、二流之間。用中國古典與西洋大詩人的標準來衡量，他最多只能列於二流。

對聞一多，余光中亦認爲其「早期的詩中，頗多失敗之作。本質上，聞的筆鋒宜於歌激情，不宜於詠柔情」（註七六）。〈國手〉中的不少句子「都是散文的直陳，坦露無韻」（註七七）。至於「他的格律詩理論，太淺顯單純，用來糾正胡適、冰心等散漫也許有效，但賴於開啓謹嚴而完整的詩體，則仍嫌不足（註七八）。總之，無論創作還是理論，聞一多「距大詩人之境尚遠」（註七九）。當然，余光中並不想輕薄前賢，完全否定戴望舒、聞一多的藝術成就。相反，余光中認爲他們「確是二十年代的名詩人或重要的詩人」。但如果用屈原、李白、杜甫這一等級而不是用中國新文學本身的標準（假定其有這標準）去衡量，他們就算不了什麼大詩人。

有意思的是，余光中重評朱自清、戴望舒等人的文章，在當時的臺港文壇並未引起人們充分的重視。到了一九九二年，當大陸的《名作欣賞》從第二期起開闢「名作求疵」專欄，重刊余氏這幾篇舊文時，卻引來了一場激烈的論戰。（註八〇）

余光中本是詩文雙絕的作家，又是褒貶不一的作家。一九七七年，臺灣就出版過一本《這樣的「詩人」余光中》。廣州民間出版的《華夏詩報》，誤認爲這是「幾年前」出的，便在該報第五十七期頭版、二版從正面向讀者推薦此書，並以一九八九年一家臺獨派出版社將「詩人」引號去掉的增訂本《這樣的詩人余光中》爲依據，向大陸讀者報告余光中「這尊『偶像』轟然自行『崩塌』」的消息。對此，一位大陸學者提出異議：認爲《這樣的詩人余光中》是出自臺灣某一派對另一派的攻訐。「《華夏詩報》卻對這種不是站在政治立場上進行討伐，就是淪爲人身攻擊的文章大加讚賞，這種做法未免輕率。作爲一家大陸詩報，輕意介入臺灣兩派鬥爭，並把隔岸『戰火』引進大陸，這是極不明智的。」

不認同余光中但頌揚洛夫的《華夏詩報》，在一九九二年十一月二十五日的頭版報導《名作欣賞》新動向時，認爲余氏是在「全面否定三十年代以來的名家名作，並借題發揮——值得進一步引起人們的關注。」爲了和《華夏詩報》唱對臺戲，《名作欣賞》於一九九三年第一期製作「余光中作品欣賞專輯」的「編者按」中，評論《華夏詩報》所發表的消息及其一系列批余文章時說：

> 它的政治的自覺，摘句的巧妙和精心的聚焦，嚴正的警告，以及衛道的口吻，都是我們曾經見識過的。

一位大陸學者在一九九四年六月蘇州召開的「當代華文散文國際研討會」上，批評《華夏詩報》的做法：首先，余氏並不像《華夏詩報》說的「全面否定三十年代以來的名家名作。」三十年代的名家還有魯迅等人，余氏並未論及。通常認爲非左翼作家的朱自清，余氏還承認他是「一位優秀的散文家」，只是稱其爲「散文大師」名不副實。這完全屬正常的學術研討範疇。何況，余文寫於一九七七年六月，那時大陸極左思潮還在泛濫，前不久還在「炮轟周揚」、「火燒巴金」、「油炸田漢」（更不用說余氏論及的非左翼作家和「右翼文人」），那時眞正「全面否定三十年代以來的名家名作」是四人幫控制的大陸文藝界。當時余光中在香港中文大學寫〈論朱自清的散文〉是和臺灣的王灝商榷的，而不是針對大陸。談到這裏，與會的余光中對這位大陸學者的發言作出如下反應：「有人危言聳聽說我這幾篇舊文的作用是在『顚覆大陸文壇』，我討厭『顚覆』一詞……」《華夏詩報》看了這位大陸學者在香港寫的有關報導以後，很快在一九九四年九月二十五日出版的該報，登了一個斗大黑體字以「本報評論員」名義發表的長文（有人譏之爲文革中的「大字報」）：〈眞理愈辯愈明——關於「余光中嚴辭否定新文學名家名作」爭論的尾聲，並評古遠清的拙劣行徑〉。此文對批評者進行人身攻擊，並氣勢洶洶地質問道：

「本報懇請余光中先生和廣大讀者查閱一下，有哪一篇本報編發的文章，說過余氏的有關文論是『顛覆大陸文壇』？也請古遠清審視一番，如果查不出任何白紙黑字的根據，也就是誣陷誹謗，招搖撞騙！」

被批評者在題爲〈究竟誰在「捏造誹謗，誣陷他人」——評〈華夏詩報〉評論員自動對號入座兼論該報在兩岸文學交流中如何「表錯了情」〉（註八一）的文章中說：「拙文〈余光中在蘇州〉一文明確地記載『顛覆』的說法出自余氏對我發言的反應，前面的定語是泛指『有人』，余氏並沒有說是《華夏詩報》講的，本人亦是頭一次聽到此種說法。我可以請余光中本人及當時大會主持人還有聽眾作證。不過，我要提請『評論員』注意，『詩報』雖沒講過『顛覆』一類的話，但借用編者按和轉載的形式，讚揚過一位用『紅衛兵』口吻寫成的讀者來信，攻擊余氏的文論是『文學上的大反攻，反攻大陸』（註八二）。這比『階級鬥爭新動向』的說法更聳人聽聞！」該文還說：「《華夏詩報》評論員似乎缺乏起碼的現代文學史常識。余光中重點論述的朱自清〈荷塘月色〉（還有聞一多的詩作），均係二十年代作品，由此推論出『余光中全面否定三十年代作家作品』，豈非荒唐？此外，『余光中嚴辭否定新文學名家名作』這一論題也難於成立。請看余氏批評朱氏的文字：『朱自清忠厚而拘謹的個性，在爲人和教學方面固然是一個優點，但在抒情散文裏，過分落實，卻有礙想像之飛躍。』朱文的另一個瑕疵便是傷感濫情……，我認爲今日的少年應該多讀一點堅毅豪壯的作品，不必再三誦讀這麼哀傷的文章。』像這些批評均非常溫和，且是分析性的，何『嚴辭』之有？《華夏詩報》抓到的唯一把柄是余氏說過的朱自清的作品『半世紀後看來，沒有一首稱得上佳作』，可這裏指的是朱氏新詩而非散文。而朱氏的新詩的確遜色。《華夏詩報》不從結論上去看余氏觀點，而抓住一點不及其餘，這種批判手法人們非常熟悉。」

湖北作家協會主辦的大型月刊《今日名流》於一九九五年第五期發表了這場論爭的報導及各派的言

論摘錄，該刊主編童志剛還以「名流社評」名義寫了〈且慢批判余光中〉。天津《文學自由談》一九九五年第二期和遼寧的《詩潮》，武漢的《書刊文摘導報》、《太原日報》亦發表了北鄉子等人關於這場論爭的報導。此外，菲律賓《世界日報》於一九九五年二月二十五日發表了〈古遠清先生和〈華夏詩報〉就余光中的評價發生激烈論辯〉的詳細報導。

臺灣作家也參加了這場論爭。臺北《文訊》、《香港聯合報》發表過報導或評介。香港中文大學黃維樑在他編著的《璀璨的五采筆——余光中作品評論集》（註八三）「後記」中也不指名的批評《華夏詩報》說：「九十年代有人因余光中寫過〈論朱自清的散文〉而辱罵他。這些都是惡評——是斷章取義，歪曲原意那類惡評，不是劉勰所說『平理若衡，照辭如鏡』那類評論。這些文字公害，無益於文學與人心，自然在本書摒棄之列。」臺北出版的《世界論壇報》副刊《世界詩葉》編者說：

自從詩人向明（臺灣）發表〈不朦朧，也朦朧〉的論文批評古遠清教授論著《臺港朦朧詩賞析》之後，廣州出版的《華夏詩報》以向明的文章為引火點，對古遠清教授一而再、再而三的加以撻伐，並且綱上政治意識形態。《華夏詩報》總八十八期第二版，又刊載了「本報評論員」署名的〈真理愈辯愈明〉。這篇文章占了該報第二版四十九公分高的四十一公分高的版面。這篇大文也是以向明批評古遠清的文章為引火點，除了批判古遠清之外，也批判余光中教授。我們讀了後有個感想，《華夏詩報》評論員對向明、古遠清、余光中三個認識都不清楚：如果對向明認識清楚的話，不會利用向明的文章來批判古遠清；如果對余光中認識清楚的話，不會把向明和余光中放在一篇文章上「師生顛倒」，因向明一直尊稱余光中為「老師」也。如果對古遠清認識清楚的話，古遠清所做的兩岸詩學交流工作應該是讚美而不是批判。爲何？如今年一月三十日（農曆除夕）中共領導人江澤民對臺灣發表了八點談話，其中第六點和第七點所提到的大方針，古遠清數年來所做的臺灣詩學研究與作品賞析，與江澤民的期望相當符合，不知《華夏詩報》的先生們以爲然否？（註八四）

一九九〇年代大陸的文學批評，除商業營銷術入侵了文學批評領域外，還受了缺乏理論意義的無謂論爭的騷擾。這種騷擾擴展到兩岸文學論爭中，便成爲傷害性批評。這種在文學中玩弄政治，在政治中玩弄文學的手法用來對付彼岸的愛國作家，尤其不恰當。須知，批評不能依附：依附權力不行，依附風向不行；依附媒體的霸權或「本報評論員」的話語霸權，不許別人反批評更不行。應當把文學批評當作一門學科，而不是把文學批評弄成棍帽齊飛的訛詐恫嚇。如有這種恫嚇，還能有什麼祥和氣氛，還能有什麼寬鬆的批評環境，批評還有什麼活躍可言，又有誰還敢去從事文學批評呢！

文革前大陸出版的新文學史，係國家論述的一部分。這從書的內容及其寫作方式由政府部門和文藝界首長親臨指導可看出。這種文學史國有化的做法，使著作缺乏學術個性，尤其是闡釋權被左傾評論家壟斷的做法尤爲不可取。反右鬥爭後各高校集體編撰的《中國現代文學史》，把丁玲、艾青、馮雪峰、姚雪垠等一大批作家定爲階級敵人，更是文化專制形式的一種體現。有些新文學史所體現的雖然不完全是階級鬥爭觀點，但審美觀念過於陳舊，余光中對此自然不滿。他在香港時期提出「改寫」散文史、新詩史乃至整個新文學史的主張，雖然寫的文章不多，也不夠系統和集中，但這是一種文學觀念的變革，是一種思維方式的更新。他在抽樣評價郭沫若的詩作時，反對用政治態度作爲衡量作家作品唯一的標準，主張新文學史應從意識形態掛帥下解脫出來，成為一門獨立的、審美的文學史學科。大陸學者比余光中晚五年提出「重寫文學史」的口號，（註八五）遲了近十年重新對新文學大師的座次排法提出質疑，（註八六）足見余光中文學史觀念的革新性及由此而來的超前性。

第十一節　夏志清「勸學」顏元叔

夏志清是海外華文文學作家，但由於他的著作多在臺灣出版，又常到臺灣參加文學評獎，也捲進臺灣文壇的紛爭，因而也可將其視為廣義的臺灣文學評論家。一九七六年二月九日至十日，夏志清在《中國時報》上發表了〈追念錢鍾書先生——兼談中國古典文學研究之新趨向〉，表示對臺灣學者以西洋文學批評方法評論中國古典文學的隱憂。顏元叔在同年三月十日至十一日的《中國時報》上發表〈印象主義的復辟〉，向夏氏提出質疑，在文中還流露了對印象批評的深惡痛絕情緒。夏志清以〈勸學篇——專復顏元叔教授〉（註八七）反駁，顏元叔又寫了〈親愛的夏教授〉（註八八）作答。同時參與論戰的文章還有：黃維樑（香港）的〈中國歷代詩話、詞話和印象式批評〉（註八九）、黃青選的〈披文入情〉（註九〇）、黃宣範的〈從印象式批評到語意思考〉（註九一）、趙滋蕃的〈平心論印象批評〉（註九二）。

夏志清以追念大陸學者錢鍾書為名，對臺灣當時出現的中國古典文學研究之新趨向提出兩大疑問：第一，文學批評愈來愈科學化、系統化，幾乎要脫離文學而獨立。過分注重「方法學」，好像學會一套法術，文學上一切問題均可迎刃而解；評者缺乏深厚的閱讀基礎，情願信任方法，而不信任自己的感受力和洞察力，往往是不誠實的。第二，機械式比較文學倡行，大半有比較文學味道的中國文學論文，不免多少帶點賣人頭的性質。中西文學可比之處極多，但看到一兩點相似之處，就機械地寫長文硬比，反而弄巧成拙，貽笑大方。

顏元叔在〈印象主義的復辟〉裏，以一個特立獨行的學人，一條血性多情的漢子的身分，連珠炮似的向夏志清提出如下問題：一、比較文學是否值得研究；二、方法之學是否值得提倡；三、文學批評有無價值？在以火辣辣的中文寫的〈親愛的夏教授〉中，又提出三個問題：一、「新批評」應否在臺灣推廣；二、文學批評與文人傳記對文學孰重；三、學富五車與學術研究問題的晦暗關係如何？

這場論戰眞可謂是棋逢對手。夏志清學貫中西，不論是中國古典文學還是中國現代文學或英美詩歌，都有一定的造詣，且論著甚豐，在臺港暨海外均有極大的影響。顏元叔的資歷雖比其淺，但他對中外文學和臺灣當代文學的修養也很深厚。他參與創辦《中外文學》，連刊名都是他起的。他在文壇尤其是新一代批評家中有廣泛的影響，這位下筆如刀，彷彿有千軍萬馬的學者，是取代夏濟安之位以快速上來的當代文學理論批評的「新盟主」。

還在一九七三年，加拿大籍華裔學者葉嘉瑩在《中外文學》第十六、十七期連載〈漫談中國舊詩的傳統〉，批評了一些新派評論家以新法詮釋舊詩的一些弊端（註九三），如斷句錯誤，誤讀典故，無視中國文化的特殊背景等。她認爲，研究中國傳統詩歌，不排斥以西方現代美學批評去補充和擴展，但不能以此去取代中國的傳統批評；在把西方理論融入中國傳統批評理論之前，先要認識中國文學的特性和中國美學思想的特性，認識中國詩評的傳統。同年十二月，顏元叔發表了〈現代主義與歷史主義——兼答葉嘉瑩女士〉（註九四），認爲對古詩誤讀自古以來就存在，並非始於他用新法評詩。他強調批評中的現代意識，反對將傳統看作一串銅錢，數來數去還是一串。他認爲，批評舊詩，不等於把過去一成不變地推入現代。像《中央月刊》上的古詩連載，只把作者的生卒年月及作品寫於何時何地或因何而寫，寥寥交代數語便完事，至於詩篇的藝術特點和創作方法，一概略而不談，這種解說舊詩的方法便非常陳舊。顏元叔正是覺得傳統研究有局限性，企圖為中國古典詩該被發掘而未被發掘的一面作一番補添工作，以使傳統具有生命活力。他認為，印象主義批評，古典文學理論家已做過大量工作，我們要彌補的是客觀分析。顏元叔和夏志清於一九七六年展開的論爭，可以說是一九七三年那場顏、葉之爭的繼續，體現了現代批評與傳統批評之間的交鋒。

顏、夏的論爭，其論辯的機鋒，見解的精闢、論證的細密、為評論界注進了新的活力。但他們的論辯，難免夾雜些個人情緒在裏面。就事論事，他們爭論的焦點在於現代學者從事文學研究與批評所應持的態度和方向。這就牽涉到文學批評性質的理解問題。夏氏認為：「文學批評不可能是眞正科學化的」，在歷代的文學批評中，「眞正値得我們注意的見解，都是個別批評家主觀印象的組合，此外並無科學的客觀的評斷」。顏元叔的意見正相反：「文學批評是建立於分析活動的，也就是說分析文學各個層面，求得比較客觀的證據，作為批評結論的支持，因此文學批評可以說是科學精神作用於文學現象的結果。」為了證明自己的正確，他們均各執一端，盡量抓住有利於自己的一面。本來評論必須建立在閱讀的基礎上，評論前必須先經歷一個內在的藝術體驗過程。這一體驗是在一定審美理想的指引下，既感受作品同時又實現自身，既入乎其內又出乎其外，在客觀認識作品自身的同時又超越對象的過程。這其中必然有評論家的主觀印象。要沒有這個印象，評論家就失去了主體性，也就難於體現自己的評論個性。從這個角度來說，夏志清的看法並沒有什麼不對。而顏元叔放棄個別存在的文藝事實，不信任主觀的感受、認識，他所信奉的是科學原理和科學的分析論證手段，這樣可以防止文學評價成為因人而異、

「公說公有理，婆說婆有理」的隨意性傾向。顏元叔的理由，也不能說完全不能成立。因爲雙方強調的均是對方所忽視的評論過程中的某一階段或某一環節。

在文學評論的功能上，夏志清認爲評論家的任務「是幫助讀者欣賞和瞭解文學，在文學中尋找各種快樂，找尋人生體驗與意義」。顏元叔認爲，文學評論不等於文學鑒賞，它不應停留在文學欣賞的最初階段上，因爲文學評論是一種科學的分析和評價。這種論爭，也有「頂牛」的性質，因夏志清所強調的是文學批評的主要屬性爲表現性，而顏元叔的著重點卻放在文學評論的認識性上。實際上，他們所講的都是文學評論應擔任的職責，只不過他們強調的重點不同罷了。

關於中國傳統的詩話、詞話是否純屬印象式的批評問題，這應具體分析。中國傳統的詩話、詞話，其表現形式比較樸素、零散，缺乏嚴密的系統，有許多確是評論者最初階段的直覺印象。但從整體上看，傳統詩話、詞話仍是評論者通過客觀分析、比較得出後的結論，只不過是限於體例和篇幅，沒有將分析論證過程寫出。從整體上看，詩話仍有自己一整套的概念、範疇、規律和特徵，顏元叔將其一言蔽之曰「停留於直覺直感」，未免有將複雜問題簡單化之嫌。另方面，顏元叔也未能充分考慮到詩話作爲一種隨筆的文體特徵。既然是隨筆，那它多有吉光片羽的動人警句，而不求過分清晰的表達，應是情理中的事。

至於如何運用「新批評」方法，如何從事比較文學研究問題，夏志清所指出的隱憂，確是客觀存在。對此不加以重視和克服，以致認爲方法萬能，那就會失卻批評方法的更新意義。但夏志清對新方法在補救傳統評論的缺陷的意義認識不足，對臺灣推行的比較文學研究所取得的成就肯定不夠。他沒有看到，任何一種新批評方法的運用，都難免出現矯枉過正的傾向，都難免出現某種偏頗。

從這裏也可感悟到：顏、夏之爭，其實是兩代批評家之爭。夏志清所代表的是受傳統批評方法薰陶較多的前一代學者，而顏元叔所代表的是急於從西方批評觀念中找新出路的較年輕一代的學者。當然，這種區分是粗線條的，夏志清也沐浴過歐美風雨，寫過不少運用「新批評」方法的文章，顏元叔對傳統批評方法也不完全主張採取拋棄的態度。只不過顏元叔更多的是屬於當代意識的一派，而夏志清更多的是傾向於歷史意識的評論陣營之中。（註九五）一個急於改革臺灣文壇積重難返的封閉保守的評論格局，一個急於糾正方法更新帶來的新問題，這就難免出現各執一詞的現象。儘管人們很難具體裁判其中的是是非非，但他們吵起架來仍氣勢磅礴的論爭，對中西文化的碰撞和交融，對建設既有民族性又有現代性的文學理論提供了不少有價值的思想材料，這是可以肯定的。「不過眞正能爲顏元叔式『新批評』對症下藥的，其實不是夏志清，而是遠離臺北，蟄居南部的另一位批評要角——葉石濤。」（註九六）張瑞芬也指出，顏元叔所代表的臺北學院派觀點，與當時以吳濁流創辦的《臺灣文藝》爲主的鄉土視角、緊扣作品與時代背景的評論恰好相反，而顏、夏兩人論戰後，尤其是鄉土文學論戰一結束，西方「結構主義」很快成了新寵，顏元叔的光環由此大幅消褪，這帶來文壇勢力顏頹夏長，夏志清知名度陡增，尤其他的《中國現代小說史》中譯本一九七九年在臺出版後，七十年代的「顏元叔現象」便被延續至八十年代的「夏志清現象」所取代。（註九七）

第十二節 《詩潮》與工農兵文藝

七十年代臺灣的《中外文學》、《文季》、《龍族》詩刊、《笠》詩刊還有《大學雜誌》，都有人爲文批評過於西化的現代詩，以致引發紛爭，如周鼎之對高準，顏元叔與余光中之對有「大俠」之稱的唐文標。高準無疑是站在唐文標這一邊的。這位出生於上海、幼年時遷臺的詩人高準，在一九六〇年代末寫的詩作〈念故鄉〉中，朝向故鄉和祖國呼喚，也朝向心靈的夢境呼喚，並莊嚴地宣告：他的故鄉在中國，在中國大陸，這在戒嚴時代是需要勇氣的，尤其是該詩下面一段：

有時我夢中見你
那木橋成了鋼橋
那小路成了鐵道
那原野上百花齊放！

不斷抹黑大陸的國民黨反共教育，認爲神州大地經濟凋敝，民不聊生，哀鴻遍野，而高準彈奏的故鄉之歌，卻充滿生命的活力和春天的氣息。因而有人借此向他發起攻擊，用大批判兼打小報告手段給高準戴「紅帽子」：他在歌頌大陸社會主義建設，在向共產黨「投送秋波」。

在一九七〇年代中期寫的〈中國萬歲交響曲〉中，高準對俊美皎潔、地靈人傑的祖國深情地唱道：

我願你神州十億，人人盡是英雄！
我願你五湖四海，處處奮門著豪傑！

這裏將十億人民稱作英雄，與一九七〇年代國民黨中央機關刊物《中央月刊》社論中，稱當時只有七億的大陸同胞全部為「白痴」，也是針鋒相對的。針對這種「白痴」說，高準在一篇文章中氣憤地反駁道：「這眞是豈有此理，這簡直是對整個中華民族都否定了。我們不能對所有在大陸的人都盲目反對，也不能對大陸上的一切設施都盲目否定。」像大陸「要求為人民服務，要求去私，不能說有什麼錯，也可以說是針對中國近代以來一些弊病而作的矯正。」後來〈中國萬歲交響曲〉發表時，又被修改為〈中華民國萬歲交響曲〉。高準認為自己歌頌的是整個中國而非哪一黨派控制的地盤，收入集子時又把題目改正過來。在忌談大陸的年代，高準寫這些歌頌祖國的詩，表現了他的浩然正氣。他這些詩作及反駁污蔑他的文章，曾得到資深作家胡秋原的支持。

成立於一九七七年五月一日的「詩潮」詩社，其同仁主要有丁穎、王津平、高準、郭楓等人，後又有詹澈加盟。在一九七七年五月《詩潮》創刊號上，以顯著地位登出高準執筆的〈詩潮的方向〉：一、要發揚民族精神，創造為廣大同胞所喜見樂聞的民族風格與民族形式；二、要把握抒情本質，以求眞求善求美的決心，燃燒起眞誠熱烈的新生命；三、要建立民主心態，在以普及為原則的基礎上去提高，以提高為目標的方向上去普及；四、要關心社會民生，以積極的浪漫主義與批判的現實主義，意氣風發地寫出民眾的呼聲；五、要注意表達的技巧，須知一件沒有藝術性的作品思想性再高，也是沒有用的。這五大目標概括一九七〇年代眾多詩人的努力方向和表現題旨，但由於該刊脫期嚴重，因而影響有限。

《詩潮》的方向不僅與一九七〇年代主流詩壇不合拍，而且也與「鄉土文學」不完全相同，即它關心臺灣社會的同時，更關心整個的祖國。在批判現代主義方面和「鄉土文學」目標一致，但它所高揚的「民族文學」旗幟，其視野顯得更為寬廣，即它心目中的「鄉土」，不局限於臺灣而包括整個中國。該刊設的專欄，除有「詩潮論壇」、「新詩史料」外，另有「新民歌」、「工人之詩」、「稻穗之歌」、「號角的召喚」、「燃燒的爝火」、「純情的詠唱」、「鄉土的旋律」等。

在鄉土文學論戰中，高準再次被人落井下石。事情係由國民黨官方文人彭品光指責《詩潮》第一集封面封底設計，有遙遠的大陸，有海洋，有海島，天空和大陸是一片通紅，海洋和海島是一片黑暗：「所指爲何？相信大家都很清楚。」（註九八）高準辯解道：事實上，無論封面與封底，均無大陸，也無海島。唯一的罪狀大概是用了紅顏色。「紅顏色是不能用的嗎？我們的國旗不也是有大塊紅地嗎？」彭品光指控的另一理由是《詩潮》第一集爲「倡導工農兵文學的專輯」：一是《詩潮》包含有「工人之詩」、「稻穗之歌」與「號角的召喚」，這三組作品正是「工、農、兵」，是「狼來了！」高準反駁說：《詩潮》在詩創作方面，一共分了九組，計爲「歌頌祖國」、「新民歌」、「工人之詩」、「稻穗之歌」、「號角的召喚」、「燃燒的爝火」、「釋放的吶喊」、「純情的詠唱」和「鄉土的旋律」。《詩潮》是以促進發揚眞正三民革命精神的文學爲總旨趣，所以這些詩的分組、編排上也照著民族、民權、民生的次序。「歌頌祖國」是發揚民族主義精神，「新民歌」是表現一種平易近人的民主風格，是發揚民權主義精神，「工人之詩」、「稻穗之歌」是發揚民生主義精神。關於工人與農人的詩篇，臺灣一向極缺，所以特別標示出給予園地。但「號角的召喚」卻不是以軍人爲主題的。這說明彭品光連依標題望文生義也沒有望對！（註九九）

余光中看到《詩潮》第一集後，很快地在《聯合報》寫出指控臺灣的鄉土文學疑似中共工農兵文學的〈狼來了〉（註一〇〇）一文。政工出身的詩人洛夫立刻在一個座談會上引用，作爲指控高準等人「提倡工農兵文藝」的佐證。過了幾天，余光中又從香港回來打電話給高準，高準問他「狼」是不是指討伐全盤西化現代詩的唐文標，余氏變了一種粗嘎的聲調說：「老實說，對《詩潮》也沾到一點邊！」（註一〇二）在白色恐怖時期，余光中把不同文藝觀的作家往共產黨陣營推去而主張動武「抓頭」，這是臺灣三十多年來大大小小的文學論爭中，鮮見有如此露骨的政治指控。《中央日報》總主筆彭歌則是在《聯合報》發表了〈不談人性，何有文學〉，點名批判王拓、尉天驄及陳映眞三人「不辨善惡，只講階級」和共產黨的階級理論掛上鉤。彭、余兩人的文章發表後，立刻震撼了整個臺灣文壇。其後兩個月，指控者與被指控者展開了不同尋常的混戰。

說臺灣有「工農兵文藝」，這是虛構，但說臺灣有「工農漁文藝」，倒是事實。「工農漁文藝」作品以工人、農人和漁民這類底層人民爲表現對象，如楊青矗的《工廠人》系列四卷小說，十分眞切地反映了臺灣勞工的心聲。洪醒夫一九七一年發表的〈跛腳天助和他的牛〉以及宋澤萊一九七〇年代後期發表的「打牛湳村」系列小說，表現了農村生活及其變遷。王拓一九七六年問世的《金水嬸》，係細說漁民生活的圖像。難能可貴的是，這些作家不怕右翼文人扣上「工農兵文藝」的紅帽子，堅持爲勞苦大眾發聲。

正因爲高準思想左傾，同情下層人民，故臺灣安全部門緊盯住他不放，以致《詩潮》出至第三期即被查禁。這是臺灣白色恐怖時期被查禁的第一本詩刊，同時也成了引燃鄉土文學大論戰的導火線之一。

一九七九年，高準出版了自選詩集《葵心集》，以一朵向日葵作封面而遭查禁。據情報部門說，向日葵是大陸的「國花」，其實大陸從沒有這樣做過，只不過文化革命期間流行向日葵圖案，將其視爲「忠於黨、忠於毛主席」的象徵。不僅高準的詩集禁止發行，國民黨高級將領白崇禧之子白先勇主編的一套「向日葵叢刊」也被迫改名，還有一位女作家的一部長篇小說《向日葵》被迫收回更改書名更換封面，另有一家冷飲店內的向日葵裝飾亦被勒令撤除。（註一〇二）直至一九八一年初，高準在一本雜誌上評析了郭沫若「五．四」時期的詩作〈太陽禮讚〉，該雜誌馬上被禁。這種「戒嚴文化」，眞是「秀才遇到兵，有理說不清」。

《葵心集》遭查禁使人聯想到歷史上的「烏臺詩案」。這是元豐二年發生的「文字獄」，御史中丞李定、舒亶等人從蘇軾〈湖州謝上表〉中尋章摘句加以歪曲解釋，以謗訕新政的罪名逮捕蘇軾，不可否認，蘇軾的詩歌確實有些譏刺時政的內容，包括變法過程中的問題。但此事純屬報復性的政治迫害。

高準主持的詩刊和出版的詩集，不僅屢遭查禁，而且當局還限制他的人身自由，不許他離開臺灣。但他不怕誣陷和打擊，在海外搜集的有關大陸的文學資料一再被沒收的情況下，堅持寫作和研究，於一九八八年出版有厚厚一大冊的《中國大陸新詩評析》。此外，他還和胡秋原、陳映眞著名作家發起成立「中國統一聯盟」，爲反對臺獨和實現祖國統一做了許多有益的工作。

注釋

一　紀弦：〈從一九三七年說起——紀弦回憶錄之一片斷〉，臺北市：《文訊》總第七、八期（一九八四年二月）。

二　王綠堡：〈綠堡的序〉，載《易士詩集》（上海市：作者自印，一九三四年），頁五。

三　劉心煌：《抗戰時期淪陷區文學史》（臺北市：成文出版社，一九八〇年五月）。

四　司馬文偵：〈文化漢奸罪惡史．三年來上海文化界怪現象〉（上海市：曙光書局，一九四五年），頁五。

五　在大陸學界，不僅有人要「補劃」紀弦，而且還要「補劃」張愛玲爲「文化漢奸」。其實，共產黨在處理漢奸問題上，總的說來比國民黨嚴厲，但對「文化漢奸」的處理，則與別的漢奸有所區別，如因「文化漢奸」罪名而被逮捕入獄的周作人在南京解放後，解放軍便直接讓其門生接到上海。當時，中共並不像國民黨那樣對其作出「通謀敵國，圖謀反抗本國」的明確決定，還讓其從滬返京改用筆名周遐壽發表可拿高稿酬的研究魯迅的論著。

六　紀　弦：《紀弦回憶錄（三卷）》（臺北市：聯經出版公司，二〇〇一年十二月）。

七　張曉風：〈中華現代文學大系．散文卷序〉（臺北市：九歌出版社，一九八九年），頁二～六。

八　趙天儀：〈談方思的《仙人掌》〉（臺北市：《葡萄園》，一九六八年四月）。

九　《笠》，一九七〇年六月。

一〇　羅　門：〈心靈內景的開放〉，《心靈訪問記》，頁六十九。

一一　趙天儀：《裸體的國王》（臺北市：香草山出版公司，一九七六年），頁二十七。

一二　趙天儀：《裸體的國王》（臺北市：香草山出版公司，一九七六年），頁二十七。

一三　張　健：〈雄獅和烏鴉：悼羅門〉，臺北市：《文訊》二〇一七年第三期。

一四　張　健：〈雄獅和烏鴉：悼羅門〉，臺北市：《文訊》二〇一七年第三期。

一五　張　健：〈雄獅和烏鴉：悼羅門〉，臺北市：《文訊》二〇一七年第三期。

一六　傅　敏：〈招魂祭——從所謂的《一九七〇詩選》談洛夫的詩之認識〉，《笠》第四十三期（一九七一年六月），頁五十五。

一七　傅敏：〈招魂祭——從所謂的《一九七〇詩選》談洛夫的詩之認識〉，《笠》第四十三期（一九七一年六月），頁五十五。

一八　李敏勇：〈附和殖民體制的漂流之心——洛夫（一九二八～二〇一八）在戰後臺灣詩史的形色〉，高雄市：《文學臺灣》二〇一八年秋季號，頁四十。

一九　蔡明諺：《燃燒的年代：七〇年代臺灣文學論爭史略》（臺南市：臺灣文學館，二〇一二年）。

二〇　關傑明：〈中國現代詩人的困境〉，《中國時報》，一九七二年二月二十八、二十九日。

二一　關傑明：〈中國現代詩人的幻境〉，《中國時報》，一九七二年九月十、十一日。

二二　關傑明：〈再談中國現代詩〉，載高上秦（高信疆）主編：《龍族詩刊評論專號》第九號（一九七三年七月）。

二三　張　默、瘂弦、洛夫主編的《中國現代詩論選》（高雄市：大業書店，一九六九年）。

二四　臺北市：《中外文學》第三卷第一期。另見《詩和現實》（臺北市：洪範書店，一九七七年），頁四十四。

二五　臺北市：《創世紀》第三十一期（一九七二年十二月）。

二六　陳芳明：〈檢討民國六十二年的詩評〉，臺北市：《中外文學》第三卷第一期。

二七　史君美（唐文標）：〈先檢討我們自己吧〉，《中外文學》一九七二年十一月。

二八　蔡明諺：《燃燒的年代：七〇年代臺灣文學論爭史略》（臺南市：臺灣文學館，二〇一二年），頁一二八～一二九。

二九　顏元叔：〈細讀洛夫的兩首詩〉，臺北市：《中外文學》第一卷第一期，一九七二年六月。

三〇　顏元叔：〈颱風季〉，臺北市：《中外文學》第一卷第二期，一九七二年七月五日。

三一　洛　夫：〈與顏元叔談詩的結構與批評——並自釋《手術台上的男子》〉，載《洛夫詩論選》（臺南市：金川出版社，一九七八年版），頁二六二。

三二　洛　夫：〈與顏元叔談詩的結構與批評——並自釋《手術台上的男子》〉，載《洛夫詩論選》（臺南市：金川出版社，一九七八年版），頁二六二。

三三　戴成義語：第一卷第七期，一九七二年十二月一日。

三四　戴成義語：第一卷第七期，一九七二年十二月一日。

三五　郭　楓語：第一卷第四期，一九七二年九月一日。

三六　郭　楓語：第一卷第四期，一九七二年九月一日。

三七　顏元叔：〈颱風季〉，臺北市：《中外文學》第一卷第二期（一九七二年七月五日）。

三八　蕭　蕭：〈現代詩批評小史〉，臺北市：《中華文藝》（一九七二年六月）。

三九　蕭　蕭：〈現代詩批評小史〉，臺北市：《中華文藝》（一九七二年六月）。

四〇　顏元叔：〈唐文標事件〉，臺北市：《中外文學》第二卷第五期（一九七三年十月）。

四一　余光中：〈詩人何罪？〉，臺北市：《中外文學》第二卷第六期（一九七三年十一月）。

四二　周　鼎：〈爲人的精神價值立證〉，臺北市：《創世紀》第三十五期（一九七三年十一月）。

四三　葉　珊：〈致余光中書〉，臺北市：《中外文學》第三卷第一期（一九七四年六月一日），頁二二七。

四四　劉紹銘：〈漢魂唐魄——為「關傑明事件」致葉珊書〉，臺北市：《中外文學》第二卷第八期（一九七四年三月一日），頁一九二。

四五　陳芳明：〈檢討民國六十二年的詩評〉，臺北市：《中外文學》，第三卷第一期。本節吸收了此文的部分成果。

四六　孟　樊：《後現代併發症》（臺北市：桂冠圖書公司，一九八九年）。

四七　趙知悌（尉天驄的化名）：《現代文學的考察》（臺北市：遠景出版社，一九七八年）。

四八　高　準：〈論中國新詩的風格發展與前途方向〉，初稿寫作於一九七二年十月至十二月，發表於《大學雜誌》，後經過修訂，收入《文學與社會》（臺北市：文史哲出版社，一九八六年）。

四九　陳映眞語，見臺北市：《自立晚報》，一九八六年八月二十日。

五〇　吳望堯語，臺北市：《中央日報》副刊，一九七七年十一月二十九日。

五一　吳望堯語，臺北市：《中央日報》副刊，一九七七年十一月二十九日。

五二　吳望堯語，臺北市：《臺灣新生報》副刊，一九七八年一月七日。

五三　余光中：〈白玉苦瓜·自序〉（臺北市：大地出版社，一九九一年二月），頁七。

五四　余光中：〈白玉苦瓜·自序〉（臺北市：大地出版社，一九九一年二月），頁七。

五五　黃維樑：〈詩：不朽之盛事——析余光中《白玉苦瓜》並試論詩人之成就〉，香港：《明報月刊》（第一一九期一九七五年十一月）。

五六　余光中：〈評戴望舒的詩〉，香港：《明報月刊》第一二〇期（一九七五年十二月）。

五七　曾幼川：〈對余光中的期望〉，香港：《快報》，一九七五年十二月十一日。

五八　〔清〕吳　喬：《圍爐詩話》。

五九　徐　速：《啣杯集》（香港：高原出版社，一九七四年），頁一七六。

六〇　曹懋績：〈新詩給我的迷惘〉，香港：《星島晚報》，一九七六年一月六日。

六一　參看宋逸民：〈「密碼派」詩文今昔觀〉；徐速：〈爲「密碼」辨誣〉。宋逸民：〈爲「密碼辨誣」的辨誣〉，香港：《萬人雜誌》一九六九年七月十日，第八十九期。

六二　見《當代文藝》第一二三期（一九七六年二月）。

六三　見《當代文藝》第一二三期（一九七六年二月）。

六四　見《當代文藝》第一二五期（一九七六年四月）。

六五　見《當代文藝》第一二五期（一九七六年四月）。

六六　余光中：〈掌上雨．古董店與委託行之間〉（臺北市：時報文化出版公司，一九八六年十二月十六日），頁二二九。

六七　齊邦媛：《巨流河》（臺北市：天下文化出版公司，二〇〇九年），頁四二〇～四二一。

六八　干　城（郭壽華的筆名）：〈韓文公蘇東坡給予潮州後人的觀感〉，臺北市：《潮州文獻》第二卷第四期（一九七六年）。

六九　參看劉心皇編著：《當代中國新文學大系：史料與索引》（臺北市：天視出版公司，一九八一年），頁二三五～二四二。此節吸收了該書的成果。

七〇　余光中：《掌上雨》（臺北市：文星書店，一九六四年）。

七一　余光中：〈狼來了〉，臺北市：《聯合報》，一九七七年八月二十日。

七二　余光中：《青青邊愁》（臺北市：純文學出版社，一九七七年）。

七三　余光中：《從徐霞客到梵谷》（臺北市：九歌出版社，一九九四年），頁二八一。

七四　王瑤：《中國新文學史稿》（上冊）（北京市：開明書店，一九五一年九月），頁一二六。

七五　余光中：《青青邊愁》，頁二三七。

七六　原載香港《明報月刊》一九七五年十二月號。

七七　余光中：《青青邊愁》，頁一八七、一八八、一九三。

七八　余光中：《青青邊愁》，頁一八七、一八八、一九三。

七九　余光中：《青青邊愁》，頁一八七、一八八、一九三。

八〇　參看孫德喜：〈不該如此「求疵」——簡評余光中《論朱自清的散文》〉，太原市：《名作欣賞》一九九三年第一期。吳新：〈戴望舒是否「大詩人」？〉，北京市：《文藝報》，一九九三年七月十日。盛海耕：〈與余光中先生論戴望舒詩書〉，北京市：《詩刊》一九九三年第四期。童志剛：〈且慢批判余光中〉，武漢市：《今日名流》第五期（一九九五年）。李明：〈大陸的余光中評價之爭〉，（泰國）曼谷：《中華日報》，一九九五年九月二十五日。

八一　原載古遠清《兩岸詩學交流論爭集》，自印本，一九九四年十二月，另收入古遠清：《臺港澳文壇風景線》（北京市：國際文化出版公司，一九九七年三月），頁六一一～六二〇。

八二　見廣州：《華夏詩報》一九九三年第五期所刊一位中學生的來信。

八三　黃維樑：《璀璨的五彩筆——余光中作品評論集》（臺北市：九歌出版社，一九九四年）。

八四　編者撰，臺北市：《世界論壇報》副刊「世界詩葉」一九九五年二月二十六日。

八五　參看陳思和、王曉明主持的「重寫文學史」專欄，《上海文論》，一九八八年七月。

八六　王一川等：《二十世紀中國文學大師文庫》（海口市：海南出版社，一九九四年）。

八七　夏志清：〈勸學篇——專復顏元叔教授〉，臺北市：《中國時報》，一九七六年四月十六、十七日。

八八　顏元叔：〈親愛的夏教授〉，臺北市：《中國時報》，一九七六年五月七、八日。

八九　黃維樑：〈中國歷代詩話、詞話和印象式批評〉，臺北市：《中國時報》，一九七六年六月六～八日。

九〇　黃青選：〈披文入情〉，臺北市：《中央日報》，一九七六年六月十一日。

九一　黃宣範：〈從印象式批評到語意思考〉，臺北市：《中國時報》，一九七六年六月二十四日。

九二　趙滋蕃：〈平心論印象批評〉，臺北市：《中央日報》，一九七六年八月十四～十六日。

九三　原題爲〈漫談中國舊詩的傳統——爲現代批評風氣下舊詩傳統所面臨之危機進一言〉。

九四　顏元叔：〈現代主義與歷史主義——兼答葉嘉瑩女士〉，見《何謂文學》（臺北市：臺灣學生書局一九七六年。

九五　參看陳孔立主編：《臺灣研究十年》（廈門市：廈門大學出版社，一九九〇年七月），頁四二九～四三〇。本節參考了該文的部分觀點。

九六 楊　照：《霧與畫》（臺北市：麥田出版社，二〇一〇年），頁五五〇。

九七 佚　名：〈臺灣文學批評先驅、英語教育改革者顏元叔病逝〉，中國新聞網，二〇一三年一月四日。

九八 彭品光：〈文學不容劃分階級——我們反對所謂工農兵文學的觀點〉，臺北市：《中華日報》副刊，一九七八年一月三十、三十一日。

九九 高　準：〈為《詩潮》答辯流言〉，臺北市：《中華雜誌》，一九七八年二月。

一〇〇 余光中：〈狼來了〉，臺北市：《聯合報》，一九七七年八月二十日。

一〇一 高　準：《文學與社會》（臺北市：文史哲出版社，一九八六年），頁二七〇～二七一。

一〇二 《詩潮》社編：《民族文學的良心》（臺北市：文史哲出版社，一九八六年），頁三三〇。

第六章　七十年代的文學紛爭（二）

第一節　票選十大詩人

一九七七年，臺北源成出版社出版了《中國當代十大詩人選集》。此書由張默、張漢良、辛鬱、菩提、管管五人編選。

所謂「十大詩人」，是指紀弦、羊令野、余光中、洛夫、白萩、瘂弦、羅門、商禽、楊牧、葉維廉。現在看來，這十位詩人都生活在臺灣地區，並不能代表全中國，但當時蔣介石認爲「中華民國」才是中國的代表。此外，此書的編寫者都是《創世紀》詩社成員，雖然入選的還有別的詩社的詩人，但編選時是借別人突出自己，有拉大旗作虎皮之嫌，故引起不同詩社詩人的嚴重不滿。

這「十大詩人」有一個編選標準，理論家張漢良列出四種條件：

（一）在質的方面，必須是好詩人，至少大部分作品是好的。

（二）創作有相當的歷史，且作品水準不得每下愈況，風格尤應演變。

（三）具有靈視，能透過創作觀照人生與世界諸相，表現出詩的眞理。

（四）就對讀者的關係與文學史的意義而言，必須具有相當的影響力。

第一條說的「好詩人」，非常抽象，這首先涉及到「好詩」的評價標準：是藝術第一，還是不管內容？「好詩人」的「質」是指現代主義創作方法寫的作品，還是寫實主義指導下寫的作品？第二條「相當的歷史」，這「歷史」到底有多長，是十年還是二十、三十年？作品水平不能倒退，這一標準定得也很低。至於說風格應該有變化，這只是優秀詩人而不是「大詩人」的條件。第三條說的「詩的眞理」，什麼是「眞理」，「詩的眞理」和哲學上的眞理有什麼不同？這也讓人丈二和尙摸不著頭腦。最後一條說要有相當的影響力，這同樣是著名詩人而非「大詩人」的條件。

對照歸化美籍的英籍詩人奧登在《十九世紀英國次要詩人選集》一書的序中所說的成爲大詩人的條件，就可見張漢良的粗疏淺陋：「一位詩人要成爲大詩人，要必備下列五個條件之三四。一是必須多產；二是他的詩在題材和處理手法必須寬泛；三是他在觀察人生角度和風格提煉上，必須顯示出獨一無二的創造性；四是在詩的技巧上必須是一個行家；五是儘管其詩作早已經是成熟作品，但其成熟過程要一直持續到老。而一般的次要詩人，儘管詩作都很優秀，但你卻無法從作品本身判斷其創作或形成的年代。也就是說，一成不變的，靜止的。簡捷的說就是多產、廣度、深度、技巧、蛻變。」奧登還認爲：「寫一首好詩不難，難的是在不同的階段包括創作的最後階段，總能寫出不同於以往的好詩。」

這裏開的條件比張漢良詳細，但仍有値得商榷之處，如「多產」，其實「大詩人」也可完全憑一首詩傳世，如張若虛的〈春江花月夜〉。

到了一九八二年，臺灣詩壇不再由「三大詩社」所壟斷。鑒於「創世紀」一類的老詩社缺乏生氣，年輕一代創辦的詩社比他們更有現實感、責任感，其介入詩壇的主體意識並不亞於當年老牌詩社，故爲了發出自己的聲音，由向陽、李昌憲、陌上塵等八人創辦的《陽光小集》，企圖對「源成版」所「製造」的十大詩人名單進行顛覆，連舉辦活動的名稱「誰是大詩人：青年詩人心目中的十大詩人」也很有挑戰意味。投票者限定在光復後出生且在詩壇上有影響力的新生代詩人，還在求學者不算。選票發出四十四張，其中《陽光小集》同仁有十五張。雖說只收回了二十九張票，可其中一張是廢票，該票只寫出楊牧一人。該刊票選的對象爲健在的詩人。已經作古的覃子豪和羅門雖然同得十一票，楊喚則在覃、羅兩人之後，但這覃子豪、楊喚兩人不包括在入選名單之內。

具體來說，這份新的「十大詩人」名單如下：

余光中、白萩、楊牧、鄭愁予、洛夫、瘂弦、周夢蝶、商禽、羅門、羊令野。

與老牌詩社「創世紀」所舉辦的「十大詩人」活動比較，名單差異不大。所不同的是紀弦、葉維廉名落孫山，其位置被鄭愁予、周夢蝶取代。以代表性而論，洛夫、瘂弦、商禽爲「創世紀」詩社成員，余光中、周夢蝶、羅門係「藍星」同仁，白萩是「笠」詩社元老，楊牧、鄭愁予當時在國外，被定位爲海外華文詩人。《陽光小集》指出，這次入圍者的比例與各詩社三十年來對詩壇的影響成正比。但這份青年詩人心目中的十大詩人名單，未能做到重新洗牌。林燿德在八十年代中期批評說：

《陽光》的票選活動，無異是企圖自製新座盤，重新釐定安排「天體結構」的一項革命性壯舉，可惜候選名單遍及一九四一年之前出生的八十二位詩人，揭曉榜單卻與源成版《中國當代十大詩人》名錄過分接近，僅以周夢蝶、鄭愁予更易紀弦、葉維廉，似無任何突破性的新觀點出現。尤以被剔除之紀弦僅得七票，特別是一件令人驚異之事。紀弦以「現代派」宗主之尊，其影響臺灣現代詩發展之巨，幾可類比胡適之於中國白話文學，竟不獲入榜，顯示《陽光》認係之詩壇青年世代菁英，大致而言都缺乏歷史觀照的充足能力，可見八十年代前期中的「承襲期」，正是現代文學史在新浪潮衝擊下的一個危機時代。

這裏說「認係之」，似不通。說紀弦落選，的確出人意外，但他的成就還不能與胡適相提並論。至於批評投票者「缺乏歷史觀照的充足能力」，這不是能力的問題，而是票選本身就是一場遊戲。每個投票者詩學觀不同，審美趣味不同，如果再讓別的詩社來辦，尤其是讓鄉土詩人的大本營「笠」詩社來辦，恐怕無論是「源成版」還是《陽光小集》得出的名單，差不多都會全軍覆沒。

評選「十大詩人」，是一項學術性很強的工作。上兩次均由詩社主辦，可詩社詩人多理論工作者少，評選起來難免有偏愛，而由「學院派」主持，將顯得客觀一些、公正一些。於是二十年後，楊宗翰與孟樊（陳俊榮）這兩位立志書寫《臺灣新詩史》（註一）作者，爲了使這部詩史能得到更多的人認同，便著手策畫「臺灣當代十大詩人」票選活動。他們以詩人雲集的臺北教育大學主辦的《當代詩學》爲平臺，與該校臺灣文學研究所合作。票選者必須是出版過個人詩集的作家，不問流派、詩社、屬性與認同。總共寄出二〇九封附編號的記名選票，只收到八十三封具名回函，回覆率約爲百分之三十九點七。八十三封回函中，有效票七十七張，無效票即超過十人的票或空白未投有六張。最終得出的「十大詩人」名單及票數如下：

洛夫（四十八票）、余光中（四十七票）、楊牧（四十票）、鄭愁予（三十八票）、周夢蝶（三十六票）、瘂弦（三十票）、商禽（二十二票）、白萩、夏宇（兩人同爲十九票）、陳黎（十八票）。

評選「十大詩人」只是詩壇的遊戲或學府的時尚。「十大詩人」結果出爐後，追逐時尚的臺北教育大學於二〇〇五年召開研討會，另製作《當代詩學》特輯。

臺北教育大學舉辦的評選活動，受益最大者爲洛夫。他這次終於借他過去厭惡的「學院派」之手，「擊敗」競爭對手余光中，後來他在著作中的作者簡介洋洋得意地寫道：「二〇〇一年三千行長詩《漂木》出版，震驚華語詩壇。同年評選爲臺灣當代十大詩人之一，名列首位。」這顯然與事實有出入。其實洛夫比余光中多一票，據說是余光中棄權沒有投自己一票造成的，故這種結果沒有任何實質性意義。

至於以一票之差出局的羅門，更不合理，這難怪引起以大師自居的羅門強烈的不滿，他說：

> 「十大」選眞的有點像買「樂透」與上上下下的「股市」，存在有很大的不確定性。如果明天換一種更公開民主的方式來選，讓所有上網的新世代詩人來選，選出的「十大」，一定又會大大的不同。……在後現代大家都是「帶筆的上帝」，同時大家中每個人都有自己的偏愛，甚至偏見與恩怨，而且看事情的能見度，又高低不一樣，那選出的結果不理想出問題是可見的……「十大」選若以上面說的由顚覆偶像與傳統規範的後現代的網上新世代詩人來選，一定帶來存在價値的大失控與奇觀。

果然不出所料，為了嘲笑與諷刺「十大詩人」的票選結果，後現代上網新世代詩人在學院派緊鑼密鼓進行「十大詩人」票選時，他們以反叛的方式主辦了「臺灣當代網路百大詩人票選活動」。這個活動的主辦單位為「臺灣聚義堂」，他們號稱要「聚義起事，作亂文壇」，作亂的對象為「文人自立山頭，爭奪文化霸權；文人互為吹捧標榜，無代無之」。他們用自由投票的方式，選出臺灣網路百大詩人，前十名為：

丁威仁、鯨向海、劉哲廷、許赫、米羅・卡索、冰夕、阿鏡、喜菡、代桔、詠墨殘痕、王浩翔、林德俊、崎雲、莫問狂、子珩、雲蘿、不二家

這是一次抵抗性、消解性的票選活動。別看它以遊戲的姿態出現，但的確傳達了數次「十大詩人」的票選活動對年輕世代的壓制和對網路詩人的排斥這種訊息。這本是一種文化霸權的爭奪戰，用惡搞的「存在價值的大失控與奇觀方式」，強化了反文化壟斷的必要性與合理性。

「誰是大詩人，誰是小詩人？」，這是一個很難用量化方式解決的問題。比如大陸的白樺不屑雁翼等「小詩人」籌辦世界華文詩人協會，可在艾青面前，白樺畢竟也算不了大詩人（註二）。《文訊》早期也曾通過讀者調查的形式，將鄭愁予排在洛夫、余光中前面列成為頭號最受歡迎的詩人。

現在許多詩人或是詩評家及其媒體都愛念經，但卻不喜歡修行。評選「十大詩人」，在某種意義上也屬「念經」，故許多詩人不屑於參加這種只是製造新聞的活動，故當《陽光小集》同仁陳寧貴邀羊令

野參加票選活動時，遭其當頭捧喝：「天下本無事，庸人自擾之。」（註三）

第二節　如何理解臺灣意識

一九七九年，國民黨當局鎮壓由新生中產階級所主導的黨外第二波民主運動（高雄事件）之後，伴隨著廣大人民對國民黨的不滿及隨之而來的地域情緒的高漲和民進黨朝著臺獨化演變，鄉土文學也出現了前所未有的統、獨之間的矛盾。

這獨、統之間的矛盾具體表現在「臺灣結」與「中國結」的糾葛與衝突上。這種糾葛和衝突，早在鄉土文學論戰爆發前夕已有了預兆。一九七七年五月，文壇前輩葉石濤在《夏潮》雜誌上發表了〈臺灣鄉土文學史導論〉。他在檢討臺灣近三百年來的文學史時，用「臺灣意識」的概念去解釋臺灣鄉土文學的特色：

> 臺灣一直在外國殖民者的侵略和島內封建制度的壓迫下痛苦呻吟；這既然是歷史的現實，那麼，反映各階層民眾的喜怒哀樂爲職志的臺灣作家，必須要有堅強的「臺灣意識」才能瞭解社會現實，才能成爲民眾眞摯的代言人。惟有具備這種「臺灣意識」，作家的創作活動才能扎根於社會的現實環境裏，得以正確地重視社會內部的不安，透視民眾性靈裏的悲喜劇。當一個作家在描寫他生存的時代時，現實的客觀存在固然會決定作家的意識，但作家的意識也會反過來決定存在；而這時候，構成作家意識的重要因素之中，累積下來的民族的反帝反封建的歷史經驗，將占有一

方廣大的領域。民族的抗爭經驗猶如那遺傳基因，鏤刻在每一個作家的腦細胞裏，左右了他的創造性活動。臺灣作家這種堅強的現實意識，參與抵抗運動的精神，形成臺灣鄉土文學的傳統，而他們的文學必定是有民族風格的寫實文學。

這段簡練的論述，可以說是葉石濤從事鄉土文學批評的理論基礎，也是他多年從事本土文學評論的總結。他這裏所講的「臺灣意識」——「即居住在臺灣的中國人的共通經驗，不外是被殖民的、受壓迫的共通經驗」，顯然不是一般的文學論述，而是從政治層面、歷史背景、經濟結構、文化演進等方面去研討「臺灣意識」的形成與凝聚。葉石濤對「臺灣意識」的界說，有兩點值得注意：

第一，他講的「臺灣意識」與「中國意識」並未完全脫節。葉石濤在另一處說：「臺灣意識」是帝國主義統治下在臺灣中國人精神生活的焦點。」既然這樣，那「臺灣意識」應從屬「中國意識」，兩者關係並不平行。當然，葉石濤本人沒有這樣明說，但上面的分析並未違背他的原意。

第二，葉石濤講的「臺灣意識」係針對鄉土文學創作而言。關於臺灣鄉土文學的定義，葉石濤是這樣下的：「所謂臺灣鄉土文學應該是臺灣人（居住在臺灣的漢民族及原住民族）所寫的文學」。又說：「臺灣的鄉土文學應該是以『臺灣為中心』寫出來的作品；換言之，它應該是站在臺灣的立場上來透視整個世界的作品……他們應具有根深蒂固的『臺灣意識』。」（註四）

葉石濤要求鄉土文學作家應站在「臺灣的立場」來透視整個世界，有其一定的合理性。因為鄉土作家如果站在非臺灣的立場去寫，那必然失去鄉土的特點，鄉土文學也就不成其為鄉土文學了。但這裏過分強調了以「臺灣為中心」，並沒有同時強調鄉土文學作家還有一個站在整個中國立場上來觀察、描寫世界的問題。

正因爲葉石濤對「臺灣意識」尤其是對「臺灣立場」的解釋有些曖昧與含混，故很快引來陳映眞的反駁。陳映眞在〈鄉土文學的盲點〉（註五）中認爲：葉石濤說的「『臺灣立場』的最起初的意義，毋寧只具有地理學的意義。它在近代的、統一的中國民族運動產生之前，相應於中國自給自足的，以農業和手工業爲基礎的中國社會經濟條件，而普遍存在於中國各地。」陳映眞認爲一般人所說的「臺灣意識」是在日據時代臺灣經過近代資本主義的改造，發展成不同於同時代中國大陸的社會階段之後才產生的。他說，臺灣意識只存在於資本主義過程中新近興起的市民階級之中；而市民階級中的資本家，大多和土地資本無關，只有漢奸分子和股票投機分子。基於上述看法，陳映眞認爲「在日治時代的臺灣，是農村——而不是城市——經濟在整個社會中起著重大作用。而農村，卻正好是『中國意識』最頑強的根據地。再就城市來說……這些城市中小資本家階級所參與領導的抗日運動，在一般上，無不以中國人意識爲民族解放的基礎。……因此，在這個階段中的『臺灣意識』，除了葉先生所不憚其煩地、堅定指出的『反帝、反封建』的現實內容之外，實在不容忽略了和臺灣反帝、反封建的民族、社會、政治和文學運動不可分割的、以中國爲取向的民族主義的特質。」

陳映眞的理論，正好彌補了葉石濤的不足。他的整個理論框架，均是把三百多年來的臺灣歷史納進中國近百年的歷史過程之中。因此在理論主張上陳映眞比葉石濤的旗幟更爲鮮明。正是基於這樣的歷史觀，陳映眞的文章凡提到「臺灣文學」時，均用「在臺灣的中國文學」來概括。既然他清醒地認識到「臺灣意識」不可能脫離「中國意識」，故他毫不含糊地把臺灣文學看作是中國文學的一個不可缺少的組成部分。在他看來，如果不這樣看，單純地、孤立地主張「臺灣人意識的文學」，已不智地爲反鄉土派的人提供了「控訴鄉土文學是臺獨意識文學」的佐證。而「臺灣文學的分離運動，其實是這個島內外現實條件在文學思潮上的一個反應而已。」

第三節 鄉土文學大論戰

在一九七七至一九七八年發生的鄉土文學論戰，表面上是一場有關文學問題的論爭，其實它是由文學涉及政治、經濟、思想各種層面的反主流文化與主流文化的對決，是「左與右，中華民族主義與『臺灣民族主義』的意識形態大亂鬥，是『藍綠對決』的前世」（註六），同時也是現代詩論戰的延續。這是臺灣當代文學史上規模最大、影響最爲深遠的一場論戰。

這場論戰結束後，兩本代表完全不同傾向的書問世。一本是由「中華民國青溪新文藝學會」編印，彭品光主編的《當前文學問題總批判》（註七），一本是尉天驄主編的《鄉土文學討論集》（註八）。前者由尹雪曼作〈消除文壇「旋風」〉序。這裏講的「旋風」，主要是指「鄉土文學」，由此可見此書的總傾向；後者也旗幟鮮明地選了許多反駁「總批判」的文章，同時附錄不少「論戰」的原文。更值得重視的是這兩本書的作者名單，所反映的不同意識形態的媒體所集聚的不同思想傾向的作者群。

「總批判」的重要作者有：彭歌、余光中、趙滋蕃、魏子雲、季薇、王集叢、陳紀瀅、尹雪曼、尼洛、朱炎、鳳兮、誓還、墨人、侯健、應未遲、姜穆、鄧文來、司馬中原、羊令野、王藍、澎湃、周伯乃、葉慶炳、孫伯東等人。這其中有的是國民黨高級老黨工，如王藍、誓還、陳紀瀅、趙滋蕃（其中有的還是立法委員、國大代表）；有的還是新聞界的要人，如彭歌、尹雪曼；有的是主持高校文學系、所的國民黨代言人，如余光中、葉慶炳。其餘也多爲國民黨軍政系統的幹部。正如郭楓在〈四十年來臺灣文學的環境與生態〉中所說：「在這場論戰中，他們充分展露黨工人員的團結力量。」（註九）

「討論集」的作家主要有：胡秋原、尉天驄、林義雄、陳映眞、葉石濤、王拓、何欣、楊青矗、王曉波、陳鼓應、趙天儀、侯立朝、曾祥鐸、黃春明、高準、徐復觀等人。這其中葉石濤、楊青矗是臺灣省作家；陳鼓應、王曉波是客串評論家和學者；陳映眞、高準等是民族主義者。有個別的則是這場論戰中的中間派。其中除胡秋原、徐復觀是資深的國民黨開明人士外，其餘都是中青年作家，與國民黨沒有往來或根本上就反對國民黨的獨裁統治，「這是一群在野的自由派作家的結合。」（註一〇）

這場論戰是兩種政治勢力、兩種意識形態、兩種文學創作路線醞釀已久的較量。文學辯論是名，對臺灣的經濟體制提出批判，再以對經濟體制的價值判斷來攻訐政治體制的正當性和合法性是實。

鄉土文學論戰之所以採用文學的形式，是因爲這時的兩大報副刊在高信疆、瘂弦的策畫下成了強勢副刊。另方面創刊於一九七二年的《書評書目》以及和此刊唱和的《中外文學》的問世，還有關心知識分子命運的《仙人掌》的出現，均爲文學評論家提供了最佳的馳騁陣地。而且在戒嚴的一片恐怖氛圍中，借文學手段進行政治辯論，借鄉土文學之名作主流文化與非主流文化的對決，是一種迂迴策略。因爲如果發表批判貧富不均的政論，或像一九七八年底「臺灣黨外人士助選團」發表的〈國是聲明〉中呼籲「全面改選中央民意代表，司法獨立，軍隊國家化，解除戒嚴令，開放黨禁報禁」，「警總」馬上會派人前來干預乃至通緝作者。如先不談政治而改講文學應反映現實，應拒排西化回歸鄉土，應關心下層人民的苦難，然後得出臺灣的確存在農村破產情況的結論，這樣一來，政治的干預便改由「文明」一些的「文工會」執行。否則，文章還沒有出來就被「警總」消音了。（註一一）

下面是來不及被「消音」讚同鄉土文學人士的論點：

一、文學家應把關心貧困者作爲自己的道德標準，而工農大眾是經濟上受富人剝削的階層，作家必須關照他們、同情他們、描寫他們。在論戰中有濃烈政治傾向的《夏潮》雜誌，爲這股思潮推波助瀾時用十分明顯的階級觀點去分析臺灣社會。

二、沿襲二三十年代反帝、反封建、反殖民主義的口號，將臺灣經濟視爲「殖民地經濟」，反對臺灣工農群眾遭受帝國主義剝削。更有甚者，指責執政當局爲殖民政府。

三、反對、批評以聯合報系《中國論壇》爲陣地的胡佛等「自由主義學者」，甚至認爲他們是「洋奴買辦」。

不必諱言，不僅是鄉土文學的擁護者而且鄉土文學的批判者，都首先是從意識形態而非從文學本身出發去進行論爭的。這絕不像有些人說的只不過是名詞之爭。與其說論戰雙方對鄉土文學的內容與形式有不同的理解，不如說雙方對臺灣社會的看法和所持的態度有原則性的差異。而參與論戰的人出身背景的不同和創作派別的不同，又加劇了論爭的緊張氣氛。

現在看來，批判鄉土文學的一方，在許多情況下是出於歷史夢魘的驚疑，特別是兵敗大陸的慘敗教訓使他們有些神經過敏。另方面也怕鄉土文學的興起侵犯了自己既得的利益，使自己從主導地位上跌落下來。對這場論戰的發生的背景，有人曾論述道：

> 自一九七〇年以來，臺灣在經濟上有了畸形的發展，在文化上也出現了轉形的蛻化。所謂「畸形」是對外國資本家，尤其是對日本資本家的開門揖盜而言。所謂「轉型」是指在中華文化復興

的虛僞口號下瘋狂地將中國人的心靈澈底出賣爲外國人心靈而言。對此一趨向的反抗表現爲若干年輕人所提倡的「鄉土文學」，要使文學在自己土生土長、血肉相連的鄉土生根，由此以充實民族文學國民文學的內容，不准自己的靈魂被人出賣……。於是鄉土文學，必然也會成爲反映這些生活不斷下降的父兄子弟的寫實文學。他們把有時可望見顯要豪富們的顏色，幻成水中月、鏡中花的文學，斥之爲買辦文學、洋奴文學。這種話一經說穿，文學的市場可能發生變化，已成名或已掛名的作家們，心理上可能發生「門前冷落車馬稀」的恐懼……，勢必要借政治力量來保護自己的市場。」（註一二）

這段話，十分精闢地闡明了鄉土文學的本質以及鄉土文學論戰後來爲什麼會離開文學本身的原因。

遠在一九七六年，鄉土文學在臺灣就重新冒頭。時任臺灣大學外文系客座教授的楊牧，於一九七六年二月接受採訪時表示：「近年來，臺灣鄉土文學廣受重視，他認爲是自然的發展。」（註一三）同年八月，《夏潮》雜誌把「鄉土的」作爲自己三大辦刊宗旨之一。一九七七年三月創刊的《仙人掌》，後來推出「鄉土與現實專輯」，其中王拓、銀正雄、朱西寧的文章，正式揭開了鄉土文學論爭的序幕。這就難怪同年九月，《中央日報》先後發表了朱炎〈我對鄉土文學的看法〉和華夏子的〈創作三民主義的文學〉等文，對鄉土文學論者提倡「社會文學」提出批評。《中央日報》總主筆彭歌在《聯合報》副刊「三三草」專欄中發表了〈不談人性，何有文學〉（註一四）的長文，則正式揭開了鄉土文學論戰的序幕。這篇由七篇短論拼成的文章，把矛頭直接指向鄉土文學的代表作家和理論家王拓、陳映眞、尉天驄。作者用老謀深算的眼光和犀利的文筆，尤其是大量引用蔣經國的話和三民主義資料，硬是要迫出這三人的「左派」原形。其中談到反帝而不見反共，即在《仙人掌》雜誌一九七七年第二期發表〈是現實主義文學，不是「鄉土文學」〉的王拓時說：這種唯物傾向容易「陷入階級對立，一分爲二的錯誤。」在談到陳映眞時，則認爲他作品中揭示的規律「其實只存在於共產黨的階級理論之中。」在談到尉天驄時，則認爲他的「高見對中國文學、歷史、文化的誣衊與損害」，比他自己詬罵的西化派還厲害。彭歌最後認爲鄉土文學作家有意「惡化社會內部矛盾」，暗示這種鄉土文學有可能「淪爲敵人的工具」。彭歌在這裏談的已不是文學，而是讓自己的文章眞正「淪爲政治的工具」了。

第二篇攻擊鄉土文學、充滿情緒語的文章是余光中寫的。本來，這次論戰的參加者多爲小說家，很少詩人上陣，再加上余光中在香港中文大學教書，可他按捺不住從遙遠的香港參加鄉土文學的論爭，這就不能不使人刮目相看。他在〈狼來了〉一文中以公開告密的方式煽動說：「北京未聞有『三民主義文學』，臺北街頭卻可見『工農兵文學』，臺灣的文化界眞夠大方。說不定，有一天『工農兵文藝』還會在臺北得獎呢！」此文以將近一半的篇幅引證毛澤東〈在延安文藝座談會上的講話〉，指責鄉土作家追隨毛澤東在臺灣搞「階級鬥爭」，余光中最後用咄咄逼人的口氣說：「說眞話的時候已經來到。不見狼而叫『狼來了』，是自擾。見狼而不叫『狼來了』，是膽怯。問題不在帽子，在頭。如果帽子合頭，就不叫『戴帽子』，叫『抓頭』。在大嚷『戴帽子』之前，那些『工農兵文藝工作者』，還是先檢查檢查自己的頭吧。」（註一五）這是公開把鄉土作家往共產黨陣營推去而主張動武「抓頭」。這在臺灣三十多年來大大小小的文學論爭中，鮮見有如此露骨的政治指控。當年也有人爲余光中辯解，認爲「他所謂『抓頭』，並不是把他抓去殺頭。」（註一六）但這種辯解，有此地無銀三百兩的味道。

這兩篇帶有鮮明政治旨意的文章發表後，震撼了整個臺灣文壇。其後兩個月，指控者與被指控者展開了不同尋常的混戰。鄉土文學作家為捍衛自己的民族立場嚴斥買辦文學努力作戰，可當時的新聞機構和報刊雜誌均為官方所控制，圍剿鄉土文學的文章便如決堤黃河滾滾而來。據郭楓截至一九七七年十一月的統計，由《聯合報》、《中央日報》、《青年戰士報》、《臺灣新生報》發表社論八十篇、專論三十篇、方塊短評二十篇批判鄉土文學。其中前面講的〈狼來了〉，作者用「狼」咒鄉土文學家，他給對方「所戴的恐怕不是普通的帽子，而可能是武俠片中的血滴子。血滴子一拋到頭上，便會人頭落地。」（註一七）當時的一片白色恐怖氣氛，使論戰成為一場朝野作家意識形態的決鬥。這就難怪鄉土文學的聲援者照批判者的做法離開文學主題去進行政治較量。像從〈狼來了〉中獲取靈感而寫作三評余光中詩的檄文（註一八），作者陳鼓應所持的解剖刀就不是文學，其出發點不過是以其人之道還治其人之身，用〈評余光中的頹廢意識與色情主義〉、〈評余光中的流亡心態〉這種加色標題，讓讀者看清余光中本人的「頭」就有問題，他憑什麼資格去檢查別人的「頭」？同樣，《現代文學》的重要骨幹王文興所發表的〈鄉土文學的功與過〉（註一九），除了攻擊鄉土文學的創作「交了白卷」外，亦未曾涉及鄉土文學的本質，和陳映真等人的理論也未正面交鋒，而大談反對西方就是「反對文化」，「世界上只有軍事侵略，才會造成亡國，文化侵略和政治侵略都不能算是侵略，都不會危害到國家的安全。」

陳鼓應和王文興這一正一反遠離鄉土文學的極端筆戰例子，充分證明這場論戰「是一場文學見解上沒有交叉點的戰爭，只是兩種相對立意識形態的對決」（註二〇）。侯立朝在一篇文章中，站在旁觀者的立場，也認為鄉土文學論戰是一場加了色料的戰爭：「在這一次論爭中可以分為兩方面：（一）一方是『鄉土文學』的鼓吹者，要以『鄉土文學』作武器，改變文風，衝擊社會。（二）一方是『鄉土文學』的批評者，批評鼓吹者的武器性文學觀，而未涉及作品。……爭論的焦點，很少集中在作品本身，而是集中在鼓吹者的論點上。結果形成了不是對作品的評論，而是鼓吹者與批評者的爭論，雙方的論點都是『加色的』，甚少涉及到『鄉土文學』本質的認識。」（註二一）拿王拓〈擁抱健康的大地——讀彭歌《不談人性，何有文學》的感想〉（註二二）來說，除敘述自己投入鄉土文學的心路歷程外，主要是談自己對臺灣這些年來經濟發展的理解。談論時語言比過去緩和，給這場論戰在一定程度上降了溫，使得原來觀點的分歧變成觀察的角度不同而已。但論戰在別的報刊開展時，雙方仍呈短兵相接勢，火藥味極爲濃厚。其中爲鄉土文學辯護的文章分別爲尉天驄〈欲開壅蔽達人情，先向詩歌求諷刺！〉（註二三）、陳映眞〈建立民族文學的風格〉（註二四）、黃春明〈一個作者的卑鄙心靈〉（註二五）。

王文興在這場論戰中，由於主張全盤西化，成了眾多論者批駁的靶子。胡秋原曾逐條批駁王文興的言論，在長文〈論王文興的Nonsense之Sense〉（註二六）中也說了過頭話。有人還說王文興是「聯經集團三報一刊的文學部隊」中之一員，亦不符合事實。至於尉天驄在淡江文理學院舉辦的「二十世紀文藝思潮及中國文學前途」的座談會上提倡「工農兵文學」，典型地離開了「鄉土文學」本來的認識在鼓吹自己的文學主張，這顯然是出於一種激憤情緒：「知識分子既然可以寫他們的文學，工農兵爲什麼不可以寫他們的文學呢？……我們應該鼓勵我們的農人、工人、軍人努力創作。二、我們應該走出象牙塔，多關心工人、農人、軍人的生活，這樣有助於知識分子良心的發現。」「假如說，大陸提倡工農兵，我們就放棄工農兵，不唯愚蠢，亦復膽怯。」（註二七）

尉天驄這番話，給鄉土文學栽贓爲「工農兵文藝」的「批評者」顏元叔、洛夫、朱西寧提供了再好不過的靶子。以致像下面這類攻訐，在報刊雜誌隔幾天就可看到：「現在，文壇上也有一小批披著人皮的『狼』，假『鄉土文學』之名，販賣『階級文學』的毒素，甚至張牙舞爪喊出『工農兵文學』的口號，他們的囂張，簡直視天下如無物。」（註二八）這種攻訐顯然是借政治權勢壓人。但應該承認，將「鄉土文學」與民族精神、民族文學聯繫在一起，是使鄉土文學論者不被「政治解決」一個重要原因。也是這一點，使原屬三民主義體系的作家、評論家分化出來站在鄉土文學一邊，或對鄉土文學表示同情。如胡秋原爲尉天驄主編的《鄉土文學討論集》作序時，就認爲鄉土文學有其存在的理由和價値，反對對鄉土文學作家進行迫害。他以保護鄉土作家又給「總批判」作者面子的折衷態度，給這場論爭打了一個句號。徐復觀、任卓宣、鄭學稼等人也憑藉他們在國民黨文化界的地位，幫鄉土文學說過話。還由於發生了「中壢事件」，這種政治形勢的變化和廣大群眾迫切要求民主呼聲的高漲，逼得「國防部總政作戰部」主任王昇在一九七八年元月國軍文藝大會上講話時，不得不承認「純正的『鄉土文學』沒有什麼不對，我們基本上應該『團結鄉土』。……應該團結這些人，不要把他們都打成左派，統統給戴上紅帽子。」（註二九）後來得知尉天驄主編《鄉土文學討論集》時，又去信嘉勉，這均說明了他們的通達。

正因爲鄉土文學論戰經軍界要人出來調解，要求「每個人都要平心靜氣，求眞求實的化戾氣爲祥和」，所以這場論戰才「和平」收場，不像中西文化論戰那樣釀成「政治事件」。至於說到誰輸誰贏，則很難判斷。不過，單就鄉土文學來說，並未因此弄得抬不起頭來。相反，鄉土文學作家洪醒夫，於一九七八年同時獲得第三屆《聯合報》小說獎和首屆時報文學獎小說類第二名，黃凡次年也得到《中國時報》小說獎首獎。

儘管洪醒夫和黃凡是鄉土文學的溫和派，遠未有後來崛起的宋澤萊那樣激烈，但這畢竟說明，「鄉土文學已是大勢所趨，誰也阻止不了的。」（註三〇）鄉土文學論戰的眞正意義，也正在於回歸鄉土，文學要反映現實，要寫民眾、大眾生活，要繼承傳統，反殖民化，建立臺灣文學的民族風格，已成了許多作家的共識。拿現代派作家來說，他們正是在批評聲中開始認識到認同傳統的迫切性和關懷現實的重要性，以此來調整自己的創作路線。其次，這場論戰使鄉土文學思潮從理論上作了一次檢視，並形成了一支以本土作家爲核心的足以與現代派作家抗衡的鄉土文學創作隊伍。這個新的文學流派的出現，打破了過去現代主義一統天下的局面，尤其是自一九五〇年以來受內戰及世界冷戰結構影響形成「反共抗俄」的思想壟斷。兩種不同的創作路線，給八十年代以後作家的成長提供了一個新的藝術參照系。他們以後從事藝術革新，多半吸收現代藝術的不同長處建立自己的風格。

在鄉土文學論戰之後，對這一事件作回顧與檢視的文章有向陽的〈打開意識形態地圖〉（註三一）。該文繪製了鄉土文學論戰意識形態對立分布坐標（見頁二四一表一）。

早先還有《聯合報》爲紀念該報創刊四十年撰寫的〈十五年後看鄉土文學〉，陳正醒的〈臺灣的鄉土文學論戰〉（註三二）及陳芳明以宋冬陽筆名發表的〈現階段臺灣文學本土化的問題〉。陳文對論戰的前後經過有詳實的交代，不足之處是未能進一步討論這場論戰的意義。

在確定文學應描寫社會等美學原則後，當局沒有鎮壓「鄉土文學」。極富反諷意味的是，現今被視爲鄉土文學經典作品王禎和的〈嫁妝一牛車〉、黃春明的〈鑼〉，均是在論戰前寫的。鄉土文學論戰後的創作，由於太鄉土，在作品中使用了不少令人難懂的閩南話，反而無法流傳開來。

鄉土文學論戰文章匯編成書的除上面說的兩大冊外，香港也出了一巨冊。論爭爲期雖然只有一年，但其延續性卻相當漫長。可以說一直延續到一九九〇年代。尤其是民進黨成立前的黨外運動至該黨出臺前後，鄉土文學已蛻化變質爲「政治文學」了。從這個意義上也可解讀爲鄉土文學論戰並不是以勝利告終。陳映眞就說過：「鄉土文學論戰並沒有形成一種新的啓蒙運動、新的思想運動，現在回想起來，它應該更進一步對整個戰後冷戰體制進行質疑和批判。」（註三三）特別是鄉土文學論戰消除自我後合併到主流的本土民粹主義運動中，其後果就是使「反國民黨」乃至「反中國」成爲唯一的「理論」或「思想」。既然所謂「鄉土」只是「反國民黨」「反中國」而無別的意義，那它只好與商品和鄉土聯繫起來共舞。（註三四）

表一　鄉土文學論戰意識形態對立分布坐標

中國立場		臺灣立場
社會主義取向	←　官方論述　→	資本主義取向
無產階級文學		三民主義文學
工農兵文學		戰鬥文藝（反共文學）
普羅文學		人性的文學
社會主義文學		資本主義文學
社會主義文學		現代文學
中國鄉土文學		臺灣鄉土文學
反封建、反帝國主義文學		反帝、反封建文學
中國意識文學		臺灣意識文學
在臺灣的中國文學		臺灣文學
民族取向	←　人民論述　→	土地取向

第四節　「群毆」王文興

在鄉土文學論戰中，有兩位教授成了眾矢之的：一是時在香港中文大學教書的余光中，批判他的人出版有《這樣的「詩人」余光中》（註三五）；另一位是臺灣大學教授王文興，不滿他的人出版了《這樣的教授王文興》（註三六）。

《這樣的教授王文興》有兩篇序，其一是潘榮禮〈象牙塔裏的教授〉，其二是蕭國和〈請走出象牙塔〉。該書第一輯爲「〈鄉土文學的功與過〉論戰」，收入《夏潮》雜誌記錄的兩篇文章：〈王文興教授談《鄉土文學的功與過》〉和〈王文興教授的經濟觀和文化觀〉，另有胡秋原的長篇文章〈論「王文興的 Nonsense 之 Sense」〉、王拓的〈評王文興教授的《鄉土文學的功與過》〉、李慶榮的〈是法西斯，不是西化〉、石恆的〈思想與社會現實〉、曾心儀的〈注意「瓊瑤公害」——兼答王文興教授〉、巴人的〈「鄉土文學的功與過」演講側記〉、高準的〈更正〉、何秀煌的〈急需集思廣益的討論〉、思民的〈王文興教授的偏見與狂傲〉。第二輯「爲『農業經濟觀』論戰」，收入蕭國和的〈評王文興的農業經濟觀〉、蕭水順的〈請不要輕薄農民〉、潘榮禮的〈木工工會譴責王文興〉、《中國時報》的〈農會的抗議〉、《臺灣時報》的〈農民的抗議〉等文。

王文興之所以引起眾人「群毆」，源於他一九七八年春節在天主教耕莘文教院所做的引發激烈爭議乃至高潮迭起的〈鄉土文學的功與過〉的演講。此演講分爲四部分：寫實主義與鄉土文學、普羅文學交了白卷、讚成鄉土文學的創作但反對它的理論、鄉土文學理論的四大缺點。

王文興一向以思想出格、文化出格、語言出格著稱。他在這次演講中，最爲人詬病的是「語不驚人死不休」的下列一段話：「反對西化便是反對文化，文化侵略和政治侵略不能算是侵略。」胡秋原反駁道：「西方文化是西洋人自己創造的文化，『西化』是非西方人自己沒有文化，假裝西洋人。西化是一種假文化，也就是殖民地的文化『洋涇濱文化』。於是就可以批評王文興所說的『反對西化就是反對文化』的觀點完全是洋奴夢話。因爲西化根本不能叫做文化。裝洋相，裝洋人的樣子怎麼可以叫做文化呢？西化既不是文化，怎麼能說反對西化，就是反對文化呢？王文興他自己根本不瞭解何謂西化，何謂西方文化。西方文化是西方人的成就，他有他的弱點，但是也有他的長處。雖然不是西方人，裝西洋人的樣子，自己忘記了自己，你自己不能創造你的文化，以旁人的文化爲文化，自外於自己的民族還覺得高人一等，這是墮落。」（註三七）說王文興不懂西方文化，並不是事實，但說王文興西化，則完全符合他的文學創作實際。

王文興充分意料到自己口無遮攔的演講在會場上會引發「地震」式的爭論，便事先做好準備，讓臺灣大學學生組成「護師團」。他的「精彩」演說一結束，就向聽眾下「挑戰書」：發言者要事先舉手，時間只有五分鐘，而他在臺上回答，提問者只能在臺下發問。哲學家陳鼓應首先接受挑戰，認爲王文興所規定的這場演講的游戲規則過於霸道，比如自己要提的問題多達四、五十個，希望能延長時間，並對王文興的理論提出了多處疑問。陳鼓應指出，日本商人在臺灣所做的經濟滲透和控制，和日本工廠在臺灣所造成的環境污染，這些情況能歌頌嗎？能不算侵略嗎？由於陳鼓應說的這些問題打中了對方要害，因而很快被「護師團」打斷。輪到王拓發言，王文興藉口有事要辦，不讓他講。在王文興急著示意主辦方快點結束討論會時，詩人高準按捺不住激動地說：王文興不爲工人發言，反而爲資本家辯護，這是因爲他養尊處優，其工資可能是月入一萬八千元，而工人的月薪只有兩千元。以他這樣的收入和身分，爲資本家的侵略辯護也不奇怪。

對王文興講的「文化侵略和政治侵略都不能算是侵略，都不會危害到國家的安全」，思民認爲：王文興這種觀點和國防部審定大專預官考試教材互相矛盾。王昇在《國父思想》一書第一二一頁指出，「帝國主義的本質爲侵略，不論其使用的手段爲政治、經濟，或文化、思想，只要有侵略的事實，即爲帝國主義。」王昇當時是臺灣輿論總管，思民引用他的話是爲了說明王文興的言論「政治不正確」。思民再說：眾所周知，文化爲民族的特徵，民族文化係鞏固民族的基礎，民族的基礎臻於鞏固，民族地位才能長治久安。如今，王文興公開喊文化侵略和政治侵略都不能算是侵略，「我一直想，除了專爲帝國主義侵略我國製造有利輿論的鋪路者會這樣喊外，還會有什麼人卑鄙到以被侵略爲快樂來擾亂國人視聽？」（註三八）

王文興是貴族作家，他反對普羅文學不似余光中那麼激進，以致認爲疑似大陸「工農兵文學」的臺灣鄉土文學的興起，是「狼來了」（註三九）。他與〈文學不容劃分階級〉（註四〇）的彭品光也不同。相反，王文興認爲文學應該是劃分階級的，普羅文學就是講階級的文學。乍看起來，他用階級觀點來反對普羅文學，這令人奇怪，其實他是以子之矛攻子之盾，認爲文學是分「簡單階級」與「深奧階級」兩種。作爲現代派《家變》長篇小說的作者，他反對文學的明朗化也就是他說的簡單化，認爲高水平的作品均不是一看就懂的，而是「深奧」的，雅俗共賞是不可能的。他這裏是暗指鄉土文學是低級的文學，和他在課堂上講的卡夫卡、喬埃斯、歐立德這種高深文學不同。其實，文學的審美情趣各有不同，不能以自己的愛好來排斥別人的審美情趣。至於他說的歐立德也就是艾略特的作品不好懂，可艾略特的名著

《荒地》，僅看書名就知道其所指的荒地是代稱整個西方社會的文明。懂得了這點，其他都好辦。正因爲《荒地》不是貴族文學，所以此詩才成爲二十世紀的文學經典。

作爲專門寫「新、奇、怪」題材的作家，王文興反對普羅文學，其潛在目的是反對臺灣正在流行的鄉土文學。不過，他辯解說他反對的不是鄉土文學創作而是鄉土文學理論。他從右翼立場出發，大張旗鼓撻伐鄉土文學理論的核心觀點「主張文藝必須以服務爲目標」並反對力求簡化，認爲鄉土文學理論有公式化和排他性的傾向。王文興之所以有這種看法，是因爲他不瞭解臺灣社會，不理解臺灣下層人民，不明白文學思想與整個時代的社會關係，因而他不可能知道鄉土文學在糾正當代社會和文壇所出現的種種弊病的正面作用。他說鄉土文學理論公式化，而他本人的理論卻空洞化，沒有說服力。他所說的「公式化」，是指鄉土文學「只寫工農階層，而不寫非工農階層；他們只同情低階層，而攻擊其他的階層。」這完全是對鄉土文學的誤解，因爲鄉土作家從來沒有人講過這種話。不過，鄉土文學的確主張文學應爲大眾服務，作品應使他們能看得懂，並呼籲文學應關心底層人民的生活。這些主張的提出，是因爲臺灣文壇被王文興這類文人所颳起的西化之風嚴重污染了。

至於王文興說的「農民對經濟的成長幫助不大」，一筆抹殺了臺省農民對社會所作出的巨大貢獻，更是引發臺灣南部、中部、東部以及北部眾多農友的不滿和農會的嚴重抗議，如幾位年輕鄉友看到《夏潮》上王文興的演講後，連罵帶憤的猛拍著桌上的雜誌說：「眞可惡!!怎麼一個堂堂臺大教授可以隨便亂蓋！（註四一）」這就難怪潘榮禮的文章就題爲〈請吃米飯的人聽聽農民的心聲〉。臺灣區木工工會也異口同聲譴責王文興。不過他下半場的演講不屬於文學問題，而純屬社會批評，這裏從略。

在言論高度自由的臺灣，《這樣的教授王文興》所討論和批判的多半屬於王文興自己講的「亂說」

（而胡秋原認爲是「瞎說」）——諸如文學要不要爲社會服務，文學的目的是否僅「給人快樂」，以及唐人張繼的〈楓橋夜泊〉題目是否可「簡化」爲「漁火」一類的學術層面問題。作爲現代派的王文興，與作爲鄉土派的支持者胡秋原和鄉土作家王拓，對話起來有如雞同鴨講。但怎樣對立，怎樣批判，也無法改變王文興在臺灣文學史的貢獻和地位，這正像陳鼓應出版的《這樣的「詩人」余光中》，也無法抹殺余光中在中國文學史上的地位一樣。

第五節　大學文藝教育何去何從

一九四九年蔣介石到臺灣後，帝國大學改制爲臺灣大學，其師資像臺靜農等人均來自大陸，故文學院的課程均參照北京大學、（北京）清華大學課程標準而訂定，這就是臺灣的文學教育，在七十年代是中國文學教育或曰中華文學教育的原因所在。當時不存在去中化的問題，而是如何更好地宣揚中華文化。在如何宣揚上，出現了嚴重的紛爭。這表現在《中華日報》副刊從一九七二年三月十日至一九七三年三月二日止，就臺灣地區大學文學教育的現狀及存在問題，先後發表論爭文章二十多萬字，參加爭鳴的作者有三十八人。由於論題觸及了臺灣文學教育的弊端，故引發文化界的廣泛關注。

論戰由趙友培〈我國大學文學教育的前途〉所引發（註四二）。這裏說的「我國」，實指臺灣。這位外省作家將臺灣大學與北京大學作比較，認爲本地的大學不符合現代社會的要求，過於守舊，缺乏新的發展空間和創造才能。尤其是與文學創作有關的專業，並無進步反而出現倒退。文學教育固然離不開文學的欣賞、研究與批評，但不能讓文學教育局限於傳統的研究而與當前創作實際脫離。批評中文系守舊的還有邢光祖的〈當前我國文學的危機〉（註四三），林柏燕的〈中文系應有醒覺與信心〉（註四四）、〈中文系自我革新芻議〉（註四五），以及左海倫的〈中文系是幹什麼的〉（註四六）、〈中國文學是這樣界定的嗎〉（註四七）、〈怪怪的邏輯〉（註四八）。

一九七二年十一月二十五日，臺灣電視公司「藝文沙龍」節目，邀請趙友培、余光中、邢光祖、李辰冬等人商討大學文藝系的課程問題。同年十一月底，顏元叔、李辰冬、左海倫、魏子雲等四人座談「中文系革新與增系問題」，就增設文藝系是否在製造與中文系對立，文藝的人才是靠天賦還是靠培養等問題各抒已見。多數的與會者出於愛護中國文學的熱忱，發表了主張革新，打破暮氣沉沉的文學教育的言論。但也有另類聲音，如老作家魏子雲反對另設文藝系，是因爲現在作家已經很多了。「三萬人準能分得一位『作家』。難道，我們還需要大專院校再爲社會製造『作家』嗎？倘說，設立『文藝系』的目的，不是爲了培養『作家』，而是爲了使大學的中國文學教育不要再停留在線裝書上，應向前再推進一步，兼及於民國以來產生的白話文文學。那麼，必須專闢出『文藝系』或『現代文學系』，才能達成此一任務嗎？在原設的中國文學系中，列上現代白話文文學的必修課程，不就可以了嗎！爲什麼非要另立門戶而分爨？」（註四九）

在討論中，替中文系答辯的只有于大成一人。于大成的〈中文系的目標〉（註五〇），牽涉到中文系能不能改革，應不應該把培養作家當成目標之一，以及現代文學系應不應該成立。後者不僅是增加一門課，也不只是師資問題，而是牽涉到大學教育的宗旨和目標。于大成文章傾向是反對革新，而受到季清的反對。季清認爲，研究中國文學不能停留在經、史、子、集和整理國故上，而應古爲今用，爲創造新的文學服務。如果讓學生鑽故紙堆，那必然殺死靈感，埋沒天才。抱殘守缺、固步自封是沒有前途的。

中文系應更新研究方法，增設主張中文系分組或單獨設立現代文學系，才能適應社會的新需要。

後來又有李霜青發表〈論戰的檢討〉（註五一），認爲趙友培等人走的是嘩眾取寵的路線。自新文學運動以來，白話文已取代了文言文，中國文字和古文學的研究，只剩中文系這一角，這是傳統文化的最後一個陣地，係中國學術生命之所寄。那些號稱革新的先生難道忍心將這麼一小點根茅也拔掉嗎？何況所謂新文化都是中共陳獨秀一手栽培的，凡是國民黨優秀之士，都應挺身而出捍衛傳統文化，應鼓勵中文系保存「經史之集」、「文字訓詁」、「君子聖賢之學」，以光復中華文化和治國平天下。

在學術討論中常使用「共匪」一詞的李霜青，代表的是黨國的忠貞之士。這是舊勢力的最後哀鳴，不得人心是很自然的事。儘管他也說了中文系可以包容新文學，但有點言不由衷。

傳統的中文系的反傳統之士，對中文系的教材、師資、課程很有意見。但他們不願公開站出來責備自己的服務單位，其服務單位也從不鼓勵發表不同意見。作爲一個保守的中文系，「知榮知辱免開口，誰是誰非暗點頭。」如果明點頭，就可能影響自己的升職。在這種情況下，左海倫、林柏燕不顧個人得失，站出來表示讚同改革中文系，這勇氣令人欽佩。也有持折衷意見的，如葉嘉瑩的〈古今並重，另設創作系〉（註五二）。這場論爭以李霜青爲代表的衛道士敗走麥城結束。

論爭的成果是教育部採納了趙友培等人的意見，最後制定了新成立的「文藝系」的課程標準。令邢光祖氣憤的是有少數中文系教授「勸告」文藝組學生趁早轉系，以免將來喪失念研究所的機會和取得教師的資格。

論戰結束後，蔡文甫主持的《中華日報》副刊於一九七三年三月出版了《大學文學教育論戰集——中文系和文藝系的問題》。

第六節　「漢詩」的名稱

一九七四年三月，吳濁流主編的《臺灣文藝》出版十週年時，《中華雜誌》主編胡秋原前往祝賀，其中對《臺灣文藝》稱「舊詩」爲「漢詩」提出質疑：

在清代和日據時代，許多父老在臺灣文學尤其是詩中保持民族精神。後來由大陸輸入新文學潮流，臺灣亦如大陸有新舊文學之分。即如在《臺灣文藝》上，新詩曰「詩潮」，而舊詩曰「漢詩」。我以爲詩只有好詩壞詩之分，無新舊之分。我很冒昧的說，漢詩之名並不妥當。這是日本人用來對和歌俳句之稱。難道白話詩不是漢詩嗎？詩與文學分了新舊之圈，也便要使兩方面的作家的天地狹隘化（註五三）。

詩和文學有新舊之分，這是約定俗成的說法，胡秋原對此提出異議，也自成一家之言。《臺灣文藝》將舊詩稱爲「漢詩」，的確値得商討。胡秋原本是民族主義者，他這位外省人擔心本地人受日本殖民文化的影響，使用與和歌俳句相對等的「漢詩」一詞，有「皇民化」的味道。胡秋原不同意「漢詩」一詞，是連帶「新」「舊」文學的用語說及的。他認爲中國新文化運動的最大不幸，是「新」字內涵不明確。當時所謂「新」是針對老祖宗固有的，通通名爲「舊」。凡是舶來品，則一律叫「新」。於是即便是外國的舊東西，如希臘、羅馬和中古的東西，也還是「新」。何況「漢詩」的「漢」，有歧義：

如漢指朝代，則漢詩對唐詩宋詩而言。如漢指民族，則漢詩對蒙、回、藏、苗之詩而言，如對外國而言，似乎只能說是「國詩」。然而在國內使用，不免多餘。我們總不好說我們在寫「漢文」，辦漢文的《臺灣文藝》或《中華雜誌》。如說柏梁體，則柏梁聯句出於依托，早經顧亭林論定。如謂五七言，則楚辭實爲權輿，加減兮字即得。而《臺灣文藝》中漢詩欄所錄，如四十二期，皆爲絕律，那應稱「唐詩」而非「漢詩」。我只是提出討論，吳先生有用任何名詞之權（註五四）。

「漢詩」之名義，林文訪、李騰岳及「中國文藝界聯誼會」在第一飯店聚集會席上，也有人反對。他們和胡秋原一樣，認爲這個名詞是日人命名的，光復後應該不可用，因此吳濁流請教魏清德及「國立編譯館」編審韓道誠及其他人，他們不讚成胡秋原的說法，認爲可以用。前者說，中國漢唐兩朝最盛大，應當可以代表。後者說，國民初年以前都稱「漢詩」，不稱舊詩。另查《辭源》所載「（甲）漢高祖劉邦滅秦有天下，國號漢，都長安……，至魏晉以後，外人猶稱中國曰漢，即本國亦自稱漢，如俗謂男子曰漢子，是也。又謂中國本部人曰漢人，對於滿蒙回藏及苗族而言也。」

這位戰時爲日文作家，出版有漢詩集《千草集》的吳濁流認爲，現在我們原來的詩被稱作舊詩，模仿西洋的詩稱之新詩，若要恢復我國固有詩的地位，非用「漢詩」的名義，不能相對稱了。查漢以前沒有五、七言的詩，到了漢時代，才發展到五、七言，所以用「漢詩」二字並無不妥。不管「漢詩」是否是日人命名的也好，或是我國固有的也好，只要用得恰當，而於國格無損。不要因爲人家用了，我們就不用。殊不知人家所用的名義也是根據我們固有的名義而來，並不是憑空捏造的。況且明明是我們固有名稱，爲何不可以用呢？（註五五）

弔詭的是，胡秋原怎樣也不會想到，到了二十世紀末，「漢詩」的說法會在大陸詩界流傳開來；吳濁流同樣沒有想到，大陸學術界許多人都讚同使用「漢詩」一詞，只不過這「漢詩」——準確說法是「現代漢詩」竟成爲「新詩」而非「舊詩」的代稱。

大陸學術界不少人認爲：二十年代以來，絕大多數中國詩人都拋棄了過去的寫詩習慣，用「白話」和沒有格律形式約束的自由方式寫「新詩」，作這種詩體的人則被稱爲「新詩人」。新詩，隨著白話文的勝利和壟斷日益被體制化，成了二十世紀中國文學的一個「神話」，一種存在的「眞理」。儘管對新詩的不滿普遍存在，批評和質疑的聲音不絕於耳，然而，無論是聞一多們提倡格律詩，戴望舒們追求詩質，或是五、六十年代臺灣紀弦領頭成立「現代派」，高喊「新詩的再革命」，毛澤東在一九五八年主張新詩應在古典詩歌和民歌的基礎上發展，「新詩」這一概念的合法性和背後所支撐的意識形態，一直沒有人像胡秋原當年質疑「漢詩」一樣進行反省。「新詩」本係從「白話詩」演變而來的歷史概念，其存在有合理性，但從當下看，新與舊、傳統與現代，不應像「五·四」時期那樣勢不兩立，互相排斥，而應按大陸「現代漢詩」研究家王光明說的是異同互動，吸取轉化，尋求「通變」。從語言上看，「白話」早已發展成相對成熟的現代漢語。使用「現代漢詩」這一文類概念，比較能夠呼應現代漢語這一古今並包、中西合璧的語言形態，糾正詩歌寫作中「形」、「質」分離的偏向，更自覺地根據現代漢詩和現代經驗的特質，尋求漢語詩歌的形式和表現策略（註五六）。

第七節　余光中是愛國詩人嗎？

余光中去香港正值文革後期，林彪已經自我爆炸，但奪權與護權的鬥爭還十分猖獗，評法批儒到後來成了「批林（彪）批孔批周公（周恩來）」，四人幫和鄧小平展開了一場爭奪戰。

在一九七〇年代，相對於臺北的禁閉，香港是兩岸之間地理最逼近、資訊最方便、政治最敏感、言論卻最自由的地區；作為中國統戰後門的香港，也是觀察家、統戰家、記者、間諜最理想的看臺。由於靠近大陸，不論政治觀念還是學術研究，香港都會受內地階級鬥爭意識形態的影響。那裏不僅英語和粵語並行，西方和東方交會，而且左派和右派對立。

余光中去香港以前，旅美的夏志清在信裏就向余光中提出警告，說那裏的左報、左刊不歡迎他，精神不會愉快起來。余光中回信說，自己對被罵一事早有訓練，耳皮早磨厚了。果然來香港不久，一陣排炮自左面轟來。其原因在於余光中的直言一直不悅左耳：對文革的做法作了一些力所能及的抵制和批判，這充分反映在他的一些詩文中，如〈夢魘〉、〈北望〉、〈故鄉的來信〉、〈小紅書〉等。針對內地的陰暗面進行批判難免遭受誤解，認為余光中在臺灣反共，到香港仍不改其本性。一些自稱左派的人便把火藥的目標指向他們心目中的這位「右派」，其文字至少有十萬字之多。

香港有一個以政論性著稱的刊物叫《盤古》，創刊於文革正烈的一九六七年。它的許多文章表現了對中國政治的關心和強烈的民族主義意識。進入一九七〇年代，《盤古》受保衛釣魚島運動的衝擊，編輯路線急劇地左傾。如一九七二年一月二十五日出版的《盤古》，在相當於社論的「盤古之聲」中，發表了〈向本港牛鬼蛇神宣戰〉，用大陸紅衛兵的做法橫掃一切不同觀點的文化人。余光中早已列入他們的「牛鬼蛇神」的名冊，因而該刊組織了數次「余光中是愛國詩人嗎？」的討論。他們除刊登本地作者文章外，還轉載海外及本港的文章。譬如一九七五年十月二十五日出版的八十六～八十七期合刊號，共轉載了三篇來自不同地區代表三種觀點和立場的文章。

第一篇是華盛頓大學哲學博士出身的程石泉的〈論臺灣的某些新詩〉，其立場是反共的：

> 當我們讀到余光中的〈鄉愁四韻〉，但見一行行美麗的辭藻，在字裏行間中國民族意識一點都沒有，爲解救在大陸上同胞苦難的意願絲毫不存在，但聽到他在歌唱：「路長腿短／條條大路是死巷／每次坐在世界的盡頭」（〈盲丐〉）。他在他的〈鄉愁〉裏曾經說到：「我在這頭／大陸在那頭」，但是這位大詩人竟是如此的含蓄，不肯透露半點消息，爲什麼「我在這頭／大陸在那頭」。而他的鄉愁不過是「一枚小小的郵票」、「一張窄窄的船票」、「一方矮矮的墳墓」、「一彎淺淺的海峽」。詩人眞是一位超越主義者。他超越乎政治，他超越乎民族，他超越乎地球，超越乎太陽系統，他超越乎宇宙……

《盤古》認爲「這篇文章對臺灣現代派詩和現代詩的批判比較搔到癢處」。其實，這是從政治出發的評論。作者嫌余光中不夠政治化，要余氏在鄉愁詩中加進攻擊大陸的內容，還嫌余光中在詩中沒有說清爲什麼會「大陸在那頭」。看來，批判者對詩一竅不通，他用政論的寫法要求詩，對「郵票」、「船票」、「墳墓」、「海峽」這四種絕妙的意象，如此貼切地表達了離鄉、漂泊、訣別和望歸而不能歸的離愁別恨，將抽象的「鄉愁」眞切、生動地呈現出來的妙處不能理解，更不會欣賞。由此可見，不是余光中「超越乎政治」，而是批判者太熱衷於政治；不是余光中超越民族，而是這位洋博士錯誤地認爲大陸同胞還生活在水深火熱之中，這樣他認爲余光中不愛國，也就不奇怪了。

第二篇爲來自紐約、署名谷若虛的〈創造海外華文的新文藝〉，屬中間派觀點——其實，就批判火力來說，一點也不「中間」，如該文要求海外作家起來批判不健康的資產階級文化如商業主義、享樂主義、科學主義等，就有紅衛兵的味道。作者以余光中爲靶子，指責「像余光中這種極度崇美崇洋的文化人，當他所崇拜的文化走向沒落死亡而對祖國社會主義的新文化卻又一無所知，甚至採取敵視態度時，心理自然而然就會產生一種無可奈何的失落感和無根感。因此，這種無根感和失落感，基本上是由於中國小資產階級寄生於沒落的西方資產階級文化而產生的。如果能擺脫這種寄生關係，我們將立即可以發現一片廣闊無垠的文藝創作領域。」這裏說的「社會主義的新文化」，是指文革期間的鬥批改、上山下鄉之類，余光中不願意瞭解也不讚美而採取「敵視態度」，有何不可？作者批余光中用的是大陸流行的大批判詞彙，因而此文所期望的以大陸樣板戲爲榜樣的「海外華人新文藝」，歷史已證明不可取。

第三篇爲香港有名的左派作家絲韋即羅孚所寫的〈關於「認眞的遊戲」〉（註五七），由四篇短文組成：〈看詩人教授的「遊戲」〉、〈詩人教授充分亮相〉、〈詩人教授「大捧」些什麼？〉、〈「回歸」和十人難「回歸」〉。此文沒有點余光中的名，卻極盡諷刺挖苦之能事。

《盤古》編者認爲：「無論是左、中或右，他們對余光中作品中所反映的意識，都是否定的。直到目前爲止，我們還沒有收到爲余光中辯護的文章。余光中是不是『愛國詩人』，答案似乎愈來愈清楚了。」（註五八）其實，上述三篇文章都是經過編者精心挑選的。在臺港或海外，還有許多肯定余光中的文章，他們就沒有選。如臺灣顏元叔所寫的長文〈余光中的現代中國意識〉（註五九）、香港黃國彬的〈在時間裏自焚——細讀余光中的《白玉苦瓜》〉（註六〇）、美國夏志清的〈余光中：懷國與鄉愁的延續〉（註六一），都不認爲余光中是賣國詩人，相反還認爲余氏具有強烈的現代中國意識，「是一位眞正的愛國詩人」（註六二）。

應該承認，《盤古》發表的批余文章，有些也確實抓到了余氏作品的某些敗筆和與普羅文藝強烈相抵觸的觀點，但不讚同共產主義不等於是賣國，否則臺灣眾多詩人均要變成賣國詩人了。況且這些文章批余時常常粗暴地切斷別人文章的文脈然後借題發揮，與文學本意相去甚遠，如絲韋從〈敲打樂〉中只摘取對自己有利的詩句做文章就是片面的。絲韋後來認識到這一點，在一九九三年香港召開的一次研討會上，曾當面向余光中道歉。

在香港，左報左刊對余光中的圍攻，文章或長或短，體裁有文有詩還有畫，其罪名不外是「反華」、「反人民」、「反革命」。有一首長詩把批判矛頭同時指向夏志清和余光中，另一激進派辦的《文化新潮》，還使用了惡毒的人身攻擊手段：

> 「我以右腳寫散文自瀆，以左腳寫詩瀆眾。」這是七十年代省港澳的惟一詩人余黑西的豪語……對詩人的最重要經驗，爲他鋪好成功階梯，涉足象牙塔，主要還是他在「愛他媽」大學文藝工作室的學位。
>
> 在文藝創作方面，余教授曾與友好同創「黑星」詩社，辦黑星詩刊……余教授的詩作已出版的，包括《藕的聯想》、《腳下雨》、《白玉矮瓜》和《大家樂》。前兩集是他早期的作品，雖然

象徵了他的文藝青春期，但是，最具時代代表性的，卻是後兩集。《白玉矮瓜》是詩人的自我寫照，譬喻他自己形似矮瓜、周身白肉，白心而塗上紫紅皮膚。（註六三）

為了批倒批臭余光中，作者把余光中說的「右手寫詩，左手寫散文」篡改為「以右腳寫散文，以左腳寫詩」，這還不過癮，又擅自給其加上「自瀆」、「瀆眾」的罪名。還把余光中誣為「余黑西」，把其具有強烈的中國意識和民族意識的代表作〈白玉苦瓜〉辱罵為「白玉矮瓜」，把個子不高的余光中醜化為「形似矮瓜」，至於把其作品《蓮的聯想》篡改成《藕的聯想》，把「愛荷華」大學寫成「愛他媽」大學，把「藍星」寫成「黑星」，就更多了。文章標題處還備上大幅的以筆當槍打靶圖，使人感到這極像大陸紅衛兵寫的大字報。相對這種人身攻擊的「大字報」來，《盤古》的批判還是斯文的。但比起《明報月刊》所開展的關於《白玉苦瓜》一詩的討論來（註六四），《明報月刊》的討論是純學術性的，而《盤古》則明顯地帶有政治批判色彩。

除《盤古》外，創刊於一九七六年四月的《春坭》以致後出的《奮鬥》，冷雨（周天平）和同道們，對余光中一點都不寬容。還有王敬羲主辦的《南北極》，發表了姚立民、阿修伯批判余光中的文章，稱余為「詩妖」、「色情狂」，還有什麼「流亡心態」，後受到茅倫、郭亦洞的反駁。他們認為如果不用「摘句法」而是從整體上看余光中創作傾向的話，那余「並非作賤祖國」，他對祖國落後面的批評則是愛之深責之切，是為了不忘記民族恥辱和國家苦難。對不同觀點的作家，不應採取文革式的「鬥垮鬥臭」的方式。

對這些炮轟文章，余光中都沒有作出回應。他曾寫過一首風趣的〈蟋蟀與機關槍〉，表達了無心與衛道者正面交鋒的心態。

余光中到底是愛國主義作家，還是「賣國主義」作家？這牽涉到對愛國主義的理解。關於什麼是愛國主義，余光中的看法跟別人不盡相同。他認爲，不能以「政治正確性」作爲作品評判的唯一標準。以「態度積極，思想進步，作人民的代言人」的標尺劃分「愛國作家」與非「愛國作家」，這種文學觀太狹隘了。作品固然應該表現國家和民族的命運，用來激勵民心士氣、革命情操，但也可以「抒發個人的胸懷、一己的隱衷」。如果只許奮發，不許悲傷，那就是把藝術局限在政治的範圍，否定它探討心理學、哲學，甚至宗教各方面的力量。又說：「所謂愛國，雖九死而不悔，實殊途而同歸，不必全以正面的口號出之。就主題而言，凡歌詠山河、擁抱人民、擔當歷史，皆爲愛國，不必責以政體或主義。永恆的乃是河山、人民、歷史，不是此起彼落的主義……說得更簡單些，一位中國作家只要眞能把中文寫好，寫美，就已經盡了他愛國之責了，因爲歷史和文化就在那語文之中。英國人寧失印度而不願失去莎士比亞，倒不是因爲他寫了英國史劇，而是因爲他把英文寫成了藝術。時到今天，印度果然已失去，但莎士比亞依然長存」。（註六五）

第八節　排炮射向余光中

余光中和洛夫在臺灣文壇均難分仲伯：一個酷似詩國重鎮，一個儼然詩壇舵手。許多論戰，均圍繞他們而展開。本書第五章第三、六節敘述了洛夫如何成爲詩壇八方風雨交相侵襲的中心，下面再說余光中如何激怒左傾評論家，使他們將「裝有多目標彈頭的飛彈」射向這位或許是無心製造筆禍的詩人。這裏其中一個重要射手是陳鼓應。

陳鼓應原先任教於臺灣大學哲學系。一九七二年十二月四日，他和王曉波及一些學生效仿李白關懷國家的強大統一問題，在臺大舉行「民族主義座談會」，宣傳中國統一等主張，後被捕。釋放後無法教書和工作，曾出版過《存在主義》、《莊子哲學》、《悲劇哲學家尼采》、《古代呼聲》。他給人「一個激烈的自由主義者」印象，沉寂多年後因發表評余光中的系列文章聲名大震。

陳鼓應與余光中不存在個人恩怨。十年前，他們同是《文星》的作者。余光中給人的印象似乎也是自由民主人士，可〈狼來了〉（註六六）發表後，陳鼓應改變了看法，並把他的作品全部找來細看，發現問題頗多頗大，其中最重要的是沉湎於資本主義病態生活的頹廢意識和虛無情緒、買辦意識和自我膨脹。在他的作品裏絲毫見不到對別人的關心，也見不到他對社會人群有任何的關懷。到了美國以後，他看到高聳入雲的帝國大廈，以及千里公路、萬里草原，立刻就被那裏的物質文明所震懾，回頭想到中國的貧窮，由此產生了民族的自卑情緒；又由於向美國的認同發生了阻礙，就越發對自己的民族國家產生了羞辱感，因而有一連串羞辱祖國的文字出現。（註六七）

有了這些看法後，陳鼓應便以一個讀者的身分連續寫了「三評」：〈評余光中的頹廢意識與色情主義〉（註六八）、〈評余光中的流亡心態〉（註六九）、〈三評余光中的詩〉（註七〇），並結集爲《這樣的「詩人」余光中》（註七一）出版。

對〈狼來了〉這篇文章，陳鼓應同意徐復觀的說法：這種親匪的指控有如拋給作家的血滴子。這不能單純從反共來解釋：「實際上他寫〈狼來了〉的眞正動機，只是因爲有一群新起的作家影響了他的作品的市場，吸引走了他的讀者；只是爲了維護自己的利益，他便不惜使出迫害新作家的手段。說穿了，如此而已。」（註七二）但在對余光中詩的總的評價上，他做了徐復觀沒有做的工作：「余光中的詩，不僅污染了我們民族語言，更嚴重污染了青年的心靈。」文中舉了大量的例子，指出余光中洋化的語言，像「聳一個拉丁式的肩」；「我是很拉丁的。『難爲您了，眞是，Signorina。』向她，鞠了一個躬，非常意大利式的。這樣洋化語言乃是作者過分崇洋心態所導致。」（註七三）這樣的例子在余光中詩中舉不勝舉。陳鼓應在〈語言污染的病例〉的標題下，分〈星空，非常希臘〉、〈美麗的分屍〉給予分析批判，並指出他的語言夾生的部分深一層的根源就是如同余氏自己的告白：「我是一隻風中的病蜘蛛」；「我變成一個精神的殘廢」；「自虐狂的靈魂」。這種「自虐症狀」如不及時治療，要變成什麼樣是可想而知的。陳鼓應還說：余光中的作品，大量地散播著極不健康的灰色思想和頹廢情緒。至於他的崇洋媚外，靈魂要「嫁給舊金山」，並死時以葬在英國的西敏寺爲榮……他固然常說懷念中國，但當他把中國和美國相比時，卻以我們的貧困爲可恥，並以此而這樣地嫌棄：「中國　中國　你是一場慚愧的病」，你是「不名譽」的「患了梅毒」的母親。

在批余光中的詩時，陳鼓應還用了諧謔的手法：

> 余光中成天在做夢，據他自己說：「醒時常做夢」（《蓮的聯想》），「闔眼夢，睜眼夢」（〈敲打樂〉）。當然他最愛做的是「金色的夢」（〈鐘乳石〉世紀的夢）。「枕一段天鵝絨的往事，我睡著」，於是他「夢見一個王」——「天上的王」，一個「藍眼睛的王」。他所夢的「王」是「藍眼睛的」，於此，其心之所向，可想而知。（註七四）

經過陳鼓應這種摘句法，余光中變成得了「夢遊症」的「精神病患者」，因而陳鼓應診斷余光中「本是『亡命貴族』詩人失常心理的必然反射」，（註七五）也就順理成章了。

關於余光中的「流亡心態」，陳鼓應說：

時代苦痛摧擊下的臺灣知識界，近年來產生兩種主流的心態：一種是中興心態，一種是流亡心態。中興心態是面對現實，對不合理的現象希求改革；流亡心態是逃避現實（包括逃避到色情玩樂裏面），演成牙刷主義之風。（註七六）

陳鼓應認爲余光中沉醉於虛名久矣，如果不著力點他一下，他是不會猛醒過來的。他評余光中的用意之一，是希望透過對余氏作品的檢討，使他反省自己以往寫作內容之非，而能及時回頭探索新步爲是。（註七七）因而陳鼓應在寫「二評」時火力加足，對余光中的詩做出總體的檢視，看詩人如何頹廢無聊及怎樣羞辱祖國：

他說在臺北「這座城裏，一泡眞泡了十幾個春天／不算春天的春天，泡了又泡／這件事想起就覺得好冤／或者所謂春天／最後也不過就是這樣子；一些受傷的記憶／一些欲望和灰塵。」「泡了又泡」是自述他的生活態度：「一些受傷的記憶／一些欲望和灰塵」是陳述他的生活內容。「泡了十幾個春天」，就是說十多年來他只是在「泡」著虛度時日；「泡」日子，便是他的失根性與失落感所產生的浮游心態。他在臺灣這十幾年的日子，「一些受傷的記憶」、「一些欲望和灰

塵」；甚至哀嘆生活是「分期的自縊」，這恰是「亡命貴族」的生活寫眞。至於他的冤屈感，顯然是不實的……（註七八）

陳鼓應又寫道：余光中忽兒想起臺灣「到冬天，更無一片雪落下／但我們在島上並不溫暖」，和美國「比起來臺北是嬰孩」、「臺北淒淒切切，完全是黑白片的味道」。他還認爲中國文化是「蠹魚食餘的文化」，他要「焚厚厚的二十四史取一點暖」，他說「中國　中國　你是不治的胃病」、「中國中國　你令我早衰」。在這裏陳鼓應用的仍然是摘句法，而不管全文的主旨和上下文的聯繫，這樣就輕而易舉得出余光中既不愛臺灣本土也不愛中國的結論。其實，正如顏元叔所說：對某些官式的愛國主義者而言，余光中「不治的胃病」這些話是「失敗主義者」的洩氣話。但是，余光中敢於把這些話寫在紙上，爲自己以及許多其他的人作心靈的見證，這是夠勇敢夠愛國的了。余光中是一位眞正的愛國的人（至少這首詩的表達是這樣的），他愛中國深，感觸深，深得簡直接近絕望：「中國啊　中國　你逼我發狂。」他又說：「中國　中國　你令我早衰」。無疑的，〈敲打樂〉的前半部充滿著國恥感、羞恥感。但是，這首詩後面有個轉變：「我的血管是黃河的支流／中國是我　我是中國」，這顯示余光中的民族心不僅沒有死，而且像火山一樣憤怒與激烈。（註七九）顏元叔說余詩後面的轉變，很重要，可陳鼓應「摘句」時有意忽略，這在一定程度上愚弄了讀者。

當然，陳鼓應的文章並非一無是處，他認爲包括余光中在內的現代詩語言「流入怪誕費解的地步」，還獨具慧眼指出《蓮的聯想》的僞浪漫主義，均有發人之未發之處。但陳鼓應文學功底不足，對詩歌的藝術規律尤其瞭解不多，因而常常誤讀余光中的作品。他的「余光中論」，在演繹推理過程中，經常斷章取義，以偏概全，甚至爲了自己論證的需要把余光中的詩句進行拼接，這樣就難免曲解余氏作品的原意，這樣得出來的評價當然不會公允。對余光中，陳鼓應還有亂扣帽子的嫌疑。比如「靈魂嫁給舊金山」，原文是這樣的：

蕩蕩的麵包籃，餵飽大半個美國
這裏行吟過惠特曼，桑德堡，馬克吐溫
行吟過我，在不安的年代
在艾略特垂死的荒原，呼吸著旱災
　　　　　　　　　　　　　　　　老龤後
草重新青著青年的青青，從此地青到落磯山下
於是年輕的耳朵酩酊的耳朵都側向西岸
敲打樂巴布·狄倫的旋律中側向金斯堡和費靈格蒂
　　　　從威奇塔到柏克麗
　　　　降下艾略特
升起費特曼，九繆思，嫁給舊金山！（註八〇）

正如黃維樑所說：一九六〇年代，金斯堡於美國西岸的舊金山崛興。新一代的詩人頗有把美國詩壇的風騷領過來之慨。九繆斯是希臘掌管詩歌的女神。「九繆斯，嫁給舊金山！」指的就是這美國詩壇的

事。余光中並沒有嫁給舊金山，因爲他對中國的感情太深厚太濃烈。他與中國連在一起，中國使他不快樂，也使他快樂。〈當我死時〉（一九六六）一詩也說：

當我死時，葬我，在長江與黃河
之間，枕我的頭顱，白髮蓋著黑土
在中國，最美最母親的國度
……（註八一）

在這裏，不是戴著有色眼鏡的陳鼓應所看到的余光中以葬在英國的西敏寺爲榮，而是以葬在長江與黃河之間爲榮。中國是「最美最母親的國度」，這哪裏有半點崇洋媚外的影子！至於「患了梅毒依舊是母親」，陳鼓應只見「梅毒」而不見「母親」。余光中寫的「梅毒」，是指文革。患了重病的母親仍然是母親，這是一種愛之深也恨得深的情感，不能單拿「梅毒」二字做文章。

陳鼓應的文章發表後，引來一片喝采聲。孔無忌〈一個歷史的對照〉（註八二），用百年前留學生的心情和余光中崇洋媚外的心態作對比，感慨「今天的臺灣」有人「把自己降在所有外人的腳下」。田滇的〈我也談談余光中〉（註八三），從另一角度批評余光中的動機與心態。寒爵的〈床上詩人頌〉（註八四），用余光中的「警句」寫了兩首打油詩。但也有反對的聲音，如吳望堯攻擊陳鼓應批評余光中所用的不外是「一套共產黨的專用名詞」（註八五）。他認爲對付不同意見，「木棍不夠，就用鐵棍」（註八六）。這種木棍加鐵棍式的批評，重複了余光中〈狼來了〉的錯誤，同樣是對鄉土派作家的一種恐嚇。

陳鼓應在香港也有知音。香港左派除再版陳鼓應的書外，還有這樣一些喝采文字：

細讀一下陳氏書中所摘引的余氏詩作，我想任何人都不能替後者的買辦頹廢意識作出任何的辯白，它們充分表現了中國傳統的幫閑文人（身兼文化打手之職）惡劣可鄙的嘴臉和陋習。一口氣讀畢之後，使我對陳氏頓然改觀，他讓我們看到一個處於逆境中的知識分子充滿虎虎生風的戰鬥精神及獨立不阿、不諂媚權貴，敢爲廣大人民說話的氣概。一句話，是值得我們鼓掌、歡呼的。（註八七）

這種評價顯然屬情緒性反應。刊登此文的刊物深受大陸文革極左思潮的影響，這從該文的末尾也可看出這類文章粗鄙化的傾向：「補記：在此向設計《這樣的「詩人」余光中》一書封面的楊國臺先生致敬。你『操』得好！你也夠薑！」這裏用粗話，一點都不文明，其語言風格酷似大陸紅衛兵。陳鼓應和余光中從文學走向政治的極端筆戰的例子，充分證明這場論戰「是一場文學見解上沒有交叉點的戰爭，只是兩種相對立意識形態的對決。」（註八八）

第九節　比較文學中國化

比較文學在中國並不是新鮮事物。且不說魏晉以來就有過印度思想文化與中國文學的關係以及有關翻譯、媒介的論述，單就二十世紀二十年代末、三十年代初來說，比較文學作爲一門學科就已經出現。

當時的清華大學，由英國新批評大師瑞恰慈以及中國學者吳宓、陳寅恪等先後開設了這方面的課。（註八九）三十、四十年代則出版有朱光潛的《文藝心理學》、《詩論》和錢鍾書的《談藝錄》。大陸在五十、六十、七十年代，這項工作基本上停頓下來，而在臺灣，六十年代後期開始重視這門學科的建設。一九六七年，任臺灣大學碩士班客座教授的張心滄博士（劍橋大學）首次開設了這門課。一九六九年夏，原在臺大外文系畢業，後到美國執教的葉維廉和將出國任教的胡耀恆，應邀任臺大一九七〇～一九七一年比較文學客座副教授。一九七一年，在臺灣大學文學院院長朱立民及外文系主任顏元叔精心策畫下，臺大比較文學博士班正式招生。這個「班」之所以沒有著眼於傳統的英美文學而是比較文學，據主事者、時任臺大文學院院長的朱立民坦言：與中文系合作，可改變中文系不重視外國文學，而外文系不重視中國文學的對峙局面。這個「班」開始只有兩名學生，以後增加到六位學生，均取得了博士學位。在臺大的帶動下，臺灣師範大學、淡江文理學院也開了這門課。其中淡江文理學院早在一九七〇年四月就創辦過以刊載比較文學論文爲主的英文版《淡江評論》。首任編輯是顏元叔。開始是半年刊，一九七八年改爲季刊。創刊後的次年，淡江文理學院還召開了以討論東西方文學關係爲主題的首屆國際比較文學會議。

一九七三年七月，「中華民國比較文學學會」正式成立，成立時有臺大外文系學者八名，中文系學者四名。外文系與中文系聯手宣告臺灣的比較文學研究進入了一個新階段，即由初期少數個人、分散、偶然的行爲，走向初具規模的專業化協作活動。這次會議選舉胡耀恆、葉慶炳爲正副理事長，胡耀恆、葉慶炳、顏元叔、余光中、李達三、侯健、齊邦媛、袁鶴翔、邢光祖爲理事。由臺灣大學外文系主辦的《中外文學》決定拿出一定篇幅刊登比較文學的論文，兼作該會的會刊。從一九七三年起，臺灣召開了多次比較文學會議。其中還舉辦了數次國際性會議：第一次會議以「比較文學在中國」爲題，時間爲一九七一年七月。第二次會議主題爲「文學理論與文學批評——東西方的比較文學研究」，時間爲一九七五年八月。第三次會議討論範圍較廣，計有「文學與社會環境」、「西方文學中的中國意象」和「亞洲各國文學比較」，時間爲一九七九年八月。第四次會議主要討論「東西主題學」、「比較文學理論」、「文類研究」和「翻譯研究」，時間爲一九八三年八月。第五次會議著重討論「現代主義與中西文學」，另有五個小論題：「中國比較文學中現代主義之地位」、「亞洲比較文學」、「世界文學中之儒家和道家」、「翻譯研究」、「中國文學的現代研究方法」。第六次會議主題爲「九十年代中西比較文學之回顧與前瞻」，強調當代文學批評與理論的運用，和中國文學邁向二十一世紀所面臨的問題，時間爲一九九一年八月。一九九〇年四月二十八日至三十日，世界比較文學學會在臺灣大學召開第三屆「理論會議」，主題爲「東西文學理論之概念」。另有國際比較文學會議在臺灣召開，如二〇〇九年五月由淡江大學英文系主辦的第十屆研討會，其主題爲「翻譯風險：文學媒介的新脈絡」。

鑒於國際學術界對中國文學缺乏認識，比較文學研究的範圍局限於歐美，顏元叔乃大力提倡中外比較文學。他甚至和朱立民、胡耀恆、葉維廉等上電視介紹比較文學，又和中文系教授葉慶炳、戲劇學者姚一葦等人，到臺灣各地推廣比較文學，執著的精神有如傳教士。（註九〇）爲了檢閱比較文學的成績，葉維廉也在東大圖書公司支持下，編輯一系列「比較文學叢書」，包括葉維廉的《比較詩學》（一九八三）、周英雄的《結構主義與中國文學》（一九八三）、古添洪的《記號詩學》（一九八四）、鄭樹森的《現象學與文學批評》（一九八四）、張漢良的《比較文學理論與實踐》（一九八六），以及王建元《現象詮釋學與東西雄渾觀》（一九八八）等。當時在臺灣大學比較文學博士班攻讀的陳鵬翔（陳慧樺）和古添洪也給東大圖書公司合編《比較文學的墾拓在臺灣》這「國內第一本比較文學論文集」時，在序中首次正式提出建立比較文學中國學派的宣言：

我國文學，豐富含蓄；但對於研究文學的方法，卻缺乏系統性，缺乏既能深探來源又能平實可辨的理論；故晚近受西方文學訓練的中國學者，回頭研究中國古典或晚近文學時，即援用西方的理論與方法，以闡發中國文學的寶藏。由於這援用西方的理論與方法，即涉及西方文學，而其援用亦往往加以調整，即對原理與方法作一考驗，作一修正，故此種文學研究亦可目之爲比較文學。我們不妨大膽宣言說，這援用西方文學理論與方法並加以考驗、調整以用之於中國文學的研究，是比較文學中的中國派。

對「中國派」的具體內涵，古添洪後來在〈中西比較文學：範疇、方法、精神的初探〉（註九一）中說：「『中國派』在方法學，在範疇上，顯然是兼容並蓄。我們容納了『影響研究』、『類同研究』與『平行研究』並提出了『闡發研究』。對於前三者，我們都加以適當調整，以適合於『中西比較文學』。對於後者，我們也從理論上維護了其合法性。」古氏認爲，在上述四種研究裏，「影響研究」最爲合法，成績也無可置疑。對於後三者，雖然挑戰愈來愈大，然而並不失其合法性。「中國派」之成爲「中國派」，除了對法國派、美國派加以調整運用並作出闡發研究外，主要是調整背後的精神，那就是「文化模式」的注重。在歐洲比較文學裏，無論是法國派或美國派，都沒有特別注重文學背後的文化模式。當然，「中國派」並不排斥西方比較文學原有的精神，那就是法國所提倡的比較文學史（諸國文學影響史〉的精神，美國派所提倡的比較文學與文學批評治於一爐以尋求文學進一步瞭解的精神。毋寧說，這兩種精神要憑藉文化的相對性及多樣模式並用的情況下，才能有穩固的世界性的基礎。文化永遠是文學的基石。

關於中西比較文學的研究方向，有過熱烈的討論乃至激烈的爭辯，但打旗稱派爲數甚少。除陳鵬翔和古添洪亮出「中國學派」這一旗號外，陳、古在臺大深造時的一位美籍老師李達三也寫過一篇宣言式的短文〈比較文學中國學派〉（註九二），認爲中國學派應採取「不偏不倚的態度」，對法國和美國學派起「一種變通之道」，吸收法美兩派的長處，避其失誤，「以東方特有的折衷精神」，「循著中庸之道前進」。李達三還提出「中國學派」形成的四個目標：在中國文學中，從理論和實踐上找出特具「民族性」的東西，發揚光大以充實世界文學；擴展非西方國家「地區性」的文學運動；以中國自己的術語，按自己的條件，道出爲人忽視的非西方的各種文學寶藏；採取一種複合化的研究方法。

在建立中國學派的理論體系上，李達三作爲一位居住在東方的美國人，比某些中國學者顯得更加熱心和積極。再加上臺港不少比較文學學者都是他的學生，故他的研究在臺港地區影響甚大。自七十年代末他從臺灣轉到香港中文大學英文系任教後，他更常常以比較文學中國學派的發言人自居，並編有比較文學基本術語兩百個、重要書籍及論文的書目選注，爲建立中國學派提供參照系，還寫了一些論文爲中國學派催生、宣傳。對於李氏建立比較文學中國學派的某些信念，陳鵬翔和古添洪均無異議。但對於建立中國學派的步驟和理論，李達三和他的學生陳、古二人並不完全相同。而且李達三從未談到過陳、古二人爲「中國學派」此一術語的創始人，還寫有專文批評陳、古所理解的「中國學派」爲大規模地把西方理論和方法來套中國文學，閉口不談陳、古二人曾提到過要修正、擴展西方理論模子和方法的努力方

向，這引起陳鵬翔的駁議。（註九三）

無論是陳鵬翔、古添洪還是李達三扯起的「中國學派」這一旗幟，均受到不少具有強烈民族意識的中國學者的讚同。在六十、七十年代，當世界比較文學組織對東方（主要是指亞洲）和第三世界文學有意冷淡時，「中國學派」的提出無疑具有政治號召力。「而後來的發展亦的確證明了這一口號的政治力強過它的實質。中國大陸在八十年代亦提出了這一口號，接著是中國（大陸）比較文學學會的成立，進入國際比較文學學會組織，和國外交流頻繁。」（註九四）

總之，臺灣學者舉起「中國學派」的旗幟，是深感一些論者受西方文藝思潮影響過深，爲了破除西方學者的歐洲中心論，必須另闢蹊徑與法國、美國學派相抗衡。另方面，一種表面上反傳統又不想將傳統放一把火燒光的矛盾心理，也是造成「中國學派」提出的原因。臺灣學者在西風勁吹的時候，仍想保持強烈的傳統感，仍願意保持中國學者的本色，並認爲只有扎實的中國文學基礎，比較文學的研究才不會模糊中國的特色，其願望良好。不過，「中國學派」的提法是否完全科學，當時就有人提出質疑。如資深文學評論家尹雪曼在一九七七年十二月發表了〈我看比較文學〉，表示不讚成這種主張。他說：「這樣會不會引起西方學者的批評，說這又是中國學者的『文化本位中心主義』呢？……這樣的一個比較文學上的第三世界，我覺得不僅有被西方學者批評爲『文化本位中心主義』，並且似乎不可能有更突出，更偉大的成就。」（註九五）

第十節　與胡蘭成保持距離

還在六十年代，就有人向余光中推薦曾任汪僞宣傳部部長胡蘭成的《今生今世》，讚揚那是一部慧美雙修的奇書。當時余光中看後，覺得文筆輕靈，用字遣詞別具韻味，形容詞下得頗爲脫俗，但是對於文字背後的情操與思想，則嫌其遊戲人生，名士習氣太重，與現代知識分子相去甚遠。（註九六）

由於臺灣有不少張迷，故愛屋及烏，許多讀者對張愛玲的先生胡蘭成在《今生今世》中回憶與張氏相愛的過程津津樂道，認爲很有看頭。余光中是稱讚張愛玲《秧歌》的，但遠不算張愛玲的崇拜者，對胡蘭成更是保持一定的距離。

余光中並不一筆抹殺胡蘭成的文字才能。對胡的另一本舊書《山河歲月》，余光中讀後總的感受仍是「憎喜參半」。不過，比《今生今世》少了「喜」的成分，多了「憎」的內容。在〈山河歲月話漁樵〉一文中，他「先說喜的一面。《山河歲月》的佳妙至少有二。第一仍然是文筆，胡蘭成於中國文字，鍛鍊頗見功夫，句法開闔，吞吐轉折回旋，都輕鬆自如。遣詞用字，每每別出心裁，與眾不同。『這眞是歲月靜好，現世安穩，事物條理，一一清嘉，連理論與邏輯亦如月入歌扇，花承節鼓。』『中國人是喜歡在日月山川裏行走的，戰時沿途特別好風景……年青學生連同婉媚的少女渡溪越嶺，長亭短亭的走。』這樣『清嘉』而又『婉媚』的句子，《山河歲月》之中，俯拾皆是。『胡體』的文字，文白不拘，但其效果卻是交融，而非夾雜。」（註九七）第二個優點，在於作者的博學。從書中所運用的知識看，胡蘭成學貫中西，對中國的傳統文化與民情風俗都有一定的認知，且能處處跟外國文化作比較，時有灼見。此外，作者可謂胸襟恢宏，心腸仁厚，對天地間的一切人物不是表尊重就是表同情，充溢著樂觀主義精神。胡蘭成對中國的歷史一往情深，對中國文化也表示了高度的信任。

一個人的長處在一定的條件下，往往會變成短處。就以胡蘭成對中國傳統文化的態度來說，他只見其精華，未見其糟粕。他如此全盤肯定五千年的中華文化，乍看起來是一種愛國主義精神，可余光中認爲：「當作一種知性的認識來宣揚，則容易誤人。胡先生在書中一再強調『知性的指導』，可是在自己立論時，又擺脫不了民族情緒的束縛。本質上說來，胡先生學高於識，是一位復古的保守分子。」（註九八）余光中還認爲胡蘭成理想的士不事生產，不食人間煙火，不與庶民爲伍，其志卻在天下：這種風光賴於寄託的農業時代與貴族社會，已經一去不復返了。臺灣正從農業社會轉入工業社會，我們目前極需提倡的是民主意識與科學精神，而不是思古的幽情。讀經可以叫大學生和研究生去做，但一般老百姓不用這樣專門化，對他們來說，主要是做好手中的日常工作。

胡蘭成當過漢奸，後受到法律的制裁。可他在《山河歲月》中仍不改對日本的讚揚態度。以有過抗戰這一強烈而慘重經驗的余光中來說，不會對日本軍國主義有任何好感，胡蘭成在書中如此避重就輕並用模稜兩可的口氣敘述抗戰，余光中無論如何不能認同下面一段文字：

> 抗戰的偉大乃是中國文明的偉大。彼時許多地方淪陷了，中國人卻不當它是失去了，雖在淪陷區的亦沒有覺得是被征服了。中國人是能有天下，而從來亦沒有過亡天下的，對其國家的信是這樣的入世的貞信。彼時總覺得戰爭是在遼遠的地方進行似的，因爲中國人有一個境界非戰爭所能到……彼時是淪陷區的中國人與日本人照樣往來，明明是仇敵，亦恩仇之外還有人與人的相見，

對方但凡有一分禮，這邊亦必還他一分禮……而戰區與大後方的人亦並不克定日子要勝利，悲壯的話只管說，但說的人亦明知自己是假的。中國人是勝敗也不認眞，和戰也不認眞，淪陷區的和不像和，戰區與大後方的戰不像戰。（註九九）

胡蘭成又說：

凡是壯闊的，就能夠乾淨，抗戰時期的人對於世人都有樸素的好意，所以路上逃難的人也到處遇得著賢主人。他們其實連對於日本人也沒有恨毒，而對於美國人則的確歡喜。（註一〇〇）

余光中對此評論道：這兩段話豈只是風涼話，簡直是天大的謊言！這番話只能代表胡蘭成自己，因爲在水深火熱的抗戰之中，他人都在流汗流血，唯獨胡蘭成還在演「對方但凡有一分禮，這邊亦還他一分禮」的怪劇。也許胡蘭成和敵有方，「有一個境界非戰爭所能到」，可是在南京大屠殺、重慶大轟炸中，無辜的中國人卻沒有那麼飄逸的「境界」。只因爲胡蘭成個人與敵人保持了特殊友善的關係，他就可以污蔑整個民族的神聖抗戰說的是假話，打的是假仗嗎？這麼看來，胡蘭成的超越與仁慈豈非自欺欺人？看來胡蘭成一直到今天還不甘忘情於日本，認爲美國援助我們要經過日本，而我們未來的方針，還要與「日本印度朝鮮攜手」。胡蘭成以前做錯了一件事，現在非但不深自歉疚，反圖將錯就錯，妄發議論，歪曲歷史，爲自己文過飾非，一錯再錯，豈能望人一恕再恕？（註一〇一）

評《山河歲月》一文是在臺灣極具影響力的雜誌《書評書目》上發表的。余光中在《青青邊愁》後記中，稱這是自己「『討胡』的首次戰役」。（註一〇二）當時余光中對才高於德的垂暮老人惻惻然心存不忍，未將書評投給大報副刊，不料竟觸怒了出此書的老闆，事後不但國恨移作私嫌，且在該社的宣傳刊物上刪掉余光中的大貶，突出他文中的小褒，斷章取義運用這篇書評。余光中認爲，在民族的大節之下，一家出版社的榮辱得失不過是芝麻綠豆般的小節。那家出版社無論是什麼人，哪怕是自己父親開辦的，胡蘭成那本書仍是要評的。余光中並不否認那家出版社出過不少好書，但這個污點必須擦掉，而不應採取逃避的態度。（註一〇三）

這裏講的「那家出版社」，是指頗負盛名的遠景出版公司，其老闆沈登恩有出版界的「小巨人」之稱。該公司有眾多的第一：第一個把金庸的武俠小說引進寶島，第一個把倪匡的科幻小說引入臺灣，第一個給出獄後的李敖出書，第一個在臺灣推出《諾貝爾文學獎全集》，還有第一個出胡蘭成的書。「遠景」出了胡書後，不但引發出余光中上述批評，還引起張愛玲的不快，這是原來未料到的。因而有濃厚「張愛玲情結」的沈登恩，永遠失去了與張愛玲合作的機會。沈登恩與張愛玲通過幾次信，曾談及出書一事，終於功虧一簣，這是沈登恩終生遺憾之一。

余光中當年批評胡蘭成對日本侵略者持肯定態度，可後來臺灣在李登輝、陳水扁的主政下，不少人比胡蘭成更露骨地宣揚日本爲臺灣帶來「近代化」。余光中對此言論同樣不以爲然。他就曾公開著文對陳水扁「去中國化」及其媚日傾向表示了深深的憂慮。這種憂慮後來成了現實，如《INK印刻文學生活誌》二〇一〇年四月製作了「胡蘭成專號」，雖說是以新出土的資料爲主，但重新評價胡蘭成是眞。這些作者不再與胡氏保持距離，而是拉近距離，公開標舉胡蘭成爲正面人物，說「胡蘭成是文學水平的試金石……胡蘭成也是人品人格的照妖鏡」（註一〇四），如此讚美胡蘭成自然沒有政治風險，可難道就沒有道德風險、學術風險？使人吃驚的還有人稱胡蘭成的「老闆」「汪（精衛）在國民黨內，素有『聖人』之稱；年少以來，素有『烈士情結』，一直以無法殉國爲憾；其私生活之『清』，又是近代史公認的一個異類。」（註一〇五）這種所謂「轉型正義」的論述，不愧爲亂哄哄你方唱罷我登場。於是乎，各種翻案文章漫天飛舞，如和「胡蘭成專號」同調的有王德威主編的《哈佛新編中國現代文學史》，有一專節說胡蘭成的另一「親密戰友」周作人不是文化漢奸，這純屬作者的辯解，並無旁證。臺灣的某些文化精英，用這種不負責任的擾攘文字，難道眞的能爲「狹隘的國族主義除魅？」（註一〇六）

第十一節　葉石濤的歷史污點

在一九七八、一九七九年間，正當臺灣文學的尋根風盛行之時，臺北文壇有不少人對葉石濤的人格提出質疑，這主要是指日據時期他的「落水」經歷：高中一畢業就投靠日本文化侵略者西川滿，參與西氏主持的皇民色彩甚濃的《文藝臺灣》集團，當時還發表過一些疑似「皇民文學」的作品。葉石濤自然知道這些非議，故有下面洗刷自己的言辭：

> 我臺南的老家一向過著我國傳統家庭制度的生活。有點像《紅樓夢》的家居生活那樣，所以我很少被日本生活方式污染。我家從來沒有改過姓名，也從不在社會裏活動，我們不必依賴日本人的施捨過活。我的祖父輩的族人很少到日本去留學，如果非高深的學問不可就回到廈門去念書了。在這樣老式的家庭裏，縱令有日本皇民化運動的浪潮打進來，也是甚少有動搖生活根基的力量，

只是如拍打海灘的波浪一波波地進來，又無聲無息地退回去。族人大都是靠田租過活的地主，或者經營著古老的行業謀生。我們這一群臺南府城的老居民既不是四腳仔派，也不是三腳仔，是道地的用兩腳站立的頂天立地的傳統派呢。（註一〇七）

這種信誓旦旦的表白，似乎將「謠言」擊得粉碎。這「謠言」是指其立場閃躲，和日本人合作，爲統治者幫腔，有「三腳仔」的御用之嫌。但有一點葉石濤是無法否認的，那是一九四三年五月十七日，他在日本人壓迫下將《臺灣新民報》改組爲《興南新聞》的「學藝欄」上，發表過〈給世外民的公開書〉。這個「世外民」，就是硬漢子邱永漢。早先他發表〈狗屎現實主義與假浪漫主義〉（註一〇八），文章痛斥西川滿，而當年只十八歲的葉石濤奉主子之命，回擊世外民時一再批判寫實主義過於惡俗，屬扒糞式，帶有普羅文學遺風，並指名道姓威脅加恐嚇反對皇民文學這類有良知的作家，稱他們寫的是無視時局變化的「投機文學」。這位堪稱日本軍國主義的打手，云：

當今我國國民正處於實現崇高的理想貫澈偉大的戰爭的時刻，大家所追求的正是要吸取《萬葉》《源氏物語》的傳統，並注入新時代的活潑氣息的國民文學。

葉石濤投身皇民奉公會主辦的《文藝臺灣》集團，本是他文學道路上一個重要里程碑。他與西川滿天眞相約，相談甚歡。這「相談」的內容除文藝創作流派問題外，也有如何爲大東亞戰爭服務的內容。西川滿每月給他五十元的優厚待遇，除負責雜誌的刊行和每月一次把刊物送到日本總督府檢閱科審查外，還兼管「日孝山房」出版社的雜務。爲獎賞他，西川滿帶他吃西餐，時刻向他灌輸「帶有毒素」的文學知識，葉石濤也尊其爲精神領袖，對這位執文壇牛耳的外國人佩服得五體投地。這就難怪他反駁「世外民」時，把日本侵略者吞併中國的企圖美化爲「崇高的理想」，把「大東亞聖戰」拔高爲「偉大的戰爭」，把「皇民文學」說成是「注入新時代的活潑氣息的國民文學」，可見其爲虎作倀的立場，其中瀰漫的倒是有一股糞臭味。在這篇文章中，葉石濤還質問張文環的小說「到底有什麼世界觀呢」，對呂赫若的小說，則不是諷刺就是挖苦：「只要想到這些作品居然會在情面上被稱譽爲優秀作品，就覺得可笑。」（註一〇九）

吳新榮當年批判葉石濤時說：「葉石濤把張文環、呂赫若的作品說成好像是用日本語寫的外國文學一樣」，「這樣的故意蔑視，絕對不是如葉石濤自己所說的『實現遠大理想』的方法，更不是『八紘一宇』的眞精神」；而對於張文環獲得「皇民奉公會」的「臺灣文化賞」的〈夜猿〉等作品，葉石濤還要「質疑他的世界觀或它的歷史性有這樣那樣的問題，好像說這些作品不正當一樣」。由此可見：

> 很明顯的，他的批評已侮辱了「皇民奉公會」的權威；因此，倒是他自身首先應該被質疑到底有沒有「皇民意識」。現在的臺灣是日本重要的一部分，過去的臺灣也依日本而存在，所以，否定過去的臺灣的人也就是否定現在的臺灣人，不得不說是相當「非國民」的。（註一一〇）

吳新榮的批評一點都不過分。這位被西川滿稱爲小帥哥的葉石濤，作爲回報在其發表的第二篇小說〈春怨〉中，將西川滿的形象刻劃得既崇高又偉大。即使在新世紀初臺灣文學界爲日本人小林善紀的漫畫《臺灣論——新傲骨精神》爭吵得很凶的時候，葉石濤仍然毫無悔過之意說：「他（指西川滿）是我老師，儘管大家都罵日本人……」。

喜歡「發誓」的葉石濤，曾斬釘截鐵地說：「沒有皇民文學，全是抗議文學」。其潛臺詞是「我沒有寫過皇民文學」，這是否「此地無銀三百兩」？不妨以一九四四年十一月出版的《臺灣文藝》他所發表的〈米機敗走〉爲例。這裏說的「米機」，就是美國飛機，它被侵略者日本軍機擊潰，作者竟高呼日軍打敗中國的盟軍是「龍捲風一般的萬歲」，並站在日軍的立場云：「我和絹代先生遠遠地看見一架戰機被擊落，翻過觔斗墜落在學校後頭的魚塘，不覺拍手歡呼：萬歲！萬歲！」一位與葉石濤非常親近的作家告訴彭瑞金，這是一篇典型的「皇民文學」的作品。不懂日文而看了漢譯篇〈美機在逃〉後，彭氏卻認爲：「這篇作品是在皇民化文學壓力下卻不肯順服皇民化的被迫抵抗的作品，尤其是要作家歌頌悲慘不人道的神風少年駕自殺飛機的戰爭行爲。文學家一旦屈服於軍國主義強權，失守這一道人性的底線，等於作家的自殺。作家能在如是內外交逼的高張壓力下完成作品交卷，而又能不失守文學人的底線，就是接受無極鍛火的淬煉。〈米機敗走〉就是經此淬煉出來的極致之作。」（註一一一）在彭氏看來，十八歲的葉石濤就爐火純青地寫出「極致」之作，豈不成了「神童」？

爲葉石濤辯護的除彭瑞金外，還有張恆豪。他的長篇論文〈豈容青熒指成灰——我對葉石濤在日據時代文學言行的一些看法〉，葉石濤十分欣賞此文將其收在他《沒有土地，哪有文學》的書中。張恆豪的結論是：「葉石濤在日據時期，並沒有向日閥當局交心，並沒有爲『皇民化運動』助聲威，並沒有替『南進的聖戰』敲邊鼓。一切不負責任的批評，都是別有用意的污蔑。其實，〈從林君寄來的信〉中仍可以窺出一絲漢家文化的火焰，要那邊青熒閃爍，雖然極盡含蓄烘托，但其意圖是不容被曲解的。」

（註一一二）

葉石濤喜歡引用日本作家太宰治的話語「臉上帶著微笑，心裏藏著憂傷」，並用「悲情」二字概括臺灣文學的主旋律。他以「悲情」命名的書《臺灣文學的悲情》，所寫的當然不是他一個人的「悲情」，儘管葉石濤本人自從事寫作以來，「悲情」遠多於歡快。人們（包括某些本土作家）指責他是西川滿的御用文人，使他有口難辯，便說明了這一點。但他最後還是申辯了，在晚年回憶往事時說〈給世外民的公開書〉不是他寫的，而是西川滿用他的名字發表的。可他過去並不是這樣認爲，在回憶往事時十分坦然地承認「世外人」的駁論，「澈底否認了浪漫主義文學在臺灣文學史的價値，又挖苦又諷刺，把我的短文批駁得一文不値。」（註一一三）「我的短文」這句話，正好說明葉石濤承認該文是自己所寫。不僅如此，葉石濤還進一步發揮道：「我怒氣沖沖，心有不甘，想再接再厲地駁斥一番，倒是西川滿先生溫和地阻止了我」（註一一四），這再一次證明該文確是他寫的。退一萬步說，即使是西川滿捉刀代筆，其內容也是葉石濤承認的。葉石濤是西川滿苦心培養的接班人，在當年皇民文學運動中曾出過力。雖然時間很短，寫的作品也稚嫩，遠沒有陳火泉寫得老到，但他畢竟做過「三腳仔」，這種污點是連斧頭也砍不掉的。

第十二節　苦讀細品《家變》

號稱「守中納外，學創並重」的《中外文學》，在創作上一直鼓勵實驗創新。鼓勵的結果，是在七十年代文壇上，出現了一本被評過最多次的小說。它標新立異，「就像一位披著『長髮』的青年走在街

上一樣，行人都不約而同的爲之側面。而這本小說的名字就叫《家變》」。（註一一五）

《家變》的作者王文興，畢業於臺灣大學外文系。他是臺灣現代主義文學的倡導者之一。他費時六年才完成的《家變》，從一九七二年九月至一九七三年二月在《中外文學》月刊連載了半年。還在連載期間，便引起爭議。這爭議，與時代氛圍分不開。蔣介石去世後，無論是什麼題材的小說，都不許寫老頭子死掉了。據瘂弦說：「《幼獅文藝》就因爲發表了類似小說而被收回重新裝訂才准許發行。」（註一一六）像《家變》寫「兒子在精神上虐待父親，逼他出走，又不認眞尋找，最後就安之若素的故事，怎麼看都是離經叛道，當爲忠義之士所共棄的！」（註一一七）

並不知道瘂弦講的內幕新聞的顏元叔，最是王文興的知音。他在〈苦讀細品談《家變》〉（註一一八）中高度評價描寫老父被兒子「奪權」終於出走的《家變》的成就：「我認爲《家變》在文字之創新，臨即感之強勁，人情刻劃之眞實，細節抉擇之精審，筆觸之細膩含蓄等方面，使它成爲中國近代小說少數的傑作之一。總而言之，最後一句話：《家變》，就是『眞』。」

一九七三年五月十八日，《中外文學》月刊社與環宇出版社，在臺灣大學體育館內舉辦了由顏元叔任主席的《家變》座談會。據《中外文學》一九七三年六月報導：林海音在會上認爲讀者不應集中在《家變》的「文字變」上，還應注意《家變》的結構、內涵、描寫等方面。張健認爲：「站在一個國文老師的立場，對於王文興在文字上的用法，我是反對的。可是站在一個作家與批評家的立場，對於一個誠懇的作者，以他苦心經營創造出一種新面目的文字，這是很值得注意的。」詩人羅門在充分肯定《家變》「確是一部對現代美學與現代精神有所探索與發現的小說」同時，指出它在語言上存在著缺陷。朱西寧認爲：「如果說讀《家變》不習慣，這是很自然的現象。但是，讀者應該試著去習慣王文興，而不應該要求王文興來習慣於讀者。」張漢良認爲，《家變》對文字的貢獻表現在：一、作者更新了語言，恢復了已死的文字，把它產生新生命，進而充分發揮文字的力量；二、他把中國象形文字的特性發揚光大；三、爲了求語言的精確性，主要是聽覺上的，他創造了許多字詞。

歐陽子在〈論《家變》之結構形式與文字句法〉（註一一九）中，認爲《家變》之誕生，在文壇放出了一道難得的新鮮異彩。但她不讚成初學寫作者拿王文興的風格諸如在作品中大量使用注音符號、獨創新字作爲典範。「因爲王文興的『缺點』極易模仿，但他用以補償——或企圖補償——這些缺點的種種特殊效果，卻是很難捕捉學得的。即使學到，用得一多，也就立刻喪失新鮮，失去功能。所以依我目前的看法，我還是希望王文興的風格，不但『空前』，而且『絕後』。」

在海外從事臺灣文學研究的劉紹銘，讀了顏元叔的文章後，曾去信抗議，認爲顏氏將這本「拾西人牙慧」的書捧得過分了。後來，劉紹銘檢討自己的文學趣味太保守、太傳統和太理性，而改爲稱讚這位崇拜現代派大師喬伊斯王文興所寫的此書「是臺灣文學二十年來最令人驚心動魄的一本突破性小說。」他在《中外文學》第四卷第十二期（一九七六年）發表的長文〈十年來的臺灣小說（一九六五～一九七五）——兼論王文興的《家變》〉中，並不認爲《家變》的創新在文字技巧，而認爲「內容意義比文字大得多。這是一本眞正由內容決定形式和文字的書。在此文中，劉紹銘把范曄所處的社會，看作是「父權沒落的社會，誰賺錢養家，誰是一家之主」，因此「往深一層看，王文興的《家變》是中國傳統文化日漸崩潰的象徵，禮運大同理想的破滅。」根據這一邏輯，他便推論出「范曄是中國新文學運動以來第一個夠得上與卡繆相提並論的『異鄉人』。」（註一二〇）

鄉土文學評論家對《家變》卻持否定態度。尉天驄在〈站在什麼立場說什麼話——對個人主義文藝的考察，兼評王文興的《家變》〉（註一一二）中認爲：「今天我們應該做的是以悲憫之心，互相攜助地衝破困境，努力生產，改造環境，哪裏能夠以病治病，居高臨下地嘲弄別人愚蠢呢？因此，我們不能不表示對《家變》的失望，作者不但沒有剖析出在這個時代、這個環境下的一個沒落的讀書人的家庭遭到如何的衰敗，而呈現出它所具有的悲劇性，反而顯露出在這個歷史的演變中，一個新知識分子的刻毒的、自私的、狂傲的面孔。作者即使想探討社會問題，但他既不深入社會，不去關心那些他認爲愚蠢的人，因此抓不住造成那些問題的時代和社會因素。既抓不到這些，只有借小說中父親的出走來滿足一下改變現實的企圖，這不是比弗洛伊德還要妥協，還要不如嗎？某詩人說：『王文興的文字雖怪，提出的觀念卻是新的！』看了上面的分析，我們除了嘆息，還能說些什麼？」對白先勇的《臺北人》，尉天驄也純粹從道德的觀點加以批評。對他來說，幾乎所有現代小說中的人物都是病態的，他都看不慣。

高天生在〈現代小說的歧途——試論王文興的小說〉中，附和尉天驄的看法，批評顏元叔、劉紹銘的觀點。他說：顏元叔肯定《家變》語言技巧上的更新，可以接受。但說這部小說是「五．四運動以來中國最偉大的小說之一」的見解，則純是從表現形式而不是從內容上看問題。劉紹銘以《家變》揭發了不少做人兒子的連自己也不敢承認的「隱私」，企圖堂而皇之的用大帽子「內容決定形式」來肯定該書的傑出，高天生亦認爲不妥。「因爲提倡孝道可以說是中國文化的最大特點……我們縱觀《家變》，發覺王文興所描述的只是一個毫無孝道的觀念的『僞知識分子』，他生物本能突顯外露，終致逼走父親的過程而已，其所反映的僅是一個特殊的人與特殊的心態，由此要來象徵中國文化的崩潰，實無異以司馬昭之心證明天下人皆非善類一般，徒然使人啼笑皆非罷了！職是之故，我們認爲《家變》實在是一本內容貧乏得可憐的作品，而王文興在洪範版的序言中建議讀者『撇開別的不談，只看文字……』，實在也

是很中肯的勸告。」（註一二二）

對王文興小說的評價，所反映的是不同文學觀念及其評判標準的分歧。不過，不管鄉土派評論家如何批評王文興小說內容貧乏，文字如何雕琢，但就王文興堅持獨立自主的精神，勇於嘗試文字技巧的試驗，且獲得相當的成就，這是抹殺不了的。

集中討論《家變》的報刊除《中外文學》外，還有《書評書目》、《中華日報》。《書評書目》發表的文章主要有：關雲〈漫談《家變》的遣詞造句〉（一九七三年七月號）、隱地〈《家變》與《龍天樓》〉（一九七三年七月號）、王鼎鈞等談《家變》（一九七三年）、楊惠南〈《家變》及其他〉（一九七三年九月號）、譚雅倫〈讀《家變》的聯想〉（一九七四年七月）。《中華日報》的文章有：鄭耀〈談《中外文學》並評《家變》〉（一九七三年八月二日）、村夫〈王文興的鎖——看電視座談《家變》有感〉（一九七三年八月十二～十三日）、陳克環〈「情變」和「家變」〉（一九七三年九月四日）及〈眞假，家變〉（一九七三年三月三十一日）、林柏燕〈韓愈、白話文、《家變》〉（一九七三年十月五～七日）。到了八十年代，《文星》雜誌對《家變》作了再評論。有呂正惠的〈王文興的悲劇：生錯了地方，還是受錯了教育〉（一九八六年十二月）、蔡英俊的〈試論王文興小說中的挫敗主題——范曄是怎麼長大的？〉（一九八六年十二月）等文。海外德州大學奧斯汀分校的張誦聖還於一九八一年用英文寫作了〈臺灣現代小說——《家變》研究〉的博士論文。

作爲「小兒痲痹體擁有者，臺灣文學中少見的異數」（註一二三）的七等生，無論在挑戰一般人的道德觀念還是行文風格，均與現代主義臺灣在地化的典型王文興相似。他「不只內容怪，行文語法也怪，其怪誕前衛處」，（註一二四）大概唯有王文興及後來的舞鶴能相比。他那「非寫實的簡短對話、奇異的文體，更提供了許多批評意見得以發揮的空間。」對七等生文體的討論，在臺灣文壇引起軒然大波，形成繼王文興後「臺灣難得一見的『批評的批評』第二序檢討省思活動」。（註一二五）

第十三節　歐陽子小說等問題的紛爭

七十年代的文學紛爭還有下面三點：

一是圍攻歐陽子小說《那長頭髮的女孩》。

歐陽子於一九六七年出版的小說《那長頭髮的女孩》，最引人矚目的地方是在大膽描寫女性情欲的同時勇闖亂倫禁區。作品的故事離不開畸形的戀愛和兒子的戀母傾向，寫出了背德、沉淪、邪惡、墮落等人性醜惡的一面。對這部小說批判最爲有力的是一九七三年八月創刊的《文季》，立志要建立臺灣的「中國文學」，因這集中刊登了唐文標、何欣、尉天驄、王拓的文章。他們從現實主義和中華民族主義的立場出發，指控這部作品受西方頹廢資本主義思潮的影響，社會效果極爲不好。何欣指出書中的人物「都是缺乏思想，缺乏個性的浮萍，其中的故事都缺乏力量。」王拓最反感的是作品中的亂倫關係，他認爲作者「對社會現實，和此一文化環境下普遍的問題，缺乏敏銳的感受。」唐文標像對待難懂的現代詩一樣，對《那長頭髮的女孩》尤其對柏楊的才華、氣質、情操、文品大加表彰舉起投槍。別的刊物發表的文章，也是貶多於褒。

二是關於《柏楊和我》的爭議。

一九七九年底，梁士元編了一本作爲柏楊六十壽賀禮的《柏楊和我》，由星光出版社出版。該書分爲四輯：柏楊和我、信函、訪問和報導、著作的評估。作者均爲柏楊的朋友。盧和芳認爲，「柏楊的作品，若只以一個字來概括的話，我會舉出『愛』字。他所以甘心背黑鍋，情願冒著生命危險，還是喋喋不休的說話，只是希望我們能向善向上。他自己也說過，他何嘗不知『悶』爲上策，但是他的話就是忍不住的向外亂冒。這只因他的一番愛心作祟。」他們肯定柏楊大膽的言論和深刻的見解，歌頌柏楊出於愛國熱情不怕打壓。如梁上元「看到了軍法處對柏楊的起訴書，在極度激動的心情下，爲柏老寫了一首長詩，寄給觀漢，他把它命名爲『二十世紀長恨歌』，送到香港一家雜誌上發表：展讀法庭起訴狀，如遭雷擊心驚愕。再讀先生冤氣詩，掩卷悲泣淚滂沱。如此生靈如此日，熱淚難乾感慨多。撫今思昔難爲言，我欲忍悲發浩歌……」柏楊遭「雷擊」，這不是柏楊的不幸，而是時代的不幸。柏楊本身活在一個「黃鐘毀棄，瓦釜雷鳴」的時代。自一九六八年以後，這一枝奇筆突然無聲無影從臺灣文壇上消失了；目睹官方之腐化敢於直言犯上作亂的柏楊被判刑，大家都爲其冤獄鳴不平，大有借此書向天下人告狀之意。

該書還把柏楊十年前所寫的批評政府的十多首詩當作附錄，並稱讚他是「最傑出的言論家」。這引來衛道士的不滿，其中《掃蕩週刊》發表〈瞧瞧柏楊的國際主義心態〉的社論，認爲柏楊的言論荒謬，應該批判，並同步發表〈柏楊坐牢是冤枉嗎？〉，陳志專則接連發表〈讀《柏楊與氣憤難平》〉、〈談國內偏激分子的怪腔怪調〉。

三是由〈現代詩批評小史〉引起的爭議。

蕭蕭在《中華文藝》「詩專號」一九七七年六月出版的發表長文〈現代詩批評小史〉，就臺灣近二十年來現代詩批評歷史作一小結，並提出他的看法。文中第三節談到「顏元叔以《敲打樂》和《在冷戰的年代》兩冊詩集寫出〈余光中的現代中國意識〉，可以說是非常取巧的寫法。這是一篇只要讀懂中國字就可寫出的評論，因爲余光中很明顯地一直在詩中喊著：『中國　中國　你令我早衰』。如果顏元叔從余光中的其他詩集印證他的中國意識，或就這兩冊詩集探討余光中的詩語、詩法，或許才能令人傾服。另外〈細讀洛夫的兩首詩〉三篇詩評：似乎暴露了顏元叔爲寫詩評而讀詩的急就心態，讀來自會有不知所云的慨嘆。評洛夫時情緒語特多，頗有嘩眾取寵之嫌，對於羅門閃爍不定的意象，則又束手無策，論葉維廉的文章可以說是三篇中較好的一篇。

蕭蕭「小史」中提到的顏元叔寫的〈細讀洛夫的兩首詩〉（註一二六）發表後，引來了劉菲、彩羽、林綠、周鼎等人的「圍剿」。他們抓住顏元叔對現代詩創作還不夠瞭解，在洛夫這類不講結構的作品中尋結構的緣木求魚的做法，對顏元叔極盡反諷之能事。其實，顏元叔在批評洛夫時也不是句句在講外行話。連洛夫在答辯文章中也承認：顏元叔的〈細讀洛夫的兩首詩〉「能突破私情的障礙，大刀闊斧，細加剖釋，言無不盡，可說是中國當代文壇有詩評以來最爲痛快淋漓的一篇文章，確使我在警惕戒懼中獲益不少。」（註一二七）

洛夫「秉性就不是一個深具城府，很有修養的人」（註一二八），因而當蕭蕭的文章引發顏元叔的不滿後，洛夫也披掛上陣去寫論戰文章。以他這樣一位既善創作又善寫評論的詩人來說，花這多精力去參加這種帶有「鬥氣」成分的論爭，無疑不合算。

注釋

一　此書已由聯經出版公司於二〇一二年五月出版。

二　雁翼於一九九一年二月六日向世界華文詩人廣泛散發的致白樺的公開信中稱：「我一九八八年的災難是你的密告信所促成……至於你說我和文曉村、藍海文、丁平不是詩人，是『不聞於世』的小人，你就當大詩人吧，但不要再害人。」

三　陳寧貴：〈風塵荏苒，陽光再現〉，臺北市：《文訊》二〇一七年四月號，頁一一三。

四　葉石濤：〈臺灣鄉土文學史導論〉，《夏潮》（一九七七年五月）。

五　陳映眞：〈鄉土文學的盲點〉，《臺灣文藝》革新號，第二期，一九七九年六月。

六　陳允元等：〈臺灣新文學史關鍵詞一〇一〉，臺北市：《聯合文學》第二期（二〇一二年）。

七　彭品光主編：《當前文學問題總批判》（臺北市：青溪新文藝學會出版，一九七七年）。

八　尉天驄主編：《鄉土文學討論集》（臺北市：遠流出版公司，一九七八年）。

九　郭　楓：〈四十年來臺灣文學的環境與生態〉，臺北市：《新地文學》第二期（一九九〇年）。

一〇　郭　楓：〈四十年來臺灣文學的環境和生態〉，臺北市：《新地文學》第二期（一九九〇年）。

一一　楊　照：《霧與畫》（臺北市：麥田出版社，二〇一〇年），頁五五四。

一二　徐復觀：〈評評臺北有關「鄉土文學」之爭〉，臺北市：《中華雜誌》總第一七一期（一九七七年十月）。

一三　桂文亞：〈詩話：楊牧訪問記〉，臺北市：《聯合報》，一九七六年二月二十六日。

一四　彭　歌：〈不談人性，何有文學〉，臺北市：《聯合報》，一九七七年八月十七、十八、十九日。

一五　余光中：〈狼來了〉，臺北市：《聯合報》，一九七七年八月二十日。

一六　陳芳明：〈海外作家五四座談會紀事〉，臺北市：《聯合報》，一九七八年五月二十七～二十八日。

一七　徐復觀：〈評評臺北有關「鄉土文學」之爭〉，臺北市：《中華雜誌》總第一七一期（一九七七年十月）。

一八　陳鼓應：《這樣的「詩人」余光中》（臺北市：大漢出版社，一九七七年）。

一九　王文興：〈鄉土文學的功與過〉，臺北市：《夏潮》第二十三期（一九七八年二月）。

二〇　彭瑞金：《臺灣新文學運動四十年》（臺北市：自立晚報出版部，一九九一年三月），頁一六三。

二一　侯立朝語，臺北市：《國魂》總三八四期（一九七七年十一月）。

二二　王　拓：〈擁抱健康的大地——讀彭歌〈不談人性，何有文學〉的感想〉，臺北市：《聯合報》，一九七七年九月十、十一、十二日。

二三　尉天驄：〈欲開壅蔽達人情，先向詩歌求諷刺！〉，臺北市：《中華雜誌》第一七二期（一九七七年十一月號）。

二四　陳映眞：〈建立民族文學的風格〉，臺北市：《中華雜誌》第一七一期（一九七七年十月）。

二五　黃春明：〈一個作者的卑鄙心靈〉，臺北市：《夏潮》第二十三期（一九七八年二月）。

二六　胡秋原：〈論王文興的 Nonsense 之 Sense〉，臺北市：《中華雜誌》第一七六期（一九七八年三月）。

二七　尉天驄：〈文學爲人生服務〉，臺北市：《夏潮》第十七期（一九七七年八月一日）。

二八　轉引自尉天驄：〈鄉土文學討論集．出版說明〉，《鄉土文學討論集》（臺北市：遠流出版公司經銷，一九七八年四月）。

二九　轉引自曾祥鐸：〈參加國軍文藝大會的感想〉，臺北市：《中華雜誌》總第一七五期（一九七八年二月）。

三〇　呂正惠：〈七八十年代臺灣現實主義文學的道路〉，臺北市：《新地文學》第一卷第二期（一九九〇年六月五日）。

三一　向　陽：《書寫與拼圖——臺灣文學傳播現象研究》（臺北市：麥田出版社，二〇〇一年），頁一六四。

三二　原文以日文寫成，發表在東京出版的《臺灣近現代史研究》第三期（一九八一年一月）。中文發表於臺北，《暖流》第八、九期（一九八二年八～九月）。

三三　鄭鴻生：〈陳映眞與臺灣的「六十年代」：重試論臺灣戰後新生代的自我實現〉，臺北市：《臺灣社會研究季刊》第七十八期（二〇一〇年六月），頁一〇二。

三四　趙　剛：〈陳映眞對保釣可能提出的疑問〉，臺北市：《臺灣社會研究季刊》第七十九期（二〇一〇年九月），頁三九七。

三五　陳鼓應：《這樣的「詩人」余光中》（臺北市：大漢出版社，一九七七年）。後來還出過增訂本《這樣的詩人余光中》，作者為陳鼓應、郭楓、李敏勇、李勤岸、莊金國、黃樹根（臺北市：台笠出版社，一九八九年九月）。

三六　潘榮禮、蕭國和編：《這樣的教授王文興》（高雄市：敦理出版社，一九七八年五月）。

三七　胡秋原：〈論「王文興的 Nonsense 之 Sense」〉，載潘榮禮、蕭國和編：《這樣的教授王文興》（高雄市：敦理出版社，一九七八年五月），頁七十八～七十九。

三八　思　民：〈王文興教授的偏見與狂傲〉，載潘榮禮、蕭國和編：《這樣的教授王文興》（高雄市：敦理出版社，一九七八年五月），頁一三二。

三九　余光中：〈狼來了〉，《聯合報》，一九七七年八月二十日。

四〇　王文興：〈文學不容劃分階級〉，《中華日報》副刊，一九七八年一月三十、三十一日。

四一　黃順興：〈臺灣農民在經濟發展中所扮演的角色——與王文興教授談農業生產問題〉，潘榮禮、蕭國和編：《這樣的教授王文興》（高雄市：敦理出版社，一九七八年五月），頁一五三。

四二　趙有培：〈我國大學文學教育的前途〉，《中華日報》，一九七二年三月十～十一日。

四三　邢光祖：〈當前我國文學的危機〉，《中華日報》，一九七二年九月二十三～二十七日。

四四　林柏燕：〈中文系應有醒覺與信心〉，《中華日報》，一九七二年八月十四日。

四五　林柏燕：〈中文系自我革新芻議〉，《中華日報》，一九七二年十一月二十～二十五日。

四六　左海倫：〈中文系是幹什麼的〉，《中華日報》，一九七二年九月三～五日。

四七　左海倫：〈中國文學是這樣界定的嗎〉，《中華日報》，一九七二年十一月十七～十八日。

四八　左海倫：〈怪怪的邏輯〉，《中華日報》，一九七二年十二月七～八日。

四九　魏子雲：〈反對《現代文學系》芻議〉，《中華日報》，一九七二年七月二十七日。

五〇　于大成：〈中文系的目標〉，《中華日報》，一九七二年十月二十五～三十日。

五一　李霜青：〈論戰的檢討〉，《中華日報》，一九七三年一月二十一～二十二日。

五二　葉嘉瑩：〈古今並重，另設創作系〉，《中華日報》，一九七二年九月二十二日。

五三　胡秋原：〈敬答吳濁流先生〉，臺北市：《中華雜誌》（一九七五年五月）。

五四　胡秋原：〈敬答吳濁流先生〉，臺北市：《中華雜誌》（一九七五年五月）。

五五　吳濁流：〈請告胡秋原先生〉，臺北市：《臺灣文藝》第一卷三期（一九七四年六月）。

五六　荒　林：〈「現代漢詩學研討會」綜述〉，臺北市：《臺灣詩學季刊》總二十一期，一九九七年十二月。

五七　絲　韋（羅孚）：〈關於「認眞的遊戲」〉香港：《新晚報》，一九七五年五月七日、九月八～十日。

五八　《盤古》編者按，香港：《盤古》（一九七五年十月二十五日），頁八十四。

五九　顏元叔：〈余光中的現代中國意識〉，臺北市：《純文學》第四十一期（一九七〇年五月）。

六〇　黃國彬：〈在時間裏自焚——細讀余光中的《白玉苦瓜》〉，香港：《詩風》第四十二、四十三期（一九七四年十一、十二月）。

六一　夏志清：〈余光中：懷國與鄉愁的延續〉，黃維樑編著：《火浴的鳳凰》（臺北市：純文學出版社，一九八六年），頁三八三～三九〇。

六二　顏元叔：〈余光中的現代中國意識〉，臺北市：《純文學》第四十一期（一九七〇年五月），頁七十一。

六三　海　奇：〈「白玉矮瓜」及其他——詩人余黑西〉，香港：《文化新潮》第三期（一九七八年十二月十五日），頁四十。

六四　參看黃維樑：〈詩：不朽之盛事——析余光中《白玉苦瓜》並試論詩人之成就〉，香港：《明報月刊》第一一九期（一九七五年十一月）。

六五　余光中：〈紫荊與紅梅如何接枝？〉，載《香港文學節研討會講稿匯編》（香港：市政局公共圖書館，一九九七年）。

六六　余光中：〈狼來了〉，臺北市：《聯合報》（一九七七年八月二十日）。

六七　陳鼓應等著：《這樣的詩人余光中》（臺北市：台笠出版社，一九八九年），頁一三七。

六八　陳鼓應：〈評余光中的頹廢意識與色情主義〉，臺北市：《中華雜誌》第一七二期（一九七七年十一月）。

六九　陳鼓應：〈評余光中的流亡心態〉，臺北市：《中華雜誌》總第一七三期（一九七七年十二月）。

七〇　陳鼓應：〈三評余光中的詩〉，臺北市：《夏潮》（一九七八年），頁六十～六十九。

七一　陳鼓應：《這樣的「詩人」余光中》（臺北市：大漢出版社，一九七七年）。

七二　陳鼓應等著：《這樣的詩人余光中》（臺北市：台笠出版社，一九八九年），頁一四〇。

七三　陳鼓應等著：《這樣的詩人余光中》（臺北市，台笠出版社，一九八九年），頁一四九。
七四　陳鼓應等著：《這樣的詩人余光中》（臺北市，台笠出版社，一九八九年），頁二十四。
七五　陳鼓應等著：《這樣的詩人余光中》（臺北市，台笠出版社，一九八九年），頁二十五。
七六　陳鼓應等著：《這樣的詩人余光中》（臺北市，台笠出版社，一九八九年），頁四十。
七七　陳鼓應等著：《這樣的詩人余光中》（臺北市，台笠出版社，一九八九年），頁二。
七八　陳鼓應等著：《這樣的詩人余光中》（臺北市，台笠出版社，一九八九年），頁四十～四十一。
七九　黃維樑編著：《火浴的鳳凰》（臺北市：純文學出版社，一九八六年），頁七十一。
八〇　余光中：《余光中集》（天津市：百花文藝出版社，二〇〇四年），第二卷，頁一三〇。
八一　黃維樑編著：《火浴的鳳凰》（臺北市：純文學出版社，一九八六年），頁一九七。
八二　孔無忌：〈一個歷史的對照〉，臺北市：《夏潮》第二十二期。
八三　田　湞：〈我也談談余光中〉，臺北市：《中華雜誌》第一七五期。
八四　寒　爵：〈床上詩人頌〉，臺北市：《文壇》一九七八年二月號。
八五　吳望堯：臺北市：《中華日報》副刊，一九七七年十一月二十九日。
八六　吳望堯，臺北市：《臺灣新生報》副刊，一九七八年一月七日。
八七　葉積奇：〈陳鼓應，你夠薑〉，香港：《文化新潮》第九期（一九七九年六月二十日），頁四十。
八八　彭瑞金：《臺灣新文學運動四十年》（臺北市：自立晚報出版部，一九九一年），頁一六三。

八九 彭鏡禧：〈懷念恩師顏元叔教授開風氣之先〉，臺北市：《文訊》總三二八期（二〇一三年二月），頁五十五。

九〇 彭鏡禧：〈懷念恩師顏元叔教授開風氣之先〉，臺北市：《文訊》總三二八期（二〇一三年二月），頁五十五。

九一 古添洪：〈中西比較文學：範籌、方法、精神的初探〉，臺北市：《中外文學》第七卷第一期（一九七九年）。

九二 此文發表在臺北：《中外文學》第六卷第五期（一九七七年十月）。後收入李達三所著《比較文學研究之新方向》（臺北市：聯經出版公司，一九七八年）。

九三 參看李達三：〈中西比較文學研究現代的發展：「中國學派」的黃金年代（一九七七～一九八七）〉，見「中華民國第五屆國際比較文學會議」一九八七年八月論文。陳鵬翔：〈建立比較文學中國學派的理論和步驟〉，臺北市：《中外文學》第十九卷第一期（一九九〇年六月）。

九四 袁鶴翔：〈慕尼黑到烏托邦——中西比較文學再回顧再展望〉，臺北市：《中外文學》第十七卷第十一期（一九八八年四月）。

九五 轉引自田湞（劉菲）：〈看尹雪曼民族意識的逆轉〉，臺北市：《中華雜誌》第一七六期（一九七八年三月）。

九六 余光中：《青青邊愁》（臺北市：純文學出版社，一九七八年第三版），頁二六一。

九七　余光中：《青青邊愁》（臺北市：純文學出版社，一九七八年第三版），頁二六一、二六二。

九八　余光中：《青青邊愁》（臺北市：純文學出版社，一九七八年第三版），頁二六二。

九九　胡蘭成：《山河歲月》（臺北市：遠景出版公司，二〇〇三年），頁二六七、二六八。另見余光中：《青青邊愁》（臺北市：純文學出版社，一九七八年第三版），頁二六五。

一〇〇　胡蘭成：《山河歲月》，臺北市：遠景出版公司，頁二七一、二七二。另見余光中：《青青邊愁》（臺北市：純文學出版社，一九七八年第三版），頁二六五。

一〇一　余光中：《青青邊愁》（臺北市：純文學出版社，一九七八年第三版），頁二六六。

一〇二　余光中：《青青邊愁》（臺北市：純文學出版社，一九七八年第三版），頁三一三。

一〇三　余光中：《青青邊愁》（臺北市：純文學出版社，一九七八年第三版），頁三一三。

一〇四　薛仁明：〈還看今朝——欣見「胡蘭成專號」及李黎《青山綠水，幾度興亡》〉，《INK印刻文學生活誌》二〇一〇年第十期，頁二一五。

一〇五　薛仁明：〈還看今朝——欣見「胡蘭成專號」及李黎《青山綠水，幾度興亡》〉，《INK印刻文學生活誌》二〇一〇年第十期，頁二一五。

一〇六　薛仁明：〈還看今朝——欣見「胡蘭成專號」及李黎《青山綠水，幾度興亡》〉，《INK印刻文學生活誌》二〇一〇年第十期，頁二一五。

一〇七　葉石濤：〈日據時期文壇鎖憶〉，臺北市：《聯合報》，一九八〇年十月二十六日。

一〇八　葉石濤：〈狗屎現實主義與假浪漫主義〉，《興南新聞》「學藝欄」，一九四三年五月十日。

一〇九　《人間》編輯部編：《噤啞的論爭》（臺北市：人間出版社，一九九九年九月），頁一一三。

一一〇　吳新榮：〈好文章，壞文章〉，《興南新聞》，一九四三年五月二十四日。

一一一　彭瑞金：〈《米機敗走》之夢〉，高雄市：《文學臺灣》二〇二一年秋季號，頁四四七。

一一二　葉石濤：《沒有土地，哪有文學》（臺北市：遠景出版公司，一九八一年），頁三二一。

一一三　葉石濤：〈日據時期文壇瑣憶〉，臺北市：《聯合報》，一九八〇年十月二十六日。

一一四　葉石濤：〈日據時期文壇瑣憶〉，臺北市：《聯合報》，一九八〇年十月二十六日。

一一五　關　雲：〈漫談《家變》中的遣詞造句〉，臺北市：《書評書目》第六期（一九七三年七月）。

一一六　柯慶明：〈在中文系，遇見王文興老師〉，《INK印刻文學生活誌》（二〇〇九年六月），頁一一二。

一一七　柯慶明：〈在中文系，遇見王文興老師〉，《INK印刻文學生活誌》（二〇〇九年六月），頁一一二。

一一八　顏元叔：〈苦讀細品談《家變》〉，臺北市：《中外文學》第一卷第十一期（一九七三年四月。

一一九　歐陽子：〈論《家變》之結構形式與文字句法〉，臺北市：《中外文學》第一卷第十二期（一九七三年五月）。

一二〇　見劉紹銘：《小說與戲劇》（臺北市：洪範書店，一九七七年）。

一二一　尉天驄：〈站在什麼立場說什麼話——對個人主義文藝的考察，兼評王文興的《家變》〉，臺北市：《文季》第二期（一九七三年十一月十五日）。

一二二　高天生：〈現代小說的歧途——試論王文興的小說〉，臺北市：《文學界》第一集（一九八一年六月），頁八十三～八十四。

一二三　陳允元等：〈臺灣新文學史關鍵詞一〇一〉，臺北市：《聯合文學》二〇一二年第二期。

一二四　陳允元等：〈臺灣新文學史關鍵詞一〇一〉，臺北市：《聯合文學》二〇一二年第二期。

一二五　楊　照：《霧與畫》（臺北市：麥田出版社，二〇〇一年），頁五六一。

一二六　顏元叔：〈細讀洛夫的兩首詩〉，臺北市：《中外文學》第一卷第一期（一九七二年六月）。

一二七　洛　夫：〈與顏元叔談詩的結構與批評——並自釋《手術台上的男子》〉，載《洛夫詩論選》（臺南市：金川出版社，一九七八年），頁二六二。

一二八　洛　夫：〈與顏元叔談詩的結構與批評——並自釋《手術台上的男子》〉，載《洛夫詩論選》（臺南市：金川出版社，一九七八年），頁二六二。